ㄱ과서

KB087189

다품

중학 수학 3-1

I 실수와 그 계산

II 다항식의 곱셈과 인수분해

III 이차방정식

IV 이차함수

구성과 특징

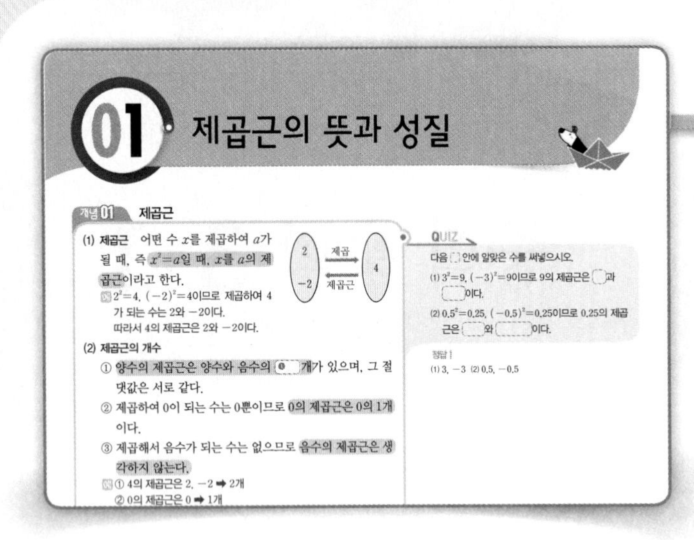

01 제곱근의 뜻과 성질

개념 01 제곱근

(1) 제곱근 어떤 수 x를 제곱하여 a가 될 때, 즉 $x^2=a$일 때, x를 a의 제곱근이라고 한다.
예 $2^2=4$, $(-2)^2=4$이므로 제곱하여 4가 되는 수는 2와 -2이다.
따라서 4의 제곱근은 2와 -2이다.

(2) 제곱근의 개수
① 양수의 제곱근은 양수와 음수의 (❶)개가 있으며, 그 절댓값은 서로 같다.
② 제곱하여 0이 되는 수는 0뿐이므로 0의 제곱근은 0의 1개이다.
③ 제곱해서 음수가 되는 수는 없으므로 음수의 제곱근은 생각하지 않는다.
예 ① 4의 제곱근은 2, -2 ➡ 2개
② 0의 제곱근은 0 ➡ 1개

QUIZ
다음 ☐ 안에 알맞은 수를 써넣으시오.
(1) $3^2=9$, $(-3)^2=9$이므로 9의 제곱근은 ☐과 ☐이다.
(2) $0.5^2=0.25$, $(-0.5)^2=0.25$이므로 0.25의 제곱근은 ☐와 ☐이다.
정답 | (1) 3, -3 (2) 0.5, -0.5

개념 정리

- 단원별로 꼭 알아야 할 개념을 정리하였습니다.
- 빈칸 채우기 등을 통해 스스로 개념을 완성하면서 숙지하도록 하였습니다.

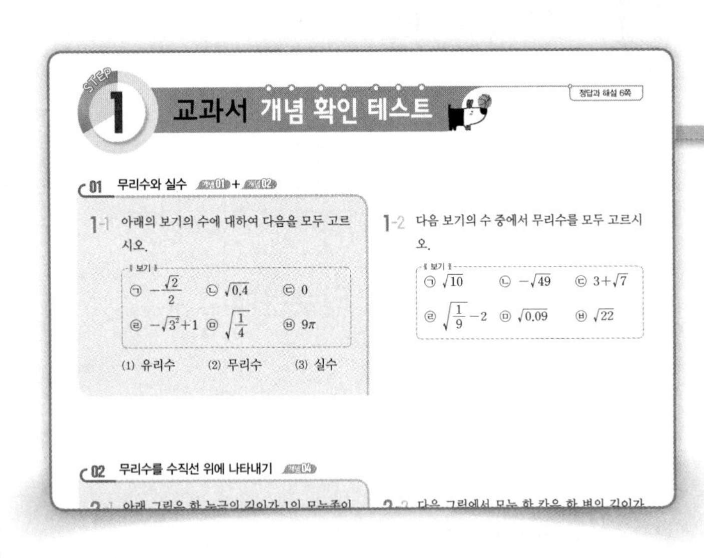

STEP 1 교과서 개념 확인 테스트

정답과 해설 6쪽

01 무리수와 실수 개념 01 + 개념 02

1-1 아래의 보기의 수에 대하여 다음을 모두 고르시오.
| 보기 |
㉠ $-\frac{\sqrt{2}}{2}$ ㉡ $\sqrt{0.4}$ ㉢ 0
㉣ $-\sqrt{3^2}+1$ ㉤ $\sqrt{\frac{1}{4}}$ ㉥ 9π
(1) 유리수 (2) 무리수 (3) 실수

1-2 다음 보기의 수 중에서 무리수를 모두 고르시오.
| 보기 |
㉠ $\sqrt{10}$ ㉡ $-\sqrt{49}$ ㉢ $3+\sqrt{7}$
㉣ $\sqrt{\frac{1}{9}}-2$ ㉤ $\sqrt{0.09}$ ㉥ $\sqrt{22}$

02 무리수를 수직선 위에 나타내기 개념 04

교과서 개념 확인 테스트

- 10종 교과서 예제, 유제, 공통 문제를 수록하였습니다.
- 쌍둥이 구성으로 반복 연습이 가능하도록 하였습니다.

STEP 2 기출 기초 테스트

10종 교과서 공통 문제

유형 01 제곱근의 이해

1-1 다음 중 옳은 것은?
① 0의 제곱근은 없다.
② 3의 제곱근은 $\pm\sqrt{9}$이다.
③ 양수는 절댓값이 같은 두 개의 제곱근이 있다.
④ 넓이가 5인 정사각형의 한 변의 길이는 $\pm\sqrt{5}$이다.
⑤ $\sqrt{49}$의 제곱근은 ±7이다.

(10종 교과서 공통)
1-2 다음 중 옳은 것을 모두 고르면? (정답 2개)
① 6의 제곱근은 $\pm\sqrt{6}$이다.
② 제곱근 10은 $\pm\sqrt{10}$이다.
③ $\sqrt{81}=\pm9$이다.
④ 0.04의 음의 제곱근은 -0.2이다.
⑤ $\frac{1}{3}$의 음의 제곱근은 $\sqrt{-\frac{1}{3}}$이다.

기출 기초 테스트

- 10종 교과서 중요 문제를 수록하고, 반복 연습이 가능하도록 하였습니다.

STRUCTURE

“〈다:품〉은 이렇게 구성되어 있습니다.”

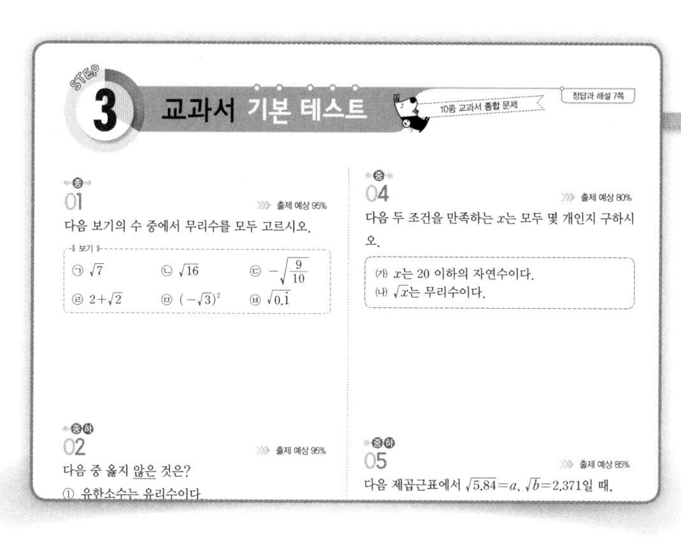

STEP 3 교과서 기본 테스트

10종 교과서 종합 문제

정답과 해설 7쪽

01 출제 예상 95%

다음 보기의 수 중에서 무리수를 모두 고르시오.

보기

㉠ $\sqrt{7}$ ㉡ $\sqrt{16}$ ㉢ $-\sqrt{\frac{9}{10}}$

㉣ $2+\sqrt{2}$ ㉤ $(-\sqrt{3})^2$ ㉥ $\sqrt{0.\dot{1}}$

02 출제 예상 95%

다음 중 옳지 않은 것은?

① 유한소수는 유리수이다.

04 출제 예상 80%

다음 두 조건을 만족하는 x는 모두 몇 개인지 구하시오.

(가) x는 20 이하의 자연수이다.

(나) $\sqrt{x}$는 무리수이다.

05 출제 예상 85%

다음 제곱근표에서 $\sqrt{5.84}=a$, $\sqrt{b}=2.371$일 때,

교과서 기본 테스트

- 10종 교과서 종합 문제를 수록하여 시험 준비와 내신 대비를 할 수 있도록 하였습니다.

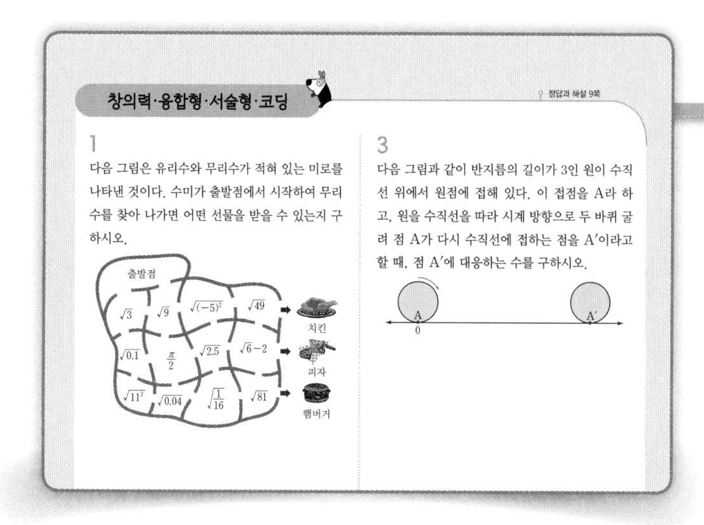

창의력·융합형·서술형·코딩

정답과 해설 9쪽

1

다음 그림은 유리수와 무리수가 적혀 있는 미로를 나타낸 것이다. 수미가 출발점에서 시작하여 무리수를 찾아 나가면 어떤 선물을 받을 수 있는지 구하시오.

3

다음 그림과 같이 반지름의 길이가 3인 원이 수직선 위에서 원점에 접해 있다. 이 접점을 A라 하고, 원을 수직선을 따라 시계 방향으로 두 바퀴 굴려 점 A가 다시 수직선에 접하는 점을 A′이라고 할 때, 점 A′에 대응하는 수를 구하시오.

창의력 · 융합형 · 서술형 · 코딩

- 10종 교과서 창의융합형 문제를 분석하여 수록하였습니다.

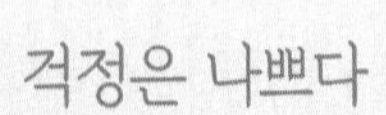

걱정은 나쁘다

걱정이란
건강치 못한 마음의
파괴적인 습관에 지나지 않는다.
이런 걱정을 우리 마음에서 떨쳐버려야 한다.
걱정은 그 어떤 일에도
전혀 도움이 되지 않기 때문이다.
– 노만 V. 필

실수와 그 계산

제곱근의 뜻과 성질

개념 01 제곱근

(1) **제곱근** 어떤 수 x를 제곱하여 a가 될 때, 즉 $x^2=a$일 때, x를 a의 제곱근이라고 한다.

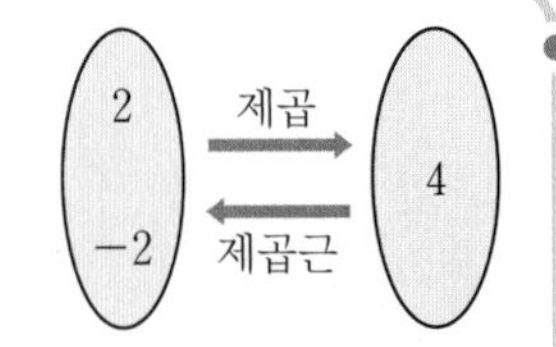

예 $2^2=4$, $(-2)^2=4$이므로 제곱하여 4가 되는 수는 2와 −2이다.
따라서 4의 제곱근은 2와 −2이다.

(2) **제곱근의 개수**

① 양수의 제곱근은 양수와 음수의 ❶ ____개가 있으며, 그 절댓값은 서로 같다.

② 제곱하여 0이 되는 수는 0뿐이므로 0의 제곱근은 0의 1개이다.

③ 제곱해서 음수가 되는 수는 없으므로 음수의 제곱근은 생각하지 않는다.

예 ① 4의 제곱근은 2, −2 ➡ 2개
② 0의 제곱근은 0 ➡ 1개
③ −4의 제곱근은 없다.

답 | ❶ 2

QUIZ

다음 □ 안에 알맞은 수를 써넣으시오.

(1) $3^2=9$, $(-3)^2=9$이므로 9의 제곱근은 □과 □이다.

(2) $0.5^2=0.25$, $(-0.5)^2=0.25$이므로 0.25의 제곱근은 □와 □이다.

정답 |
(1) 3, −3 (2) 0.5, −0.5

개념 02 제곱근의 표현

(1) 제곱근은 기호 $\sqrt{\ }$ (근호)를 사용하여 나타내고, $\sqrt{a}$를 '제곱근 a' 또는 '루트 a'라고 읽는다.

(2) 양수 a의 제곱근 중 양수인 것을 양의 제곱근, 음수인 것을 음의 제곱근이라 하고, 기호 $\sqrt{\ }$를 사용하여 각각 $\sqrt{a}$, ❶ ____와 같이 나타낸다.

(3) $\sqrt{a}$와 $-\sqrt{a}$를 한꺼번에 $\pm\sqrt{a}$로 나타내기도 하며 $\pm\sqrt{a}$를 '플러스 마이너스 루트 a'라고 읽는다.

예 2의 양의 제곱근은 $\sqrt{2}$, 음의 제곱근은 $-\sqrt{2}$이다.
즉 2의 제곱근은 $\pm\sqrt{2}$이다.

(4) 근호 안의 수가 어떤 수의 ❷ ____이면 $\sqrt{\ }$를 사용하지 않고 나타낼 수 있다.

예 $\sqrt{4}$ ➡ 4의 양의 제곱근 ➡ 2
$-\sqrt{4}$ ➡ 4의 음의 제곱근 ➡ −2

참고 a의 제곱근과 제곱근 a (단, $a>0$)
① a의 제곱근 : 제곱하여 a가 되는 수 ➡ $\pm\sqrt{a}$
② 제곱근 a : a의 양의 제곱근 ➡ $\sqrt{a}$

답 | ❶ $-\sqrt{a}$ ❷ 제곱

QUIZ

1. 다음을 근호를 사용하여 나타내시오.
(1) 10의 양의 제곱근
(2) 1.4의 음의 제곱근
(3) 5의 제곱근

2. 다음 괄호 안의 알맞은 것에 ○표 하시오.
(1) 9의 제곱근은 (3, ±3)이다.
(2) 제곱근 9는 (3, ±3)이다.

정답 |
1. (1) $\sqrt{10}$ (2) $-\sqrt{1.4}$ (3) $\pm\sqrt{5}$
2. (1) ±3 (2) 3

개념 03 제곱근의 성질

$a>0$일 때

(1) a의 제곱근을 제곱하면 a가 된다.

➡ $(\sqrt{a})^2=a$, $(-\sqrt{a})^2=$ ❶ ____

예 $(\sqrt{2})^2=2$, $(-\sqrt{2})^2=2$

(2) 근호 안의 수가 어떤 수의 제곱이면 근호를 사용하지 않고 나타낼 수 있다.

➡ $\sqrt{a^2}=a$, $\sqrt{(-a)^2}=$ ❷ ____

예 $\sqrt{2^2}=2$, $\sqrt{(-2)^2}=2$

참고 근호 안이 문자일 때에는 먼저 그 문자가 양수인지, 음수인지 확인한다.

➡ $\sqrt{A^2}=\begin{cases} A(A\geq 0\text{일 때}) \\ -A(A<0\text{일 때}) \end{cases}$

주의 $\sqrt{A^2}$은 A^2의 양의 제곱근이므로 A의 부호에 관계없이 항상 음이 아닌 값을 가진다.

① $a>0$일 때, 즉 $-a<0$이므로
$\sqrt{(-a)^2}=-a$ (×)
$\sqrt{(-a)^2}=-(-a)=a$ (○)

② $a<3$일 때, 즉 $a-3<0$이므로
$\sqrt{(a-3)^2}=a-3$ (×)
$\sqrt{(a-3)^2}=-(a-3)=-a+3$ (○)

답 | ❶ a ❷ a

QUIZ

다음 중 옳은 것에는 ○표, 옳지 않은 것에는 ×표를 하시오.

(1) $\sqrt{81}=\pm 9$ ( )

(2) $\sqrt{(-2)^2}=-2$ ( )

(3) $\sqrt{(-3)^2}=3$ ( )

(4) $\sqrt{9}=3$ ( )

정답 |
(1) × (2) × (3) ○ (4) ○

개념 04 제곱근의 대소 관계

$a>0$, $b>0$일 때

(1) $a<b$이면 $\sqrt{a}<\sqrt{b}$

(2) $\sqrt{a}<\sqrt{b}$이면 $a<b$

(3) $a<b$이면 $-\sqrt{a}$ ❶ ____ $-\sqrt{b}$

예 (1) $2<3$이므로 $\sqrt{2}<\sqrt{3}$
(3) $2<3$이므로 $\sqrt{2}<\sqrt{3}$
$\therefore -\sqrt{2}>-\sqrt{3}$

참고 근호가 있는 수와 근호가 없는 수의 대소 비교 방법

① 근호가 없는 수를 근호가 있는 수로 바꾼 후 대소를 비교한다.
예 2와 $\sqrt{3}$의 대소 비교
$2=\sqrt{4}$이므로 $\sqrt{4}>\sqrt{3}$ $\therefore 2>\sqrt{3}$

② 각각의 수를 제곱하여 대소를 비교한다. (단, 두 수가 모두 양수일 때만 이용한다.)
예 2와 $\sqrt{3}$의 대소 비교
$2^2=4$, $(\sqrt{3})^2=3$이므로 $4>3$ $\therefore 2>\sqrt{3}$

참고 부등식의 성질

세 수 a, b, c에 대하여

① $a<b$이면 $a+c<b+c$, $a-c<b-c$

② $a<b$이고 $c>0$이면 $ac<bc$, $\frac{a}{c}<\frac{b}{c}$

③ $a<b$이고 $c<0$이면 $ac>bc$, $\frac{a}{c}>\frac{b}{c}$

답 | ❶ >

QUIZ

다음 □ 안에 부등호 >, < 중 알맞은 것을 써넣으시오.

(1) $\sqrt{3}$ □ $\sqrt{5}$

(2) $-\sqrt{3}$ □ $-\sqrt{4}$

(3) 0.3 □ $\sqrt{0.3}$

(4) $-\sqrt{\frac{1}{3}}$ □ $-\sqrt{\frac{1}{2}}$

정답 |
(1) < (2) > (3) < (4) >

교과서 개념 확인 테스트

01 제곱근 개념 01

1-1 다음 수의 제곱근을 구하시오.

(1) 25　　(2) 81

(3) $\frac{9}{64}$　　(4) 0.16

1-2 다음 수의 제곱근을 구하시오.

(1) 36　　(2) 121

(3) $\frac{16}{25}$　　(4) 0.49

02 제곱근의 표현 개념 02

2-1 다음을 근호를 사용하여 나타내시오.

(1) 13의 제곱근

(2) 19의 양의 제곱근

(3) $\frac{3}{5}$의 제곱근

(4) 0.7의 음의 제곱근

2-2 다음을 근호를 사용하여 나타내시오.

(1) 3의 제곱근

(2) 7의 음의 제곱근

(3) $\frac{2}{3}$의 양의 제곱근

(4) 0.1의 제곱근

03 근호를 사용하지 않고 나타내기 개념 02

3-1 다음 수를 근호를 사용하지 않고 나타내시오.

(1) $\sqrt{49}$　　(2) $-\sqrt{100}$

(3) $\sqrt{\frac{1}{9}}$　　(4) $-\sqrt{0.16}$

3-2 다음 수를 근호를 사용하지 않고 나타내시오.

(1) $\sqrt{4}$　　(2) $-\sqrt{64}$

(3) $\sqrt{0.09}$　　(4) $-\sqrt{\frac{4}{25}}$

04 제곱근의 성질 개념 03

4-1 다음 값을 구하시오.

(1) $(\sqrt{7})^2$ (2) $\sqrt{9^2}$

(3) $\left(-\sqrt{\frac{2}{5}}\right)^2$ (4) $\sqrt{(-0.2)^2}$

4-2 다음 값을 구하시오.

(1) $(\sqrt{5})^2$ (2) $(-\sqrt{11})^2$

(3) $\sqrt{0.1^2}$ (4) $\sqrt{(-15)^2}$

05 제곱근의 성질을 이용한 수의 계산 개념 03

5-1 다음을 계산하시오.

(1) $(\sqrt{6})^2+(-\sqrt{3})^2$

(2) $(-\sqrt{7})^2-(-\sqrt{5})^2$

(3) $\sqrt{4^2}\times\sqrt{(-5)^2}$

(4) $\sqrt{\left(\frac{1}{3}\right)^2}\div\sqrt{\left(-\frac{4}{3}\right)^2}$

5-2 다음을 계산하시오.

(1) $(\sqrt{2})^2+\sqrt{(-13)^2}$

(2) $(\sqrt{0.6})^2-\sqrt{1.44}$

(3) $\sqrt{5^2}\times\sqrt{(-6)^2}$

(4) $(-\sqrt{24})^2\div\sqrt{(-8)^2}$

06 제곱근의 대소 관계 개념 04

6-1 다음 □ 안에 부등호 >, < 중 알맞은 것을 써넣으시오.

(1) $\sqrt{\frac{3}{8}}$ □ $\sqrt{\frac{1}{2}}$

(2) $\sqrt{26}$ □ 5

(3) 0.1 □ $\sqrt{0.1}$

(4) $-\sqrt{\frac{1}{3}}$ □ -0.4

6-2 다음 □ 안에 부등호 >, < 중 알맞은 것을 써넣으시오.

(1) 5 □ $\sqrt{20}$

(2) $\sqrt{\frac{3}{5}}$ □ $\sqrt{\frac{3}{10}}$

(3) $\frac{5}{2}$ □ $\sqrt{6}$

(4) -0.5 □ $-\sqrt{0.2}$

기출 기초 테스트

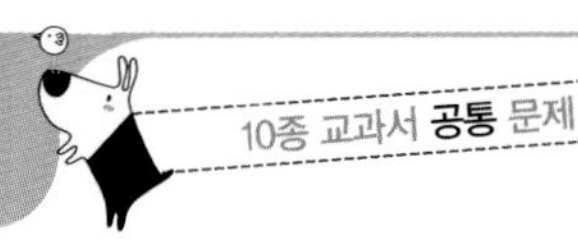

유형 01 제곱근의 이해

1-1 다음 중 옳은 것은?

① 0의 제곱근은 없다.
② 3의 제곱근은 $\pm\sqrt{9}$이다.
③ 양수는 절댓값이 같은 두 개의 제곱근이 있다.
④ 넓이가 5인 정사각형의 한 변의 길이는 $\pm\sqrt{5}$이다.
⑤ $\sqrt{49}$의 제곱근은 ±7이다.

(10종 교과서 공통)

1-2 다음 중 옳은 것을 모두 고르면? (정답 2개)

① 6의 제곱근은 $\pm\sqrt{6}$이다.
② 제곱근 10은 $\pm\sqrt{10}$이다.
③ $\sqrt{81}=\pm9$이다.
④ 0.04의 음의 제곱근은 -0.2이다.
⑤ $\frac{1}{3}$의 음의 제곱근은 $\sqrt{-\frac{1}{3}}$이다.

유형 02 제곱근 구하기

2-1 $\sqrt{256}$의 양의 제곱근을 a, 25의 음의 제곱근을 b라고 할 때, $a+b$의 값을 구하시오.

(10종 교과서 공통)

2-2 $\sqrt{81}$의 양의 제곱근을 a, $\frac{9}{25}$의 음의 제곱근을 b라고 할 때, $a\div b$의 값을 구하시오.

유형 03 제곱근을 이용하여 도형의 길이 구하기

3-1 다음 그림과 같은 직각삼각형 ABC에서 x의 값을 구하시오.

(1)

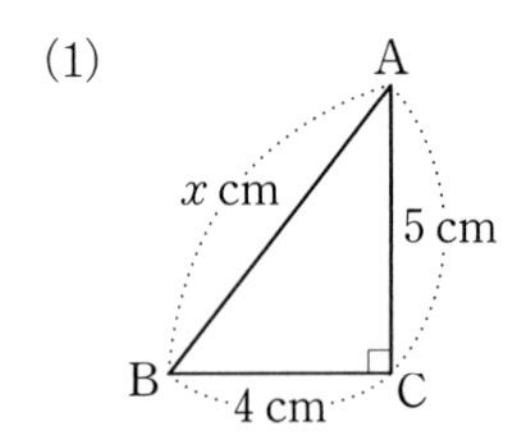

(2)

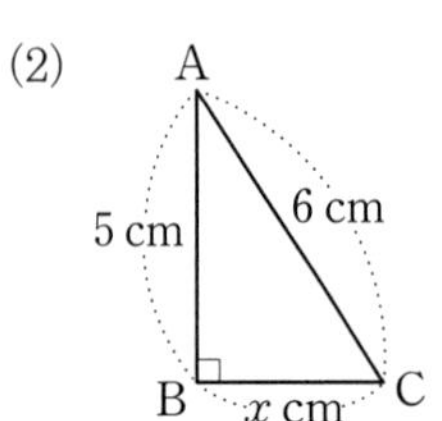

✓ 직각삼각형에서 직각을 낀 두 변의 길이를 각각 a, b라 하고, 빗변의 길이를 c라고 하면 $a^2+b^2=c^2$이 성립한다.

(천재, 비상, 지학사 유사)

3-2 다음 그림과 같은 직각삼각형 ABC에서 x의 값을 구하시오.

(1)

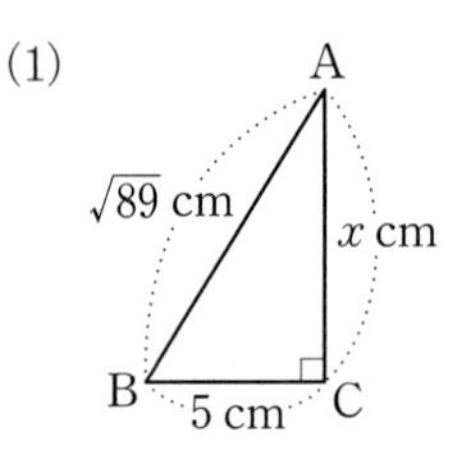

(2)

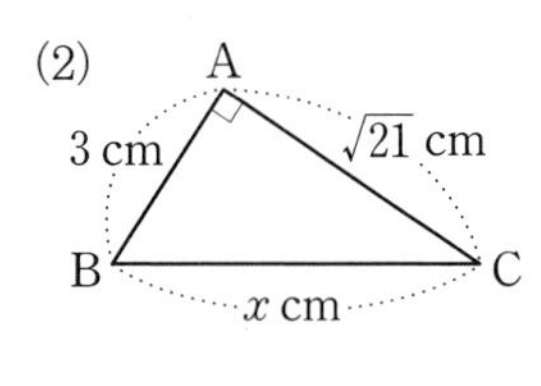

정답과 해설 3쪽

유형 04 $\sqrt{a^2}$의 꼴을 포함한 식의 계산

4-1 $a>0$일 때, $\sqrt{(-a)^2}+(-\sqrt{a})^2-\sqrt{(3a)^2}$을 간단히 하시오.

(동아(박), 비상, 좋은책 유사)

4-2 $a<0$일 때, $\sqrt{25a^2}-\sqrt{9a^2}$을 간단히 하시오.

유형 05 $\sqrt{(a\pm b)^2}$의 꼴을 포함한 식의 계산

5-1 $-3<x<2$일 때, $\sqrt{(x+3)^2}+\sqrt{(x-2)^2}$을 간단히 하시오.

(천재(이), 비상, 지학사 유사)

5-2 $0<x<2$일 때, $\sqrt{(x-2)^2}-\sqrt{(2-x)^2}$을 간단히 하시오.

유형 06 $\sqrt{Ax}$, $\sqrt{A+x}$, $\sqrt{A-x}$의 꼴을 자연수로 만들기

6-1 다음 물음에 답하시오.

(1) $\sqrt{9+x}$가 자연수가 되게 하는 x의 값 중에서 가장 작은 자연수를 구하시오.

(2) $\sqrt{80n}$이 자연수가 되게 하는 n의 값 중에서 가장 작은 자연수를 구하시오.

(10종 교과서 공통)

6-2 다음 물음에 답하시오.

(1) $\sqrt{22-x}$가 자연수가 되게 하는 x의 값 중에서 가장 큰 자연수를 구하시오.

(2) $\sqrt{24n}$이 자연수가 되게 하는 n의 값 중에서 가장 작은 자연수를 구하시오.

유형 07 제곱근을 포함한 부등식

7-1 $\sqrt{5x}<4$를 만족하는 자연수 x의 값을 모두 구하시오.

(천재(류), 동아(강), 좋은책 유사)

7-2 $\sqrt{3x}<6$을 만족하는 자연수 x의 값 중에서 가장 큰 수를 M, 가장 작은 수를 m이라고 할 때, $M+m$의 값을 구하시오.

교과서 기본 테스트

중하

01 출제 예상 95%

다음 중 나머지 넷과 다른 하나는?

① ± 4 ② $\pm\sqrt{16}$
③ 제곱근 16 ④ 16의 제곱근
⑤ $x^2=16$을 만족하는 x의 값

중하

02 출제 예상 80%

다음 수의 제곱근을 구했을 때, 근호를 반드시 사용해야 하는 것은?

① 0 ② 1 ③ 0.004
④ 12^2 ⑤ $\frac{3}{12}$

중하

03 출제 예상 85%

가로의 길이가 7 m, 세로의 길이가 5 m인 직사각형과 넓이가 같은 정사각형의 한 변의 길이를 구하시오.

중

04 출제 예상 85%

다음 설명 중 옳은 것을 모두 고르면? (정답 2개)

① $\sqrt{100}$의 값은 10이다.
② 17의 제곱근은 $\sqrt{17}$이다.
③ $a>0$이면 $-\sqrt{a^2}=a$이다.
④ 0의 제곱근은 0 하나뿐이다.
⑤ 제곱하여 9가 되는 수는 $\sqrt{3}$, $-\sqrt{3}$이다.

중

05 출제 예상 85%

$(-5)^2$의 양의 제곱근을 a, $\sqrt{16}$의 음의 제곱근을 b라고 할 때, ab의 값을 구하시오.

중하

06 출제 예상 90%

다음 중 나머지 넷과 값이 다른 하나는?

① $-\sqrt{5^2}$ ② $-(\sqrt{5})^2$ ③ $(-\sqrt{5})^2$
④ $-(-\sqrt{5})^2$ ⑤ $-\sqrt{(-5)^2}$

중

07

출제 예상 90%

다음 중 계산이 옳지 않은 것은?

① $\sqrt{9}+\sqrt{144}=15$

② $\sqrt{0.81}\times\sqrt{4}=1.8$

③ $\sqrt{(-15)^2}\div\sqrt{5^2}=3$

④ $\sqrt{(-2)^2}-\sqrt{5^2}=-7$

⑤ $(-\sqrt{3})^2\times(\sqrt{7})^2=21$

중하

08

출제 예상 85%

$a<0$일 때, $\sqrt{(-a)^2}-\sqrt{4a^2}$을 간단히 하면?

① $-2a$ ② $-a$ ③ 0

④ a ⑤ $2a$

중

09

출제 예상 85%

$-3<a<2$일 때, $\sqrt{(a-2)^2}-\sqrt{(a+3)^2}$을 간단히 하면?

① $-2a-1$ ② $-2a+5$ ③ 5

④ $2a-5$ ⑤ $2a+1$

상중

10

까다로운 문제

출제 예상 80%

$a-b>0$, $ab<0$일 때, $\sqrt{a^2}+\sqrt{(b-a)^2}-\sqrt{b^2}$을 간단히 하면?

① $-2a$ ② 0 ③ $2a$

④ $2a-b$ ⑤ $2a+2b$

중

11

출제 예상 85%

$\sqrt{175a}$의 값이 자연수가 되게 하는 두 자리의 자연수 a의 값 중 가장 큰 수는?

① 63 ② 70 ③ 73

④ 77 ⑤ 79

중

12

출제 예상 85%

$\sqrt{\frac{540}{A}}$이 자연수가 되게 하는 가장 작은 자연수 A의 값은?

① 3 ② 5 ③ 8

④ 12 ⑤ 15

중

13

출제 예상 85%

$\sqrt{15-n}$이 자연수가 되게 하는 모든 자연수 n의 값의 합을 구하시오.

정답과 해설 4쪽

중하

14 출제 예상 90%

다음 중 두 실수의 대소 관계가 옳지 않은 것은?

① $\sqrt{5}<\sqrt{7}$　② $2<\sqrt{5}$
③ $3<\sqrt{8}$　④ $-\sqrt{6}<-\sqrt{3}$
⑤ $-4<-\sqrt{15}$

중하

15 출제 예상 85%

세 수 $\sqrt{50}$, 7, $\sqrt{51}$의 대소 관계를 부등호를 사용하여 나타내시오.

중

16 출제 예상 85%

$\sqrt{(2-\sqrt{3})^2}+\sqrt{(1-\sqrt{3})^2}$을 간단히 하면?

① $3-2\sqrt{3}$　② -1　③ 0
④ 1　⑤ $-3+2\sqrt{3}$

중

17 출제 예상 85%

부등식 $5<\sqrt{3x}<6$을 만족하는 모든 자연수 x의 값의 합은?

① 18　② 21　③ 24
④ 27　⑤ 30

과정을 평가하는 서술형입니다.

중

18 출제 예상 90%

$a>b>0$일 때, 다음을 간단히 하시오.

$$\sqrt{(-2a)^2}-(\sqrt{b})^2+\sqrt{(a-b)^2}$$

중

19 출제 예상 85%

다음 수를 큰 것부터 차례대로 나열하시오.

$$\sqrt{\frac{1}{5}},\quad \frac{1}{3},\quad -\sqrt{10},\quad -3,\quad \sqrt{0.5}$$

상중

20 출제 예상 75%

$\sqrt{132}$ 이하의 자연수의 개수를 a, $\sqrt{70}$ 이하의 자연수의 개수를 b라고 할 때, $a-b$의 값을 구하시오.

창의력·융합형·서술형·코딩

정답과 해설 5쪽

1

제곱근에 대한 다음 학생들의 설명 중 밑줄 친 부분은 틀렸다. 밑줄 친 부분을 바르게 고쳐 쓰시오.

(1) 수연 : $\sqrt{(-2)^2}$의 값은 $\underline{-2}$야.

(2) 경수 : $\sqrt{49}$의 값은 $\underline{\pm 7}$이야.

(3) 주미 : 4를 제곱한 수의 제곱근은 $\underline{4}$야.

2

오른쪽 그림과 같이 가느다란 줄 끝에 추를 매달아 흔들면 진자가 된다. 줄의 길이가 l m인 진자가 좌우로 한 번 왕복하는 데 걸리는 시간을 t초라고 하면 다음 관계식이 성립한다.

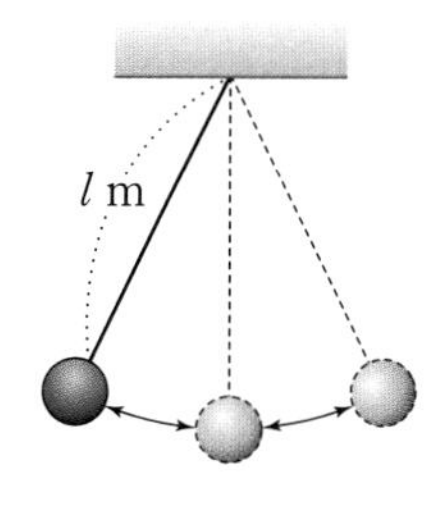

$$t=2\times3.14\times\sqrt{\frac{l}{9.8}}$$

이때 줄의 길이가 0.2 m인 진자가 좌우로 한 번 왕복하는 데 걸리는 시간을 구하시오.

(단, 반올림하여 소수 첫째 자리까지 구한다.)

3

진공 상태에서 물체를 가만히 놓아 낙하시킬 때, 처음 높이를 h m라고 하면 지면에 떨어지기 직전의 속력 v m/s는 $v=\sqrt{2\times9.8\times h}$라고 한다. v가 자연수가 되게 하는 자연수 h의 값 중 가장 작은 수를 구하시오.

4

다음 각 경우에 $\sqrt{a}$, a, a^2의 대소 관계를 부등호를 사용하여 나타내시오.

(1) $a>1$

(2) $0<a<1$

무리수와 실수

개념 01 무리수

(1) **무리수** 유리수가 아닌 수, 즉 순환소수가 아닌 ❶ ( )

예 $\sqrt{2}=1.4142\cdots$, $\sqrt{3}=1.7320\cdots$, $\pi=3.1415\cdots$

(2) **소수의 분류**

소수
- 유한소수 ── 유리수
- 무한소수
  - 순환소수 ── 유리수
  - 순환소수가 아닌 무한소수 ── ❷ ( )

답 | ❶ 무한소수 ❷ 무리수

QUIZ

다음 중 옳은 것에는 ○표, 옳지 않은 것에는 ×표를 하시오.

(1) 순환소수 $0.\dot{1}\dot{4}$는 무리수이다. ( )
(2) $\sqrt{5}$는 무리수이다. ( )
(3) $\sqrt{25}$는 무리수이다. ( )

정답 |
(1) × (2) ○ (3) ×

개념 02 실수

(1) **실수** 유리수와 무리수를 통틀어 ❶ ( )라고 한다.

(2) **실수의 분류**

실수
- 유리수
  - 정수
    - 양의 정수(자연수) 예 1, 2, 3, ⋯
    - 0
    - 음의 정수 예 -1, -2, -3, ⋯
  - 정수가 아닌 유리수 예 $\frac{1}{2}$, -0.25, $4.\dot{7}$, ⋯
- ❷ ( ) 예 π, $-\sqrt{2}$, $1+\sqrt{3}$, ⋯

참고 앞으로 수라고 하면 실수를 뜻한다.

답 | ❶ 실수 ❷ 무리수

QUIZ

다음 중 옳은 것에는 ○표, 옳지 않은 것에는 ×표를 하시오.

(1) 0은 실수이다. ( )
(2) $0.\dot{3}$은 실수가 아니다. ( )
(3) $-\sqrt{7}$은 실수이다. ( )

정답 |
(1) ○ (2) × (3) ○

개념 03 제곱근의 값

(1) **제곱근표** 1.00에서 99.9까지의 수에 대하여 양의 제곱근의 값을 소수점 아래 셋째 자리까지 정리하여 나타낸 표

(2) **제곱근표에서 제곱근을 어림한 값을 읽는 법**

제곱근표를 이용하여 $\sqrt{2.33}$을 어림한 값은 왼쪽의 수 2.3의 가로줄과 위쪽의 수 3의 세로줄이 만나는 곳의 수 1.526이다.

➡ $\sqrt{2.33}=$ ❶ ( )

수	0	1	2	3	4	5
1.0	1.000	1.005	1.010	1.015	1.020	1.025
⋮	⋮	⋮	⋮	⋮	⋮	⋮
2.1	1.449	1.453	1.456	1.459	1.463	1.466
2.2	1.483	1.487	1.490	1.493	1.497	1.500
2.3	1.517	1.520	1.523	1.526	1.530	1.533
2.4	1.549	1.552	1.556	1.559	1.562	1.565

참고 제곱근표에 있는 제곱근의 값은 대부분 어림한 값이지만 이 값을 나타낼 때에는 등호(=)를 사용한다.

답 | ❶ 1.526

QUIZ

왼쪽의 제곱근표를 보고 다음 제곱근을 어림한 값을 구하시오.

(1) $\sqrt{1.05}$
(2) $\sqrt{2.24}$
(3) $\sqrt{2.41}$

정답 |
(1) 1.025 (2) 1.497 (3) 1.552

개념 04 실수와 수직선

(1) 무리수를 수직선 위에 나타내기

유리수뿐만 아니라 무리수도 수직선 위에 나타낼 수 있다.

예 $\sqrt{2}$, $-\sqrt{2}$를 각각 수직선 위에 나타내기

① 오른쪽 그림과 같이 한 눈금의 길이가 1인 모눈종이 위에 $\angle B=90°$, $\overline{AB}=\overline{OB}=1$인 직각삼각형 AOB와 수직선을 그린다.

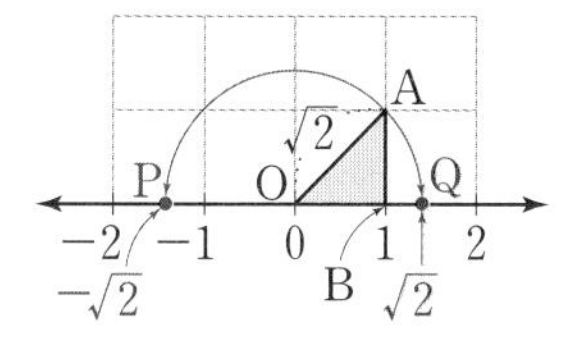

② 직각삼각형 AOB의 빗변의 길이를 구한다.

➡ $\overline{OA}=\sqrt{1^2+1^2}=\sqrt{2}$

③ 원점 O를 중심으로 하고 $\overline{OA}$를 반지름으로 하는 원을 그려 수직선과 만나는 두 점을 각각 P, Q라고 하면 두 점 P, Q에 대응하는 수는 각각 $-\sqrt{2}$, $\sqrt{2}$이다.

(2) 실수와 수직선

① 모든 실수는 각각 수직선 위의 한 점에 대응된다.

② 서로 다른 두 실수 사이에는 무수히 많은 실수가 있다.

③ 수직선은 실수에 대응하는 점으로 완전히 메울 수 있다.

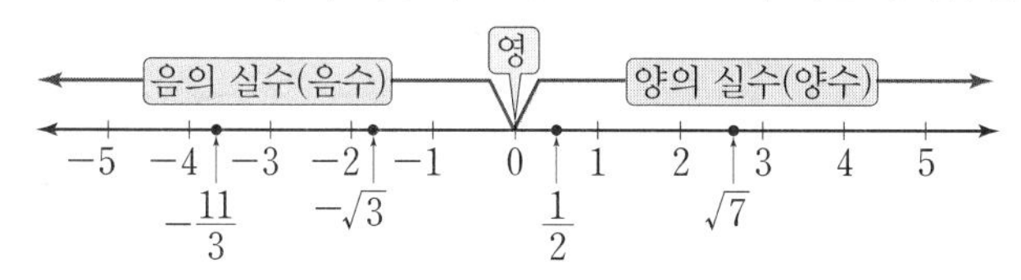

참고 간단히 양의 실수를 양수, 음의 실수를 음수라고 한다.

QUIZ

다음 그림은 한 눈금의 길이가 1인 모눈종이 위에 직각삼각형 AOB와 수직선을 그린 것이다. $\overline{OA}=\overline{OP}=\overline{OQ}$일 때, 두 점 P, Q에 대응하는 수를 구하는 아래 과정에서 □ 안에 알맞은 것을 써넣으시오.

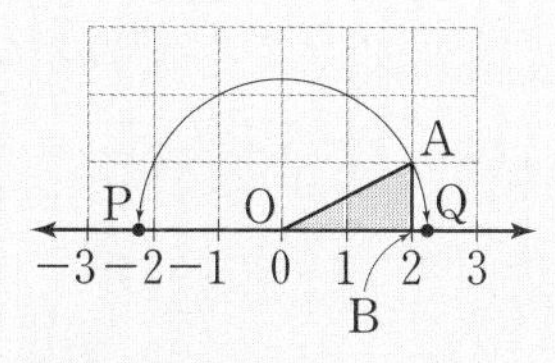

△AOB에서 피타고라스 정리에 의하여

$\overline{OA}=\sqrt{2^2+\square^2}=\sqrt{\square}$

이때 $\overline{OA}=\overline{OP}=\overline{OQ}$이므로 두 점 P, Q에 대응하는 수는 각각 □, □이다.

정답 |
1, 5, $-\sqrt{5}$, $\sqrt{5}$

개념 05 실수의 대소 관계

(1) 실수의 대소 관계

① 양수는 0보다 크고, 음수는 0보다 작다.

② 양수는 음수보다 크다.

③ 두 양수에서는 절댓값이 큰 수가 크다.

④ 두 음수에서는 절댓값이 큰 수가 작다.

예 ① $\frac{1}{2}=\sqrt{\frac{1}{4}}$이고 $\left|\sqrt{\frac{1}{4}}\right|<|\sqrt{3}|$이므로 $\frac{1}{2}<\sqrt{3}$

② $|-\sqrt{6}|>|-\sqrt{3}|$이므로 $-\sqrt{6}<-\sqrt{3}$

(2) 두 실수의 대소 비교 방법

a, b가 실수일 때, 두 실수의 차를 이용한다.

① $a-b>0$이면 $a>b$

② $a-b=0$이면 $a=b$

③ $a-b<0$이면 $a<b$

예 두 실수 $\sqrt{10}-2$와 1의 대소를 비교하시오.

$(\sqrt{10}-2)-1=\sqrt{10}-3=\sqrt{10}-\sqrt{9}$

이때 $\sqrt{10}>\sqrt{9}$이므로 $\sqrt{10}-\sqrt{9}>0$

$\therefore \sqrt{10}-2>1$

QUIZ

다음 □ 안에 부등호 >, < 중 알맞은 것을 써넣으시오.

(1) $-\sqrt{2}$ □ 0　　(2) $\sqrt{7}$ □ $-\sqrt{5}$

(3) 2 □ $\sqrt{3}$　　(4) -2 □ $-\sqrt{3}$

정답 |
(1) < (2) > (3) > (4) <

교과서 개념 확인 테스트

정답과 해설 6쪽

01 무리수와 실수 개념01 + 개념02

1-1 아래의 보기의 수에 대하여 다음을 모두 고르시오.

보기

㉠ $-\frac{\sqrt{2}}{2}$ ㉡ $\sqrt{0.4}$ ㉢ 0

㉣ $-\sqrt{3^2}+1$ ㉤ $\sqrt{\frac{1}{4}}$ ㉥ 9π

(1) 유리수 (2) 무리수 (3) 실수

1-2 다음 보기의 수 중에서 무리수를 모두 고르시오.

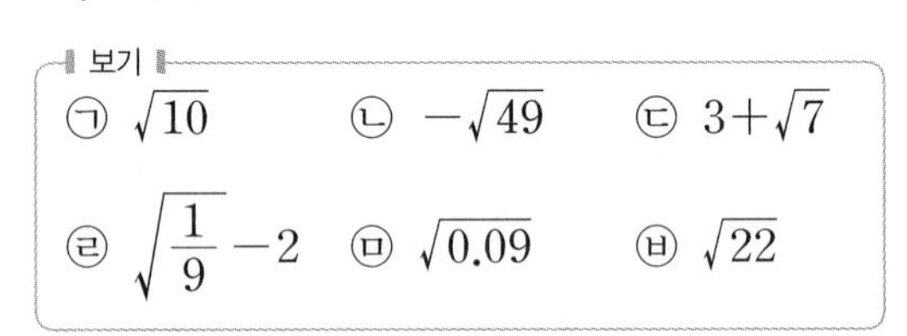

보기

㉠ $\sqrt{10}$ ㉡ $-\sqrt{49}$ ㉢ $3+\sqrt{7}$

㉣ $\sqrt{\frac{1}{9}}-2$ ㉤ $\sqrt{0.09}$ ㉥ $\sqrt{22}$

02 무리수를 수직선 위에 나타내기 개념04

2-1 아래 그림은 한 눈금의 길이가 1인 모눈종이 위에 직각삼각형 ABC와 수직선을 그린 것이다. 다음 물음에 답하시오.

(단, $\overline{AC}=\overline{AP}=\overline{AQ}$)

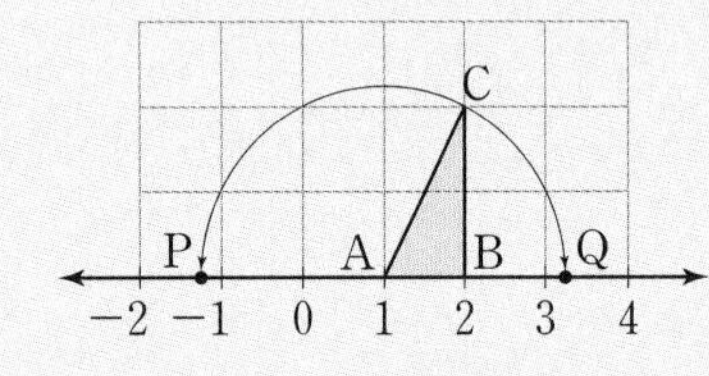

(1) $\overline{AC}$의 길이를 구하시오.

(2) 두 점 P, Q에 대응하는 수를 각각 구하시오.

2-2 다음 그림에서 모눈 한 칸은 한 변의 길이가 1인 정사각형이다. 점 P를 중심으로 하고 $\overline{PQ}$를 반지름으로 하는 원을 그려 수직선과 만나는 점을 각각 A, B라고 할 때, 두 점 A, B에 대응하는 수를 각각 구하시오.

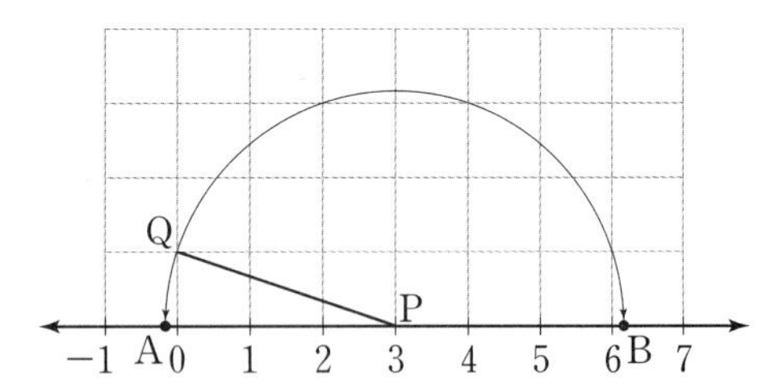

03 실수의 대소 관계 개념05

3-1 다음 □ 안에 부등호 >, < 중 알맞은 것을 써넣으시오.

(1) 5 □ $\sqrt{5}+3$

(2) $6-\sqrt{2}$ □ $6-\sqrt{3}$

(3) $\sqrt{7}+1$ □ 3

3-2 다음 □ 안에 부등호 >, < 중 알맞은 것을 써넣으시오.

(1) $-\sqrt{10}+6$ □ 3

(2) $\sqrt{6}+2$ □ $\sqrt{6}+\sqrt{3}$

(3) -1 □ $4-\sqrt{7}$

기출 기초 테스트

정답과 해설 6쪽

유형 01 유리수와 무리수

1-1 다음 중 유리수를 모두 고르면? (정답 2개)

① $\sqrt{3}+3$ ② $0.\dot{4}$ ③ $\frac{\pi}{2}$

④ $\sqrt{36}$ ⑤ $-\sqrt{\frac{4}{5}}$

(10종 교과서 공통)

1-2 다음 보기에서 정사각형의 한 변의 길이가 무리수인 것을 모두 고르시오.

보기
㉠ 넓이가 2인 정사각형
㉡ 넓이가 4인 정사각형
㉢ 넓이가 9인 정사각형
㉣ 넓이가 12인 정사각형

유형 02 무리수와 실수

2-1 다음 보기에서 옳은 것을 모두 고르시오.

보기
㉠ 무한소수는 무리수이다.
㉡ 유리수 중에는 무한소수도 있다.
㉢ 무리수가 아닌 실수는 모두 유리수이다.
㉣ $1+\sqrt{5}$는 수직선 위에 나타낼 수 없다.

(10종 교과서 공통)

2-2 다음 보기에서 옳은 것을 모두 고르시오.

보기
㉠ 근호가 있는 수는 모두 무리수이다.
㉡ π에 대응하는 점은 수직선 위에 나타낼 수 있다.
㉢ 1과 $\sqrt{3}$ 사이에는 유리수가 없다.
㉣ 수직선은 실수에 대응하는 점들로 완전히 메울 수 있다.

유형 03 제곱근의 값

3-1 다음 제곱근표에서 $\sqrt{8.61}=a$, $\sqrt{8.73}=b$일 때, $a+b$의 값을 구하시오.

수	0	1	2	3	4
8.5	2.915	2.917	2.919	2.921	2.922
8.6	2.933	2.934	2.936	2.938	2.939
8.7	2.950	2.951	2.953	2.955	2.956

(10종 교과서 공통)

3-2 다음 제곱근표에서 $\sqrt{4.73}=a$, $\sqrt{b}=2.131$일 때, $a+b$의 값을 구하시오.

수	0	1	2	3	4
4.5	2.121	2.124	2.126	2.128	2.131
4.6	2.145	2.147	2.149	2.152	2.154
4.7	2.168	2.170	2.173	2.175	2.177

유형 04 무리수를 수직선 위에 나타내기

4-1 다음 그림은 한 눈금의 길이가 1인 모눈종이 위에 두 직각삼각형 ABC, DEF와 수직선을 그린 것이다. $\overline{AC}=\overline{AP}=\overline{AQ}$, $\overline{DF}=\overline{DR}=\overline{DS}$일 때, 네 점 P, Q, R, S에 대응하는 수를 각각 구하시오.

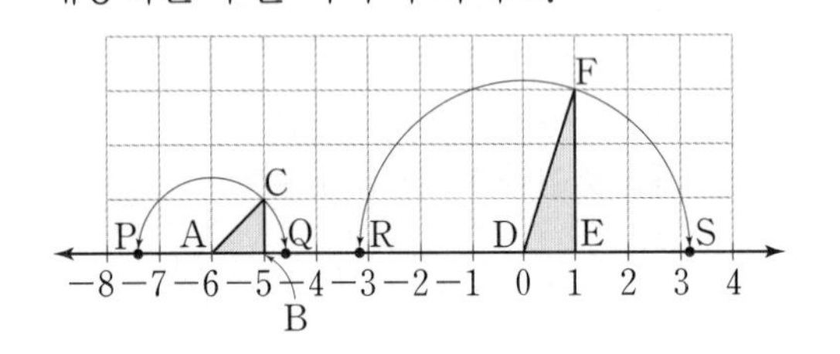

(10종 교과서 공통)

4-2 다음 수직선 위에 두 수 $-2+\sqrt{8}$, $4-\sqrt{8}$에 대응하는 점을 각각 나타내시오.

(단, 모눈종이의 한 눈금의 길이는 1이다.)

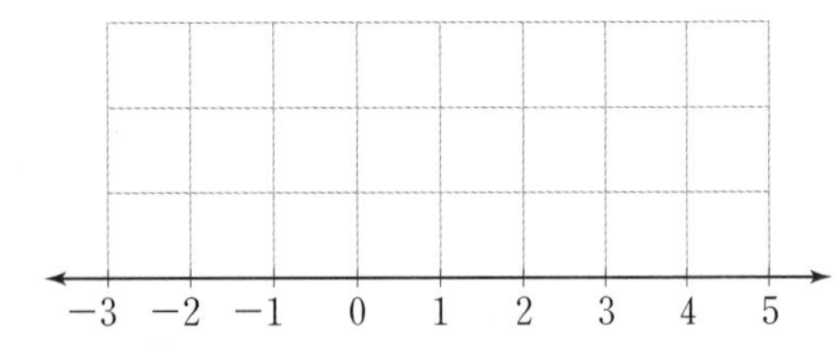

✓ 직각을 낀 두 변의 길이가 각각 2, 2인 직각삼각형의 빗변의 길이는 $\sqrt{2^2+2^2}=\sqrt{8}$임을 이용한다.

유형 05 두 실수 사이의 수

5-1 두 수 $3-\sqrt{5}$와 $1+\sqrt{5}$ 사이에 있는 정수를 모두 구하시오.

✓ 먼저 $\sqrt{5}$가 어떤 두 정수 사이에 있는지 확인한다.

(10종 교과서 공통)

5-2 다음 중 $-\sqrt{7}$과 2 사이의 수가 아닌 것은?

① -2 ② -1 ③ 0
④ $\sqrt{\frac{7}{2}}$ ⑤ $\sqrt{5}$

유형 06 실수의 대소 관계

6-1 다음 중 두 실수의 대소 관계가 옳은 것은?

① $\sqrt{3}+\sqrt{7}<\sqrt{5}+\sqrt{3}$
② $4<3-\sqrt{2}$
③ $5>\sqrt{2}+3$
④ $\sqrt{7}-3<-3+\sqrt{3}$
⑤ $1-\sqrt{5}>-\sqrt{2}+1$

(10종 교과서 공통)

6-2 다음 중 두 실수의 대소 관계가 옳지 않은 것은?

① $4<\sqrt{10}+1$
② $4-\sqrt{19}>-1$
③ $\sqrt{5}+1<\sqrt{5}+\sqrt{2}$
④ $2-\sqrt{2}>-\sqrt{2}+\sqrt{3}$
⑤ $\sqrt{15}-\sqrt{17}>-\sqrt{17}+4$

STEP 3 교과서 기본 테스트

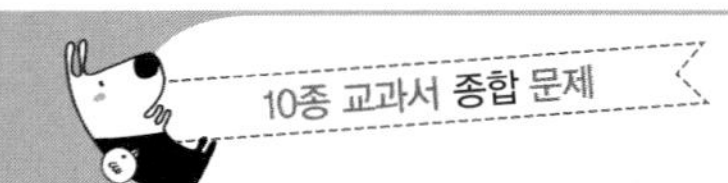

정답과 해설 7쪽

중
01
출제 예상 95%

다음 보기의 수 중에서 무리수를 모두 고르시오.

보기

㉠ $\sqrt{7}$　㉡ $\sqrt{16}$　㉢ $-\sqrt{\frac{9}{10}}$

㉣ $2+\sqrt{2}$　㉤ $(-\sqrt{3})^2$　㉥ $\sqrt{0.\dot{1}}$

중하
02
출제 예상 95%

다음 중 옳지 않은 것은?

① 유한소수는 유리수이다.

② 무한소수 중에는 유리수도 있다.

③ 순환소수가 아닌 무한소수는 무리수이다.

④ 유리수가 아닌 실수는 모두 무리수이다.

⑤ 근호를 사용하여 나타낸 수는 모두 실수가 아니다.

중
03
출제 예상 95%

다음 중 옳은 것을 모두 고르면? (정답 2개)

① 0과 1 사이에는 무수히 많은 실수가 있다.

② 서로 다른 두 유리수 사이에는 무리수가 존재하지 않는다.

③ 서로 다른 두 유리수 사이에는 유리수만 존재한다.

④ 모든 실수는 각각 수직선 위의 한 점에 대응한다.

⑤ 수직선은 유리수에 대응하는 점들로 완전히 메울 수 있다.

중
04
출제 예상 80%

다음 두 조건을 만족하는 x는 모두 몇 개인지 구하시오.

(가) x는 20 이하의 자연수이다.
(나) $\sqrt{x}$는 무리수이다.

중하
05
출제 예상 85%

다음 제곱근표에서 $\sqrt{5.84}=a$, $\sqrt{b}=2.371$일 때, $a+b$의 값을 구하시오.

수	0	1	2	3	4	5	6
5.5	2.345	2.347	2.349	2.352	2.354	2.356	2.358
5.6	2.366	2.369	2.371	2.373	2.375	2.377	2.379
5.7	2.387	2.390	2.392	2.394	2.396	2.398	2.400
5.8	2.408	2.410	2.412	2.415	2.417	2.419	2.421

중
06
출제 예상 85%

오른쪽 그림과 같이 한 눈금의 길이가 1인 모눈종이 위에 수직선과 직각삼각형 ABC를 그리고 $\overline{AC}=\overline{PC}$가 되도록 수직선 위에 점 P를 정할 때, 점 P에 대응하는 수는 $3-\sqrt{5}$이다. 이때 점 B에 대응하는 수를 구하시오.

중

07

출제 예상 85%

아래 그림은 한 눈금의 길이가 1인 모눈종이 위에 정사각형 ABCD와 수직선을 그린 것이다. 점 A를 중심으로 하고, $\overline{AB}$를 반지름으로 하는 원을 그려 수직선과 만나는 두 점을 각각 P, Q라고 할 때, 다음 물음에 답하시오.

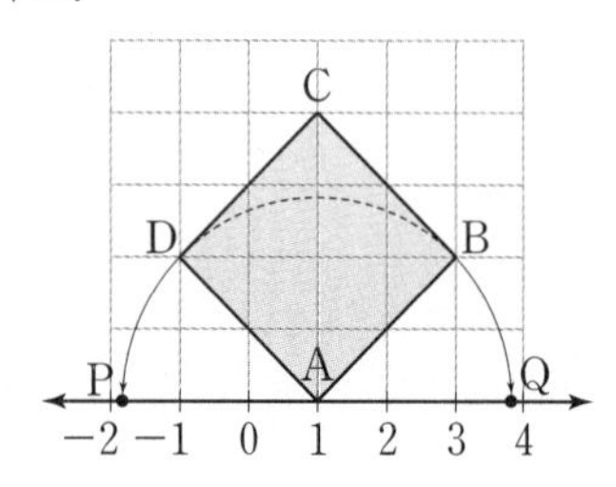

(1) 두 점 P, Q에 대응하는 수를 각각 구하시오.

(2) 두 점 P, Q 사이에 있는 무리수 3개를 말하시오.

중

08

출제 예상 85%

다음 수직선 위의 네 점 A, B, C, D에 대응하는 수를 보기에서 각각 찾으시오.

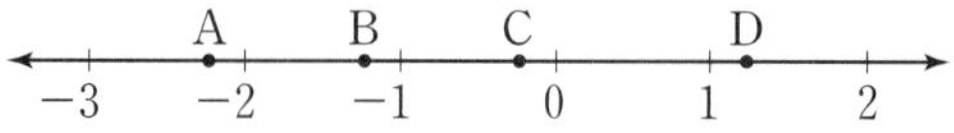

(수직선: A, B, C, D / −3 −2 −1 0 1 2)

보기

ㄱ $-\sqrt{5}$ ㄴ $1-\sqrt{5}$ ㄷ $\sqrt{5}-1$ ㄹ $2-\sqrt{5}$

중

09

출제 예상 85%

다음 수를 작은 수부터 크기순으로 나열할 때, 네 번째에 오는 수를 구하시오.

보기

$\frac{1}{4}$, 0, $-\sqrt{2}$, $-\sqrt{\frac{1}{3}}$, $\sqrt{7}$, 0.3

과정을 평가하는 서술형입니다.

중

10

출제 예상 90%

다음 물음에 답하시오.

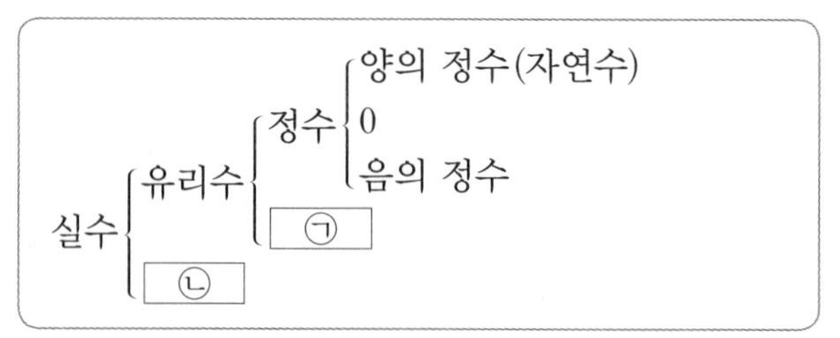

보기

$\frac{\pi}{3}$, $\sqrt{\frac{4}{25}}-1$, $\sqrt{3}+2$, $0.\dot{3}$, $\sqrt{64}$

(1) ㉠에 알맞은 것을 써넣고, 보기 중에서 ㉠에 해당하는 수를 모두 고르시오.

(2) ㉡에 알맞은 것을 써넣고, 보기 중에서 ㉡에 해당하는 수를 모두 고르시오.

중

11

출제 예상 85%

다음 세 수 a, b, c의 대소 관계를 부등호를 사용하여 나타내시오.

$a=2-\sqrt{5}$, $b=1$, $c=2-\sqrt{6}$

상중

12

출제 예상 85%

두 실수 $1-\sqrt{10}$, $2+\sqrt{6}$ 사이에 있는 정수는 모두 몇 개인지 구하시오.

창의력·융합형·서술형·코딩

정답과 해설 9쪽

1

다음 그림은 유리수와 무리수가 적혀 있는 미로를 나타낸 것이다. 수미가 출발점에서 시작하여 무리수를 찾아 나가면 어떤 선물을 받을 수 있는지 구하시오.

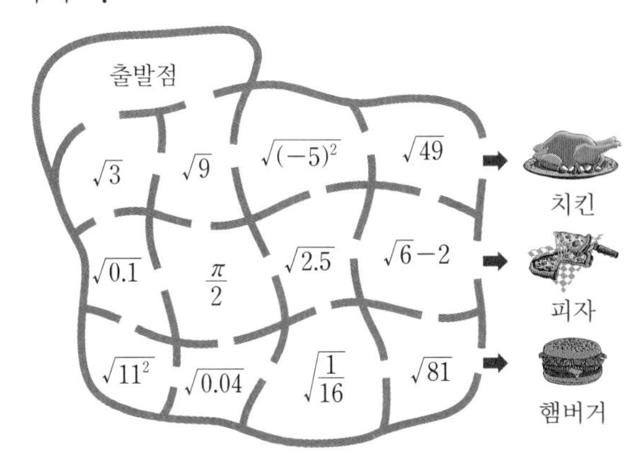

2

오른쪽 그림과 같은 직사각형 ABCD에서 $\overline{EF}\perp\overline{BC}$이고 $\overline{AB}=1$, $\overline{AD}=a$, $\overline{ED}=\frac{a}{2}$일 때, $\square$ABCD$\backsim\square$DEFC가 되도록 하는 a의 값을 구하시오.

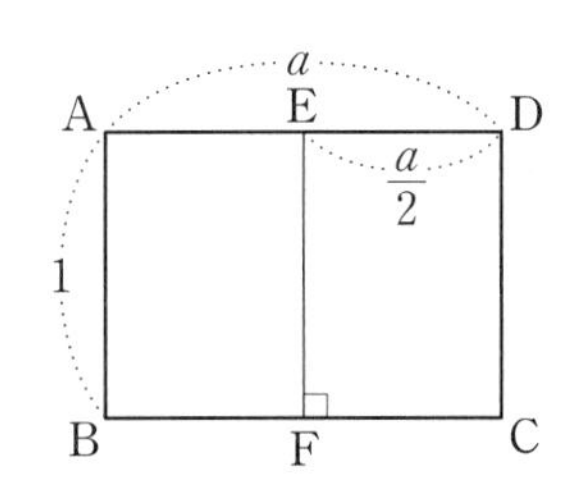

3

다음 그림과 같이 반지름의 길이가 3인 원이 수직선 위에서 원점에 접해 있다. 이 접점을 A라 하고, 원을 수직선을 따라 시계 방향으로 두 바퀴 굴려 점 A가 다시 수직선에 접하는 점을 A′이라고 할 때, 점 A′에 대응하는 수를 구하시오.

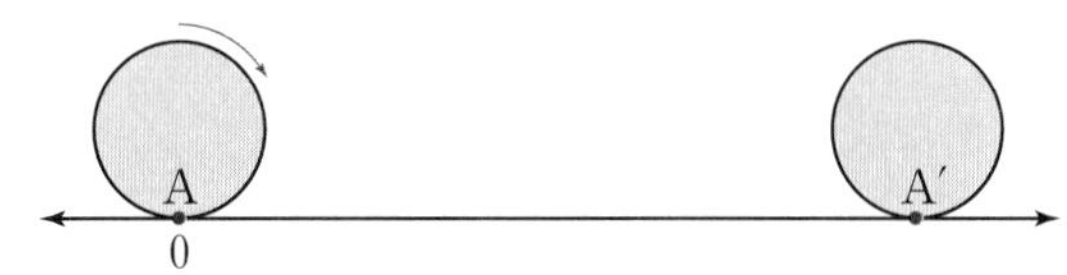

4

다음 그림은 한 눈금의 길이가 각각 1인 모눈종이 위에 수직선을 그린 것이다. 세 실수 a, b, c가 아래와 같을 때, 세 실수 a, b, c에 대응하는 점을 수직선 위에 각각 나타내어 대소를 비교하시오.

$a=4-\sqrt{2}$, $b=\sqrt{8}$, $c=6-\sqrt{5}$

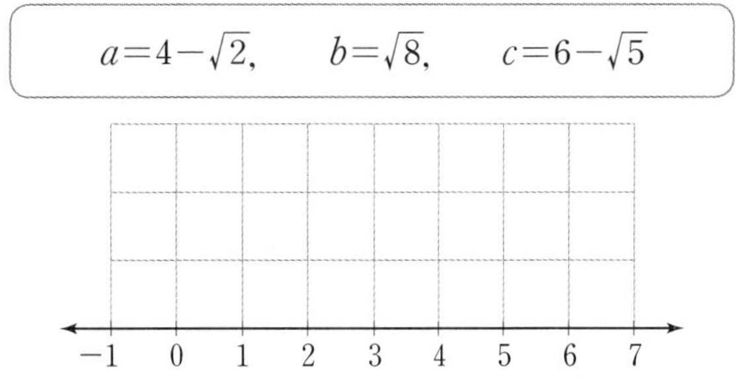

근호를 포함한 식의 곱셈과 나눗셈

개념 01 제곱근의 곱셈과 나눗셈

(1) **제곱근의 곱셈** $a>0$, $b>0$이고, m, n이 유리수일 때

① $\sqrt{a}\sqrt{b}=\sqrt{a\times b}=\sqrt{ab}$

② $m\sqrt{a}\times n\sqrt{b}=mn\sqrt{❶\square}$

예 ① $\sqrt{3}\sqrt{7}=\sqrt{3\times7}=\sqrt{21}$

② $2\sqrt{7}\times3\sqrt{2}=2\times3\times\sqrt{7}\times\sqrt{2}=6\sqrt{14}$

참고 $\sqrt{a}\times\sqrt{b}$는 $\times$를 생략하여 $\sqrt{a}\sqrt{b}$로 나타내기도 한다.

(2) **제곱근의 나눗셈** $a>0$, $b>0$이고, m, n이 유리수일 때

① $\sqrt{a}\div\sqrt{b}=\dfrac{\sqrt{a}}{\sqrt{b}}=\sqrt{\dfrac{a}{b}}$

② $m\sqrt{a}\div n\sqrt{b}=\dfrac{m}{n}\sqrt{❷\square}$ (단, $n\neq0$)

예 ① $\sqrt{15}\div\sqrt{3}=\dfrac{\sqrt{15}}{\sqrt{3}}=\sqrt{\dfrac{15}{3}}=\sqrt{5}$

② $\sqrt{10}\div3\sqrt{2}=\dfrac{\sqrt{10}}{3\sqrt{2}}=\dfrac{1}{3}\sqrt{\dfrac{10}{2}}=\dfrac{\sqrt{5}}{3}$

답 | ❶ ab ❷ $\dfrac{a}{b}$

QUIZ

다음 □ 안에 알맞은 수를 써넣으시오.

(1) $\sqrt{3}\times\sqrt{5}=\sqrt{3\times\square}=\square$

(2) $-2\sqrt{5}\times3\sqrt{6}=(-2\times\square)\times\sqrt{5\times\square}$
$=\square$

(3) $\sqrt{12}\div\sqrt{4}=\dfrac{\sqrt{12}}{\square}=\sqrt{\dfrac{12}{\square}}=\square$

(4) $4\sqrt{18}\div(-2\sqrt{6})=-\dfrac{4\sqrt{18}}{\square}=-\dfrac{4}{\square}\sqrt{\dfrac{18}{\square}}$
$=\square$

정답 |
(1) 5, $\sqrt{15}$ (2) 3, 6, $-6\sqrt{30}$ (3) $\sqrt{4}$, 4, $\sqrt{3}$
(4) $2\sqrt{6}$, 2, 6, $-2\sqrt{3}$

개념 02 근호가 있는 식의 변형

(1) 근호 안의 수를 소인수분해하여 ❶ □ 인 인수가 있으면 근호 밖으로 꺼낸다.

$a>0$, $b>0$일 때

① $\sqrt{a^2b}=a\sqrt{b}$

② $\sqrt{\dfrac{a}{b^2}}=\dfrac{\sqrt{a}}{b}$

예 $\sqrt{12}=\sqrt{2^2\times3}=\sqrt{2^2}\sqrt{3}=2\sqrt{3}$

주의 $a\sqrt{b}$의 꼴로 나타낼 때, b는 제곱인 인수가 없는 가장 작은 자연수가 되게 한다.

예 $\sqrt{80}=\sqrt{2^2\times20}=2\sqrt{20}$ (×)
$\sqrt{80}=\sqrt{4^2\times5}=4\sqrt{5}$ (○)

(2) 근호 밖의 양수를 제곱하여 ❷ □ 안으로 넣을 수 있다.

$a>0$, $b>0$일 때

① $a\sqrt{b}=\sqrt{a^2}\sqrt{b}=\sqrt{a^2b}$

② $\dfrac{\sqrt{a}}{b}=\dfrac{\sqrt{a}}{\sqrt{b^2}}=\sqrt{\dfrac{a}{b^2}}$

예 $2\sqrt{5}=\sqrt{2^2\times5}=\sqrt{20}$

주의 근호 밖의 음수는 근호 안으로 넣을 수 없다.

예 $-3\sqrt{5}=\sqrt{(-3)^2\times5}=\sqrt{45}$ (×)
$-3\sqrt{5}=-\sqrt{3^2\times5}=-\sqrt{45}$ (○)

답 | ❶ 제곱 ❷ 근호

QUIZ

다음 □ 안에 알맞은 수를 써넣으시오.

(1) $\sqrt{18}=\sqrt{3^2\times\square}=\square$

(2) $\sqrt{\dfrac{5}{9}}=\sqrt{\dfrac{5}{\square^2}}=\dfrac{\sqrt{5}}{\square}$

(3) $5\sqrt{2}=\sqrt{\square^2\times2}=\square$

(4) $-2\sqrt{5}=-\sqrt{\square^2\times5}=\square$

정답 |
(1) 2, $3\sqrt{2}$ (2) 3, 3 (3) 5, $\sqrt{50}$ (4) 2, $-\sqrt{20}$

개념 03 제곱근표에 없는 제곱근의 값

1보다 작거나 100보다 큰 양수의 제곱근을 어림한 값은 제곱근표에 나타나 있지 않지만 제곱근의 성질과 제곱근표를 이용하여 구할 수 있다.

(1) 100보다 큰 수

➡ $\sqrt{100a}=$ ❶ $\sqrt{a}$, $\sqrt{10000a}=100\sqrt{a}$, …를 이용한다.

(2) 0과 1 사이의 수

➡ $\sqrt{\frac{a}{100}}=\frac{\sqrt{a}}{10}$, $\sqrt{\frac{a}{10000}}=\frac{\sqrt{a}}{❷}$, …를 이용한다.

예 $\sqrt{4.1}=2.025$임을 이용하여 $\sqrt{410}$, $\sqrt{0.041}$을 어림한 값을 구하시오.

① $\sqrt{410}=\sqrt{100\times4.1}=\sqrt{10^2\times4.1}=10\sqrt{4.1}$
$=10\times2.025=20.25$

② $\sqrt{0.041}=\sqrt{\frac{4.1}{100}}=\sqrt{\frac{4.1}{10^2}}=\frac{\sqrt{4.1}}{10}$
$=\frac{2.025}{10}=0.2025$

답 | ❶ 10 ❷ 100

QUIZ

다음은 $\sqrt{5.5}=2.345$임을 이용하여 제곱근을 어림한 값을 구하는 과정이다. □ 안에 알맞은 수를 써넣으시오.

(1) $\sqrt{550}=\sqrt{100\times5.5}=\sqrt{10^2\times5.5}$
$=\square\sqrt{5.5}=\square$

(2) $\sqrt{0.055}=\sqrt{\frac{5.5}{100}}=\sqrt{\frac{5.5}{10^2}}$
$=\frac{\sqrt{5.5}}{\square}=\square$

정답 |
(1) 10, 23.45 (2) 10, 0.2345

개념 04 분모의 유리화

분모에 근호가 있을 때, 분모와 분자에 각각 0이 아닌 같은 수를 곱하여 분모를 유리수로 고치는 것을 분모의 ❶ 라고 한다.

➡ $a>0$, $b>0$일 때, $\frac{\sqrt{a}}{\sqrt{b}}=\frac{\sqrt{a}\sqrt{b}}{\sqrt{b}\sqrt{b}}=\frac{\sqrt{ab}}{b}$

예 ① $\frac{\sqrt{5}}{\sqrt{7}}=\frac{\sqrt{5}\times\sqrt{7}}{\sqrt{7}\times\sqrt{7}}=\frac{\sqrt{35}}{7}$

② $\frac{\sqrt{7}}{3\sqrt{2}}=\frac{\sqrt{7}\times\sqrt{2}}{3\sqrt{2}\times\sqrt{2}}=\frac{\sqrt{14}}{3\times2}=\frac{\sqrt{14}}{6}$

답 | ❶ 유리화

QUIZ

다음은 $\frac{3}{\sqrt{6}}$의 분모를 유리화하는 과정이다. □ 안에 알맞은 수를 써넣으시오.

$\frac{3}{\sqrt{6}}=\frac{3\times\square}{\sqrt{6}\times\sqrt{6}}=\frac{3\square}{\square}=\frac{\sqrt{6}}{\square}$

정답 |
$\sqrt{6}$, $\sqrt{6}$, 6, 2

개념 05 근호를 포함한 식의 곱셈과 나눗셈

곱셈과 나눗셈이 섞여 있을 때에는 앞에서부터 차례대로 계산한다. 이때 나눗셈은 나누는 수의 ❶ 를 곱하여 계산한다.

예 $5\sqrt{2}\div\frac{\sqrt{5}}{\sqrt{2}}\times\sqrt{7}=5\sqrt{2}\times\frac{\sqrt{2}}{\sqrt{5}}\times\sqrt{7}=\frac{10\sqrt{7}}{\sqrt{5}}$
$=\frac{10\sqrt{7}\times\sqrt{5}}{\sqrt{5}\times\sqrt{5}}=\frac{10\sqrt{35}}{5}$
$=2\sqrt{35}$

참고 근호를 포함한 식의 계산에서 계산 결과의 분모가 근호가 있는 무리수이면 일반적으로 분모를 유리화한다.

답 | ❶ 역수

QUIZ

다음 □ 안에 알맞은 수를 써넣으시오.

$\sqrt{8}\times3\sqrt{5}\div\sqrt{2}=\square\sqrt{2}\times3\sqrt{5}\times\frac{1}{\square}$
$=\square\sqrt{10}\times\frac{\square}{2}=\square$

정답 |
2, $\sqrt{2}$, 6, $\sqrt{2}$, $6\sqrt{5}$

교과서 개념 확인 테스트

01 제곱근의 곱셈과 나눗셈 개념01

1-1 다음 식을 간단히 하시오.

(1) $4\sqrt{2}\times\sqrt{3}$　(2) $\sqrt{\frac{4}{7}}\sqrt{\frac{5}{4}}$

(3) $\sqrt{30}\div(-\sqrt{6})$　(4) $\frac{15\sqrt{60}}{5\sqrt{10}}$

1-2 다음 식을 간단히 하시오.

(1) $-\sqrt{5}\times(-3\sqrt{7})$　(2) $\sqrt{\frac{1}{5}}\times\sqrt{20}$

(3) $-4\sqrt{30}\div2\sqrt{5}$　(4) $\frac{8\sqrt{21}}{2\sqrt{3}}$

02 근호가 있는 식의 변형 (1) 개념02

2-1 다음 수를 $a\sqrt{b}$의 꼴로 나타내시오.
(단, b는 가장 작은 자연수)

(1) $\sqrt{27}$　(2) $\sqrt{200}$

(3) $\sqrt{0.19}$　(4) $-\sqrt{\frac{15}{49}}$

2-2 다음 수를 $a\sqrt{b}$의 꼴로 나타내시오.
(단, b는 가장 작은 자연수)

(1) $\sqrt{75}$　(2) $\sqrt{0.06}$

(3) $-\sqrt{1000}$　(4) $\sqrt{\frac{10}{72}}$

03 근호가 있는 식의 변형 (2) 개념02

3-1 다음 수를 $\sqrt{a}$ 또는 $-\sqrt{a}$의 꼴로 나타내시오.

(1) $2\sqrt{7}$　(2) $-3\sqrt{6}$

(3) $5\sqrt{\frac{2}{5}}$　(4) $\frac{\sqrt{11}}{3}$

3-2 다음 수를 $\sqrt{a}$ 또는 $-\sqrt{a}$의 꼴로 나타내시오.

(1) $-4\sqrt{3}$　(2) $3\sqrt{10}$

(3) $-\frac{\sqrt{6}}{5}$　(4) $\frac{3}{2}\sqrt{14}$

정답과 해설 9쪽

04 제곱근표에 없는 제곱근의 값 개념 03

4-1 $\sqrt{3}=1.732$, $\sqrt{30}=5.477$일 때, 다음 제곱근의 값을 구하시오.

(1) $\sqrt{300}$　(2) $\sqrt{3000}$

(3) $\sqrt{0.03}$　(4) $\sqrt{0.3}$

4-2 $\sqrt{2.4}=1.549$, $\sqrt{24}=4.899$, $\sqrt{3.4}=1.844$, $\sqrt{34}=5.831$일 때, 다음 제곱근의 값을 구하시오.

(1) $\sqrt{240}$　(2) $\sqrt{3400}$

(3) $\sqrt{0.24}$　(4) $\sqrt{0.034}$

05 분모의 유리화 개념 04

5-1 다음 수의 분모를 유리화하시오.

(1) $\dfrac{\sqrt{3}}{\sqrt{5}}$　(2) $\dfrac{2\sqrt{3}}{\sqrt{2}}$

(3) $-\dfrac{3}{\sqrt{20}}$　(4) $\dfrac{\sqrt{3}}{\sqrt{32}}$

✓ 분모가 $\sqrt{a^2b}$의 꼴일 때에는 먼저 $\sqrt{a^2b}$를 $a\sqrt{b}$로 바꾼 후 유리화한다.

5-2 다음 수의 분모를 유리화하시오.

(1) $\dfrac{3}{\sqrt{3}}$　(2) $\dfrac{5}{\sqrt{12}}$

(3) $-\dfrac{\sqrt{7}}{\sqrt{50}}$　(4) $\dfrac{3\sqrt{2}}{4\sqrt{6}}$

06 근호를 포함한 식의 곱셈과 나눗셈 개념 05

6-1 다음 식을 간단히 하시오.

(1) $\sqrt{6}\times\sqrt{5}\div\sqrt{3}$

(2) $\sqrt{108}\div2\sqrt{3}\times\sqrt{54}$

(3) $\dfrac{1}{\sqrt{2}}\times\sqrt{\dfrac{2}{3}}\div\dfrac{\sqrt{10}}{2}$

(4) $\dfrac{\sqrt{10}}{\sqrt{3}}\div\dfrac{\sqrt{5}}{\sqrt{6}}\times\dfrac{9}{\sqrt{12}}$

✓ 근호를 포함한 식의 곱셈과 나눗셈의 결과는 분모를 유리화하여 나타낸다.

6-2 다음 식을 간단히 하시오.

(1) $3\sqrt{3}\times5\sqrt{6}\div5\sqrt{2}$

(2) $3\sqrt{6}\div2\sqrt{3}\times2\sqrt{5}$

(3) $\dfrac{5}{\sqrt{2}}\times\dfrac{\sqrt{10}}{\sqrt{3}}\div\dfrac{1}{\sqrt{3}}$

(4) $\sqrt{28}\div\sqrt{\dfrac{7}{3}}\times\dfrac{\sqrt{5}}{2}$

기출 기초 테스트

10종 교과서 공통 문제

유형 01 근호가 있는 식의 변형

1-1 다음 중 □ 안에 들어갈 수가 가장 큰 것은?

① $3\sqrt{5}=\sqrt{\square}$

② $-\sqrt{250}=-5\sqrt{\square}$

③ $\sqrt{675}=\square\sqrt{3}$

④ $\sqrt{700}=\square\sqrt{7}$

⑤ $-6\sqrt{\frac{3}{4}}=-\sqrt{\square}$

(10종 교과서 공통)

1-2 $\sqrt{48}=4\sqrt{a}$, $2\sqrt{6}=\sqrt{b}$를 만족하는 두 유리수 a, b에 대하여 $b-a$의 값을 구하시오.

유형 02 제곱근을 문자를 사용하여 나타내기

2-1 $\sqrt{2}=a$, $\sqrt{3}=b$라고 할 때, $\sqrt{150}$을 a, b를 사용하여 나타내면?

① $\sqrt{5ab}$ ② $\sqrt{5ab^2}$ ③ ab^2

④ $5ab$ ⑤ $5a^2b$

(천재(류), 동아, 비상 유사)

2-2 $\sqrt{2}=a$, $\sqrt{5}=b$라고 할 때, $\sqrt{90}$을 a, b를 사용하여 나타내면?

① $\sqrt{3ab}$ ② $3ab$ ③ $3a^2b$

④ $9ab$ ⑤ $9a^2b$

유형 03 제곱근표에 없는 제곱근의 값

3-1 $\sqrt{3.1}=1.761$, $\sqrt{31}=5.568$일 때, 다음 중 옳지 않은 것은?

① $\sqrt{310}=17.61$

② $\sqrt{3100}=55.68$

③ $\sqrt{0.31}=0.1761$

④ $\sqrt{0.0031}=0.05568$

⑤ $\sqrt{0.00031}=0.01761$

(10종 교과서 공통)

3-2 다음은 아래 제곱근표를 이용하여 제곱근의 값을 구한 것이다. 옳지 않은 것은?

수	0	1	2	3	4
1.0	1.000	1.005	1.010	1.015	1.020
1.1	1.049	1.054	1.058	1.063	1.068
1.2	1.095	1.100	1.105	1.109	1.114
1.3	1.140	1.145	1.149	1.153	1.158

① $\sqrt{1.32}=1.149$ ② $\sqrt{123}=11.09$

③ $1.058^2=1.12$ ④ $\sqrt{10.10}=100.5$

⑤ $\sqrt{0.0124}=0.1114$

유형 04 분모의 유리화

4-1 다음 중 분모를 유리화한 것으로 옳지 않은 것은?

① $\frac{8}{\sqrt{3}}=\frac{8\sqrt{3}}{3}$　② $\frac{5}{2\sqrt{5}}=\frac{\sqrt{5}}{2}$

③ $\frac{12}{\sqrt{2}}=\frac{\sqrt{2}}{6}$　④ $\frac{10\sqrt{3}}{\sqrt{2}}=5\sqrt{6}$

⑤ $\frac{5\sqrt{8}}{2\sqrt{7}}=\frac{5\sqrt{14}}{7}$

10종 교과서 공통

4-2 $\frac{7}{3\sqrt{7}}=a\sqrt{7}$, $\frac{2}{\sqrt{3}}=b\sqrt{3}$을 만족하는 두 유리수 a, b에 대하여 $a+b$의 값을 구하시오.

유형 05 근호를 포함한 식의 곱셈과 나눗셈

5-1 $\frac{4}{\sqrt{3}}\times\frac{2}{\sqrt{2}}\div\sqrt{\frac{9}{8}}=a\sqrt{3}$을 만족하는 유리수 a의 값을 구하시오.

10종 교과서 공통

5-2 다음 식을 간단히 하시오.

(1) $\sqrt{3}\times\sqrt{10}\div\sqrt{5}$

(2) $7\sqrt{2}\div\sqrt{6}\times3$

(3) $-\sqrt{39}\times4\sqrt{3}\div\sqrt{13}$

(4) $\frac{5\sqrt{5}}{3}\div\frac{\sqrt{15}}{\sqrt{7}}\times\frac{6\sqrt{3}}{\sqrt{10}}$

유형 06 도형에서 근호를 포함한 식의 곱셈과 나눗셈

6-1 오른쪽 그림과 같이 밑면의 가로, 세로의 길이가 각각 $\sqrt{6}$ cm, $2\sqrt{2}$ cm인 직육면체의 부피가 $2\sqrt{30}$ cm³일 때, 이 직육면체의 높이를 구하시오.

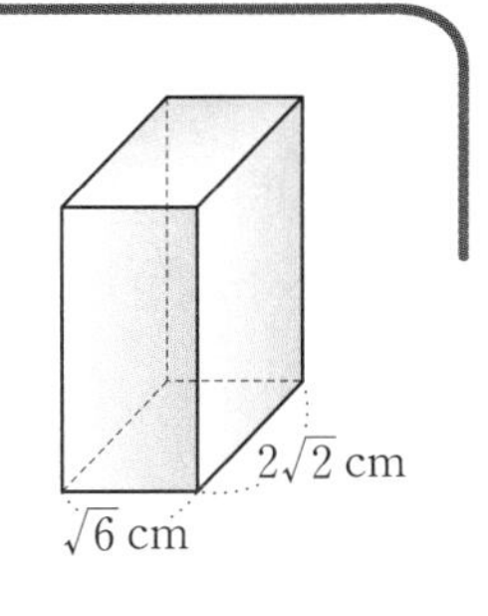

10종 교과서 공통

6-2 다음 그림에서 삼각형과 직사각형의 넓이가 서로 같을 때, x의 값을 구하시오.

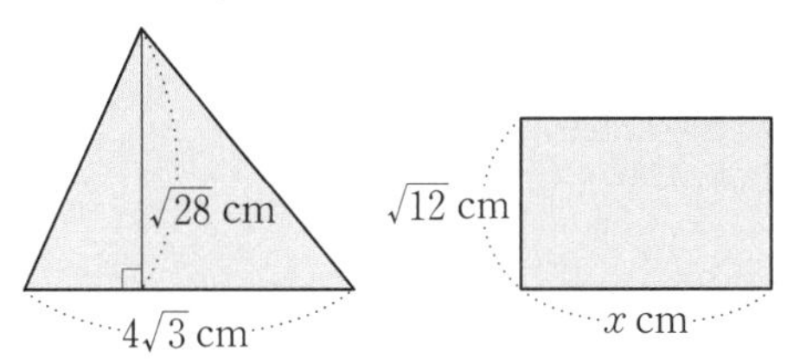

STEP 3 교과서 기본 테스트

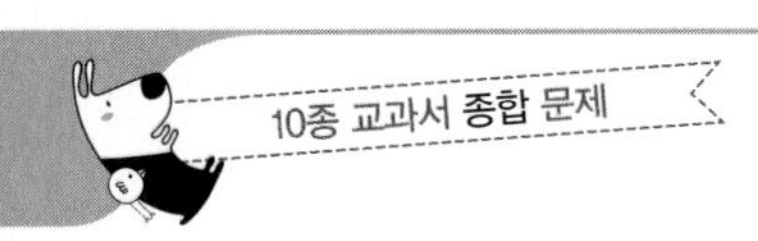

중하
01
출제 예상 95%

다음 중 옳지 않은 것은?

① $\sqrt{2}\times\sqrt{7}=\sqrt{14}$

② $2\sqrt{3}\div\sqrt{6}=\sqrt{2}$

③ $-\sqrt{45}=-3\sqrt{5}$

④ $(-\sqrt{3})\times(-\sqrt{5})=\sqrt{8}$

⑤ $4\sqrt{6}\div\sqrt{2}\times\sqrt{3}=12$

중하
02
출제 예상 95%

$\sqrt{72}=6\sqrt{a}$, $4\sqrt{5}=\sqrt{b}$일 때, $a+b$의 값을 구하시오.
(단, a, b는 양의 유리수)

중
03
출제 예상 85%

$\sqrt{3.9}=a$, $\sqrt{39}=b$일 때, $\sqrt{0.039}+\sqrt{3900}$을 a, b를 사용하여 나타내면 $xa+yb$이다. 이때 xy의 값은?
(단, x, y는 유리수)

① $\frac{1}{100}$ ② $\frac{1}{10}$ ③ 1

④ 10 ⑤ 100

중
04
출제 예상 85%

$\sqrt{2}\times\sqrt{a}\times\sqrt{3}\times\sqrt{27}\times\sqrt{2a}=72$일 때, 자연수 a의 값을 구하시오.

중
05
출제 예상 85%

$\sqrt{0.5}=a\sqrt{2}$, $\sqrt{0.48}=b\sqrt{3}$일 때, 두 유리수 a, b에 대하여 ab의 값은?

① $\frac{1}{6}$ ② $\frac{1}{5}$ ③ $\frac{1}{4}$

④ $\frac{1}{3}$ ⑤ $\frac{1}{2}$

중
06
출제 예상 80%

$2.4^2=5.76$일 때, $\sqrt{0.000576}$의 값은?

① 0.0024 ② 0.024 ③ 0.24

④ 2.4 ⑤ 24

중
07
출제 예상 85%

다음 중 아래의 제곱근표를 이용하여 제곱근의 값을 구한 것으로 옳지 않은 것은?

수	0	1	2	3	4	5
4.5	2.121	2.124	2.126	2.128	2.131	2.133
4.6	2.145	2.147	2.149	2.152	2.154	2.156
4.7	2.168	2.170	2.173	2.175	2.177	2.179
4.8	2.191	2.193	2.195	2.198	2.200	2.202

① $\sqrt{4.63}=2.152$ ② $\sqrt{4.74}=2.177$

③ $\sqrt{484}=22.00$ ④ $\sqrt{0.045}=0.2121$

⑤ $\sqrt{0.046}=21.45$

중

08

출제 예상 80%

제곱근표에서 $\sqrt{4.83}$의 값이 2.198일 때, $\sqrt{a}$의 값이 21.98이 되도록 하는 a의 값은?

① 0.0483 ② 0.483 ③ 48.3
④ 483 ⑤ 4830

중

09

출제 예상 85%

다음 중 $\sqrt{5}=2.236$일 때, 그 값을 구할 수 없는 것을 모두 고르면? (정답 2개)

① $\sqrt{0.005}$ ② $\sqrt{\frac{5}{4}}$ ③ $\sqrt{45}$
④ $\sqrt{105}$ ⑤ $\sqrt{125}$

중하

10

출제 예상 90%

다음 중 분모를 유리화한 것으로 옳지 않은 것은?

① $\frac{1}{\sqrt{3}}=\frac{\sqrt{3}}{3}$ ② $\frac{\sqrt{11}}{\sqrt{3}}=\frac{\sqrt{33}}{3}$
③ $\frac{6}{\sqrt{2}}=\frac{3\sqrt{2}}{2}$ ④ $\frac{\sqrt{5}}{\sqrt{18}}=\frac{\sqrt{10}}{6}$
⑤ $\frac{3}{2\sqrt{5}}=\frac{3\sqrt{5}}{10}$

중

11

출제 예상 80%

다음 중 $\sqrt{40}\div2$와 계산 결과가 다른 하나는?

① $\sqrt{2}\times\sqrt{5}$ ② $\frac{2\sqrt{5}}{\sqrt{2}}$ ③ $\sqrt{90}\div3$
④ $\frac{2\sqrt{2}}{\sqrt{5}}$ ⑤ $\sqrt{50}\div\sqrt{5}$

중

12

출제 예상 90%

다음 중 계산 결과가 가장 작은 것은?

① $\sqrt{3}\times\sqrt{5}$ ② $\sqrt{42}\div\sqrt{6}$ ③ $3\sqrt{2}\times\sqrt{3}$
④ $\sqrt{3}\div\frac{\sqrt{3}}{3}$ ⑤ $\sqrt{3}\div\sqrt{6}\times\sqrt{12}$

중

13

출제 예상 90%

$\sqrt{\frac{7}{2}}\div\sqrt{\frac{15}{2}}\div\sqrt{\frac{3}{10}}$을 간단히 하시오.

중하

14

출제 예상 90%

$\sqrt{24}\div\sqrt{27}\times\sqrt{63}=2\sqrt{a}$일 때, 유리수 a의 값은?

① 3 ② 5 ③ 7
④ 14 ⑤ 17

중

15

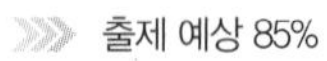
출제 예상 85%

오른쪽 그림과 같이 넓이가 각각 5 cm^2, 10 cm^2인 두 정사각형을 이용하여 직사각형 A를 만들었다. 이때 직사각형 A의 넓이를 구하시오.

A | 10 cm^2 | 5 cm^2

중

16

출제 예상 90%

오른쪽 그림과 같이 가로의 길이가 $\sqrt{15}$ cm, 세로의 길이가 $2\sqrt{3}$ cm인 직육면체의 부피가 $18\sqrt{5}$ cm^3일 때, 이 직육면체의 높이를 구하시오.

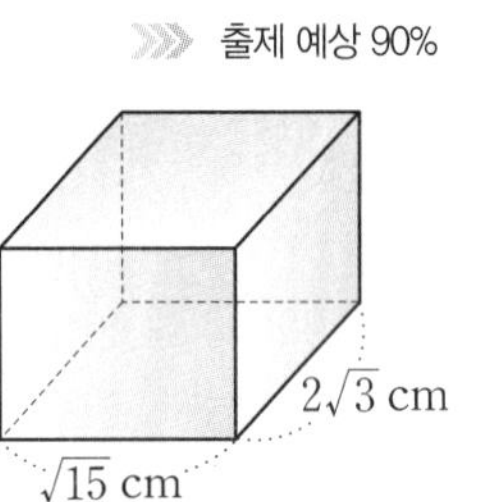

중

17

출제 예상 80%

넓이가 100 cm^2인 정사각형의 한 변의 길이는 넓이가 10π cm^2인 원의 반지름의 길이의 몇 배인지 구하시오.

과정을 평가하는 서술형입니다.

중

18

출제 예상 95%

다음을 계산하시오.

(1) $\sqrt{3} \div \dfrac{\sqrt{2}}{5} \times \dfrac{\sqrt{10}}{\sqrt{3}}$

(2) $\sqrt{18} \times \dfrac{4\sqrt{3}}{\sqrt{5}} \div \sqrt{20}$

상중

19

출제 예상 85%

$a>0$, $b>0$이고 $ab=12$일 때, $a\sqrt{\dfrac{12b}{a}}+b\sqrt{\dfrac{3a}{b}}$의 값을 구하시오.

상중

20

출제 예상 85%

닮음비가 $1:2$인 두 정사각형의 넓이의 합이 200 cm^2일 때, 작은 정사각형의 한 변의 길이를 구하시오.

창의력·융합형·서술형·코딩

정답과 해설 14쪽

1

태풍의 반지름의 길이를 R km라고 할 때, 태풍으로 인한 폭풍우의 지속 시간은 $\frac{\sqrt{R^3}}{\sqrt{54}}$시간이라고 한다. 어떤 태풍의 반지름의 길이가 96 km일 때, 이 태풍으로 인한 폭풍우의 지속 시간을 구하시오.

2

다음의 각 방법대로 $\frac{\sqrt{5}}{\sqrt{12}}$의 분모를 유리화하시오.

(1) 분모와 분자에 각각 $\sqrt{12}$를 곱하여 분모를 유리화하시오.

(2) $\sqrt{12}=2\sqrt{3}$이므로 분모와 분자에 각각 $\sqrt{3}$을 곱하여 분모를 유리화하시오.

3

오른쪽 그림에서 가로줄, 세로줄에 놓인 세 수의 곱이 모두 $2\sqrt{10}$이 되도록 빈칸에 알맞은 수를 써넣으시오.

$\sqrt{2}$		$\frac{\sqrt{2}}{2}$
$\sqrt{5}$		
		$\sqrt{20}$

4

다음 그림과 같이 한 변의 길이가 $4\sqrt{30}$ cm인 정사각형 모양의 종이를 각 변의 중점을 꼭짓점으로 하는 정사각형 모양으로 접어 나갈 때, [4단계]에서 생기는 정사각형의 한 변의 길이를 구하시오.

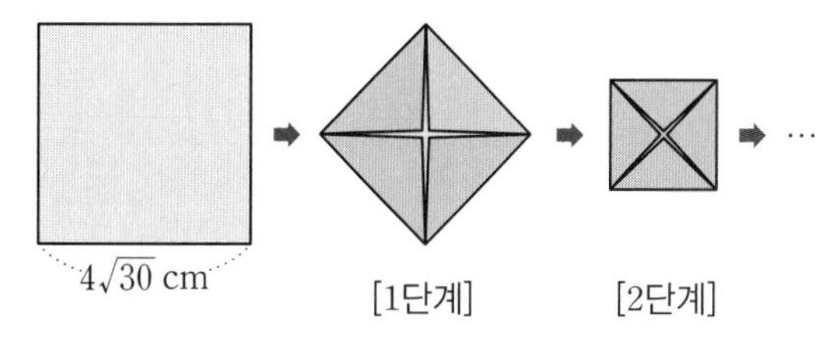

근호를 포함한 식의 덧셈과 뺄셈

개념 01 근호를 포함한 식의 덧셈과 뺄셈

(1) 근호 안의 수가 ❶ 것을 동류항으로 보고, 다항식의 덧셈, 뺄셈과 같은 방법으로 계산한다.

예 $5\sqrt{2}+3\sqrt{2}=(5+3)\sqrt{2}=8\sqrt{2}$

$5\sqrt{2}-3\sqrt{2}=(5-3)\sqrt{2}=2\sqrt{2}$

주의 $a>0$, $b>0$일 때 ① $\sqrt{a}+\sqrt{b}\neq\sqrt{a+b}$

② $\sqrt{a}-\sqrt{b}\neq\sqrt{a-b}$ (단, $a\neq b$)

(2) 근호 안의 수가 다른 무리수끼리는 더 이상 계산할 수 없다.

예 $\sqrt{2}+\sqrt{3}$ ➡ 근호 안의 수가 다르므로 더 이상 계산할 수 없다.

(3) 실수의 덧셈에서는 유리수에서와 같이 교환법칙과 결합법칙이 성립한다.

예 $\sqrt{2}-3\sqrt{3}+2\sqrt{2}-\sqrt{3}=(\sqrt{2}+2\sqrt{2})-(3\sqrt{3}+\sqrt{3})=3\sqrt{2}-4\sqrt{3}$

답 | ❶ 같은

QUIZ

다음 □ 안에 알맞은 수를 써넣으시오.

$3\sqrt{5}+7\sqrt{3}-\sqrt{5}-4\sqrt{3}$
$=3\sqrt{5}-\sqrt{5}+7\sqrt{3}-4\sqrt{3}$
$=(3-\square)\sqrt{5}+(7-\square)\sqrt{3}$
$=\square\sqrt{5}+\square\sqrt{3}$

정답 |
1, 4, 2, 3

개념 02 근호가 있는 식의 계산

(1) **괄호가 있는 경우** ❶ 을 이용하여 괄호를 풀어 계산한다.

$a>0$, $b>0$, $c>0$일 때

① $\sqrt{a}(\sqrt{b}\pm\sqrt{c})=\sqrt{a}\sqrt{b}\pm\sqrt{a}\sqrt{c}=\sqrt{ab}\pm\sqrt{ac}$

② $(\sqrt{a}\pm\sqrt{b})\sqrt{c}=\sqrt{a}\sqrt{c}\pm\sqrt{b}\sqrt{c}=\sqrt{ac}\pm\sqrt{bc}$

(2) **분모에 무리수가 있는 경우** 분모를 ❷ 하여 계산한다.

$a>0$, $b>0$, $c>0$일 때

$$\frac{\sqrt{b}+\sqrt{c}}{\sqrt{a}}=\frac{(\sqrt{b}+\sqrt{c})\times\sqrt{a}}{\sqrt{a}\times\sqrt{a}}=\frac{\sqrt{ab}+\sqrt{ac}}{a}$$

답 | ❶ 분배법칙 ❷ 유리화

QUIZ

다음 □ 안에 알맞은 수를 써넣으시오.

$$\frac{\sqrt{10}-\sqrt{2}}{\sqrt{3}}=\frac{(\sqrt{10}-\sqrt{2})\times\square}{\sqrt{3}\times\square}=\frac{\square-\square}{\square}$$

정답 |
$\sqrt{3}$, $\sqrt{3}$, $\sqrt{30}$, $\sqrt{6}$, 3

개념 03 근호를 포함한 복잡한 식의 계산

① 근호 안의 제곱인 인수를 근호 밖으로 꺼낸다.
② 분배법칙을 이용하여 ❶ 를 푼다.
③ 분모에 근호가 있으면 분모를 유리화한다.
④ ❷ 과 나눗셈을 계산한 후에 덧셈과 뺄셈을 계산한다.

예 $(\sqrt{27}-3\sqrt{2})\times\sqrt{3}+(\sqrt{2}-\sqrt{3})\div\frac{\sqrt{2}}{4}$

$=(3\sqrt{3}-3\sqrt{2})\times\sqrt{3}+(\sqrt{2}-\sqrt{3})\times\frac{4}{\sqrt{2}}$

$=9-3\sqrt{6}+4-\frac{4\sqrt{3}}{\sqrt{2}}$

$=13-3\sqrt{6}-2\sqrt{6}$

$=13-5\sqrt{6}$

답 | ❶ 괄호 ❷ 곱셈

QUIZ

다음 □ 안에 알맞은 수를 써넣으시오.

$\sqrt{12}-6\div\sqrt{3}+\sqrt{108}=\square\sqrt{3}-\frac{6}{\sqrt{3}}+6\sqrt{\square}$
$=\square\sqrt{3}-\frac{6\sqrt{3}}{\square}+6\sqrt{\square}$
$=2\sqrt{3}-\square\sqrt{3}+6\sqrt{\square}$
$=(2-\square+6)\sqrt{\square}$
$=\square$

정답 |
2, 3, 2, 3, 3, 2, 3, 2, 3, $6\sqrt{3}$

교과서 개념 확인 테스트

정답과 해설 15쪽

01 근호를 포함한 식의 덧셈과 뺄셈 (1) 개념01

1-1 다음 식을 간단히 하시오.

(1) $5\sqrt{2}+3\sqrt{2}$

(2) $4\sqrt{3}-3\sqrt{3}$

(3) $8\sqrt{5}-2\sqrt{5}+3\sqrt{5}$

(4) $\sqrt{5}-2\sqrt{7}+3\sqrt{5}+4\sqrt{7}$

1-2 다음 식을 간단히 하시오.

(1) $3\sqrt{7}-\sqrt{7}$

(2) $8\sqrt{3}+5\sqrt{3}$

(3) $2\sqrt{6}-\dfrac{3\sqrt{6}}{2}+\dfrac{\sqrt{6}}{2}$

(4) $\sqrt{3}-2\sqrt{5}-5\sqrt{3}+3\sqrt{5}$

02 근호를 포함한 식의 덧셈과 뺄셈 (2) 개념01

2-1 다음 식을 간단히 하시오.

(1) $\sqrt{75}+\sqrt{12}$

(2) $\sqrt{50}-\sqrt{98}$

(3) $\sqrt{32}-\sqrt{18}+2\sqrt{28}-\sqrt{7}$

(4) $\dfrac{3\sqrt{6}}{\sqrt{2}}-\sqrt{48}-\dfrac{9}{\sqrt{3}}$

✓ $\sqrt{a^2b}$의 꼴은 $a\sqrt{b}$의 꼴로 바꾼 후 근호 안의 수가 같은 것끼리 계산한다.

2-2 다음 식을 간단히 하시오.

(1) $3\sqrt{20}+\sqrt{45}$

(2) $\dfrac{\sqrt{3}}{2}-\dfrac{5}{\sqrt{3}}$

(3) $\sqrt{18}-\dfrac{3}{\sqrt{2}}+\sqrt{32}$

(4) $\dfrac{13}{\sqrt{7}}+\dfrac{\sqrt{21}}{\sqrt{3}}-\dfrac{2\sqrt{63}}{7}$

02 근호가 있는 식의 계산 (1) 개념02

3-1 다음 식을 간단히 하시오.

(1) $\sqrt{3}(\sqrt{2}-\sqrt{7})$

(2) $\sqrt{3}(\sqrt{6}+2\sqrt{3})$

(3) $(\sqrt{63}-\sqrt{35})\div\sqrt{7}$

3-2 다음 식을 간단히 하시오.

(1) $\sqrt{3}(\sqrt{3}+8)$

(2) $\sqrt{6}(\sqrt{3}-2\sqrt{2})$

(3) $(\sqrt{75}+\sqrt{12})\div\sqrt{3}$

정답과 해설 15쪽

04 근호가 있는 식의 계산 (2) 개념 02

4-1 다음 수의 분모를 유리화하시오.

(1) $\dfrac{1-\sqrt{2}}{\sqrt{2}}$　　(2) $\dfrac{3\sqrt{6}-\sqrt{5}}{\sqrt{20}}$

✓ (2) 분모가 $\sqrt{a^2b}$의 꼴이면 먼저 $a\sqrt{b}$의 꼴로 바꾼 후 분모를 유리화한다.

4-2 다음 수의 분모를 유리화하시오.

(1) $\dfrac{\sqrt{12}+\sqrt{6}}{\sqrt{3}}$　　(2) $\dfrac{2+\sqrt{2}}{\sqrt{45}}$

05 근호를 포함한 복잡한 식의 계산 개념 03

5-1 다음 식을 간단히 하시오.

(1) $\sqrt{2}\times\sqrt{6}-2\div\sqrt{3}$

(2) $\sqrt{72}\div2\sqrt{3}-2\sqrt{2}\times\sqrt{27}$

(3) $(4\sqrt{3}-\sqrt{2})\div\sqrt{6}+3\sqrt{2}$

(4) $(\sqrt{30}-2\sqrt{15})\div\sqrt{3}+\sqrt{5}(\sqrt{10}-\sqrt{2})$

5-2 다음 식을 간단히 하시오.

(1) $\sqrt{10}\div\sqrt{5}-2\sqrt{2}$

(2) $\sqrt{24}\times\sqrt{2}-9\sqrt{6}\div3\sqrt{2}$

(3) $\sqrt{32}+4\div\sqrt{2}-5\sqrt{2}$

(4) $\sqrt{18}\div\dfrac{1}{\sqrt{6}}+\sqrt{12}\times\sqrt{3}$

06 실수의 대소 관계 개념 01

6-1 다음 □ 안에 부등호 $>$, $<$ 중 알맞은 것을 써넣으시오.

(1) $4-2\sqrt{2}$ □ $5-3\sqrt{2}$

(2) $\sqrt{6}-1$ □ $2\sqrt{6}-3$

6-2 다음 □ 안에 부등호 $>$, $<$ 중 알맞은 것을 써넣으시오.

(1) $2\sqrt{5}+1$ □ $3\sqrt{5}-1$

(2) $\sqrt{2}+\sqrt{12}$ □ $5\sqrt{3}-\sqrt{18}$

기출 기초 테스트

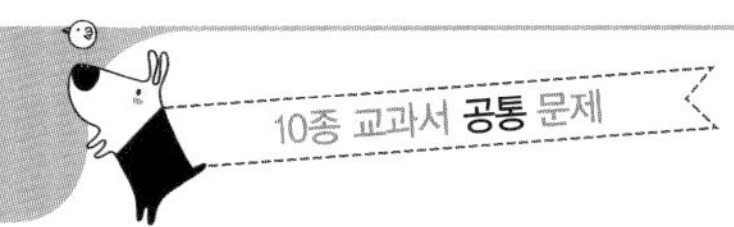

정답과 해설 16쪽

유형 01 근호를 포함한 식의 덧셈과 뺄셈 (1)

1-1 $3\sqrt{5}-\sqrt{27}-\sqrt{20}+\sqrt{75}=a\sqrt{3}+b\sqrt{5}$일 때, $a+b$의 값을 구하시오. (단, a, b는 유리수)

10종 교과서 공통

1-2 $\sqrt{700}+\sqrt{63}+a\sqrt{7}=8\sqrt{7}$을 만족하는 유리수 a의 값을 구하시오.

유형 02 근호를 포함한 식의 덧셈과 뺄셈 (2)

2-1 다음 그림은 한 눈금의 길이가 1인 모눈종이 위에 정사각형 ABCD와 수직선을 그린 것이다. 점 A를 중심으로 하고 $\overline{AB}$를 반지름으로 하는 원을 그려 수직선과 만나는 점을 각각 P, Q라고 하자. 두 점 P, Q에 대응하는 수를 각각 p, q라고 할 때, $q-p$의 값을 구하시오.

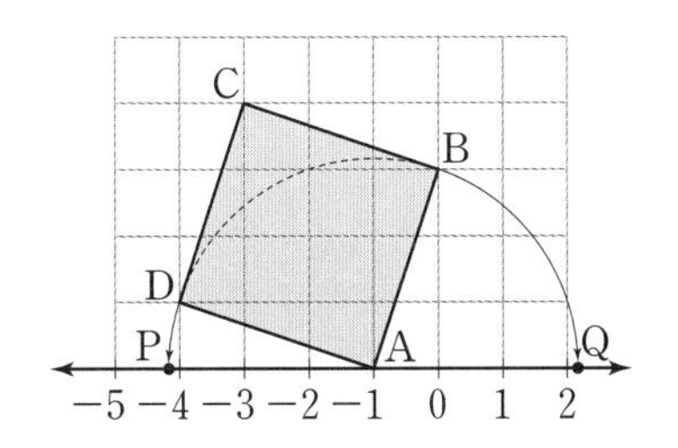

10종 교과서 공통

2-2 다음 그림과 같이 수직선 위의 두 점 A, B에 대하여 $\overline{AB}$를 한 변으로 하는 정사각형 ABCD가 있다. 수직선 위에 $\overline{AC}=\overline{AP}$, $\overline{BD}=\overline{BQ}$인 두 점 P, Q를 각각 잡을 때, $\overline{PQ}$의 길이를 구하시오.

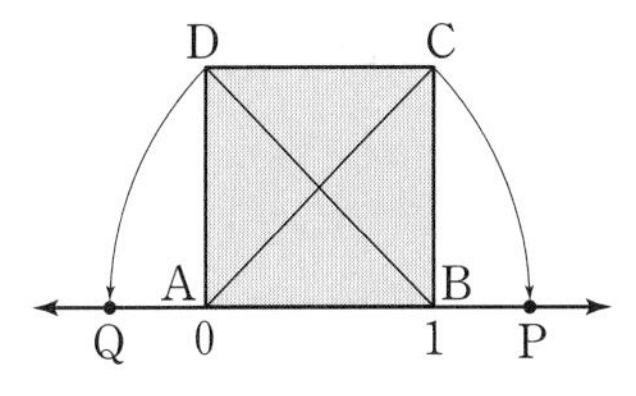

✓ 점 P에 대응하는 수를 p, 점 Q에 대응하는 수를 q라고 하면 $\overline{PQ}=p-q$이다.

유형 03 근호를 포함한 식의 복잡한 계산

3-1 다음 식을 간단히 하시오.

(1) $\dfrac{5-\sqrt{15}}{\sqrt{5}}+\sqrt{5}(\sqrt{20}-1)$

(2) $\sqrt{24}-\sqrt{\dfrac{8}{3}}+\dfrac{\sqrt{27}-\sqrt{2}}{\sqrt{3}}-1$

(3) $\dfrac{\sqrt{5}-\sqrt{3}}{\sqrt{5}}+\dfrac{\sqrt{2}+\sqrt{45}}{\sqrt{3}}$

10종 교과서 공통

3-2 다음 식을 간단히 하시오.

(1) $\sqrt{18}\div\dfrac{1}{\sqrt{6}}+\sqrt{12}\times\sqrt{3}$

(2) $\sqrt{3}(2\sqrt{3}+\sqrt{6})-(\sqrt{24}-\sqrt{15})\div\sqrt{3}$

(3) $(\sqrt{48}-\sqrt{3})\div2\sqrt{2}+2\sqrt{3}\times\dfrac{1}{\sqrt{2}}$

유형 04 실수의 대소 비교

4-1 다음 중 세 수 $a=3\sqrt{2}-1$, $b=2+\sqrt{2}$, $c=2\sqrt{3}-1$의 대소 관계를 바르게 나타낸 것은?

① $a<b<c$ ② $a<c<b$ ③ $b<a<c$
④ $b<c<a$ ⑤ $c<a<b$

(10종 교과서 공통)

4-2 세 수 $a=3+4\sqrt{2}$, $b=3+5\sqrt{2}$, $c=2+5\sqrt{2}$의 대소 관계를 부등호를 사용하여 나타내시오.

유형 05 무리수의 정수 부분과 소수 부분

5-1 $\sqrt{5}$의 소수 부분을 a라고 할 때, 다음 물음에 답하시오.

(1) a의 값을 구하시오.
(2) $2a+4$의 값을 구하시오.

(천재, 동아 유사)

5-2 $4-\sqrt{6}$의 정수 부분을 a, 소수 부분을 b라고 할 때, $a-b$의 값을 구하시오.

유형 06 도형에서 근호를 포함한 식의 계산

6-1 오른쪽 그림과 같은 사다리꼴의 넓이를 구하시오.

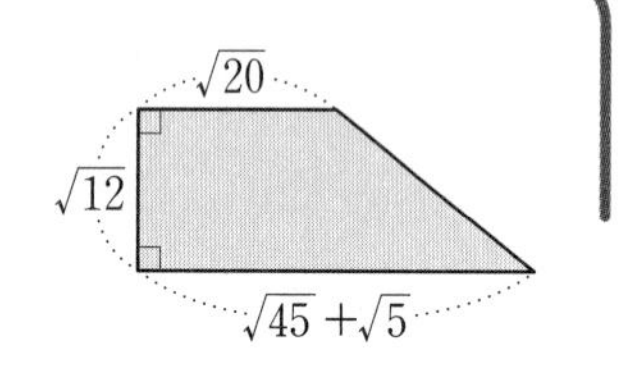

(10종 교과서 공통)

6-2 오른쪽 그림의 도형과 넓이가 같은 정사각형의 한 변의 길이를 구하시오.

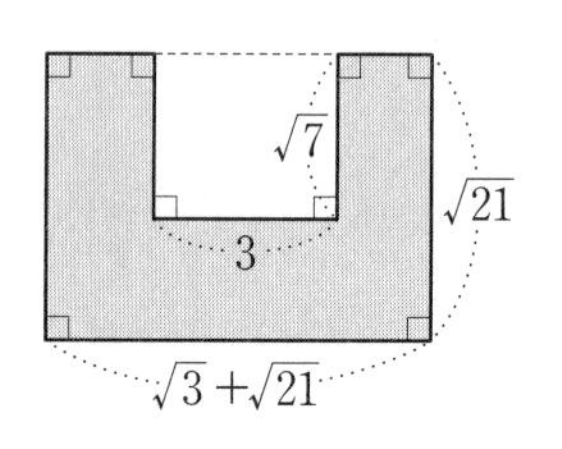

교과서 기본 테스트

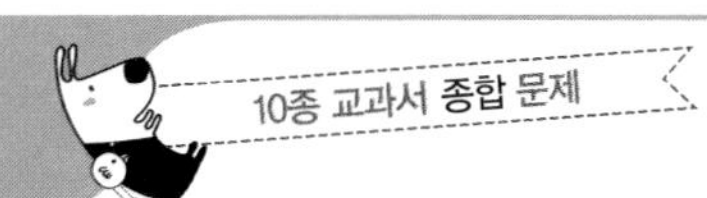

정답과 해설 18쪽

중하

01 출제 예상 95%

다음 중 옳은 것은?

① $\sqrt{5}-4\sqrt{5}=-3$

② $2\sqrt{5}+3\sqrt{5}=5\sqrt{10}$

③ $\sqrt{9}-\sqrt{4}=\sqrt{5}$

④ $\sqrt{24}+2\sqrt{6}=4\sqrt{6}$

⑤ $\sqrt{12}-\sqrt{27}+\sqrt{48}=3\sqrt{2}$

중

02 출제 예상 85%

$\sqrt{108}+\sqrt{45}-\sqrt{75}-\sqrt{5}=a\sqrt{3}+b\sqrt{5}$일 때, $a+b$의 값을 구하시오. (단, a, b는 유리수)

중하

03 출제 예상 90%

$\dfrac{\sqrt{3}-\sqrt{2}}{\sqrt{3}}$의 분모를 유리화하면?

① $\dfrac{\sqrt{3}-\sqrt{6}}{3}$　② $\dfrac{\sqrt{3}-\sqrt{2}}{3}$

③ $\dfrac{3-\sqrt{6}}{3}$　④ $\dfrac{3-\sqrt{2}}{3}$

⑤ $\sqrt{3}+\sqrt{2}$

중

04 출제 예상 85%

$\sqrt{5}(3\sqrt{5}-10)-5(1-a\sqrt{5})$가 유리수가 되도록 하는 유리수 a의 값은?

① 2　② 4　③ 6

④ 8　⑤ 10

중

05 출제 예상 85%

$a=2\sqrt{3}-\sqrt{5}$, $b=-\sqrt{3}-3\sqrt{5}$일 때, $\sqrt{5}a-\sqrt{3}b$를 간단히 하시오.

중

06 출제 예상 80%

$A=\sqrt{18}-\sqrt{2}$, $B=\sqrt{3}A+2\sqrt{2}$, $C=-2\sqrt{3}+\dfrac{B}{\sqrt{2}}$ 일 때, C의 값을 구하시오.

중

07 출제 예상 90%

$\dfrac{6}{\sqrt{3}}+\sqrt{3}(2-\sqrt{3})-2\sqrt{12}$를 간단히 하면?

① $-3-2\sqrt{3}$　② $-3+2\sqrt{3}$　③ $-1+2\sqrt{3}$

④ -3　⑤ -1

중

08

출제 예상 95%

다음 중 두 실수의 대소 관계가 옳은 것은?

① $\sqrt{7}>2\sqrt{2}$
② $3\sqrt{2}+2>4\sqrt{2}+1$
③ $3\sqrt{3}>8-2\sqrt{3}$
④ $-3+\sqrt{5}>\sqrt{7}-3$
⑤ $3\sqrt{6}<2\sqrt{6}+1$

상 중

09 까다로운 문제

출제 예상 80%

다음 중 가장 큰 수를 a, 가장 작은 수를 b라고 할 때, $a-b$의 값을 구하시오.

$\sqrt{32}-1,\quad 3\sqrt{2}+1,\quad 2\sqrt{7}-1,\quad 3$

중

10

출제 예상 85%

$1+\sqrt{3}$의 소수 부분을 a, $3-\sqrt{3}$의 소수 부분을 b라고 할 때, $a+b$의 값을 구하시오.

중

11

출제 예상 90%

다음 그림과 같이 넓이가 각각 5 cm^2, 20 cm^2, 45 cm^2인 정사각형 모양의 색종이를 이어 붙인 도형의 둘레의 길이를 구하시오.

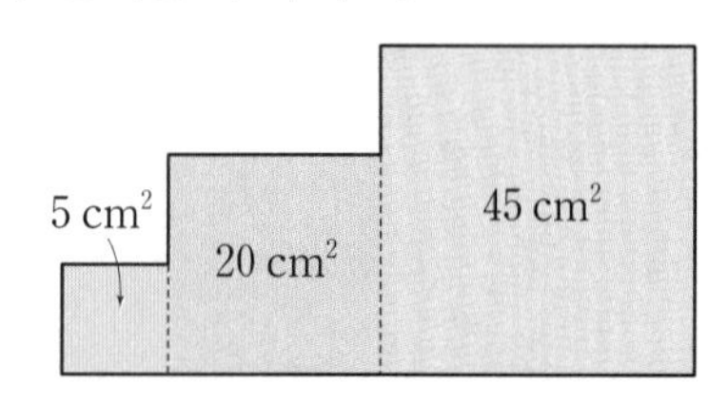

과정을 평가하는 서술형입니다.

중

12

출제 예상 90%

다음 식을 간단히 하시오.

$$\sqrt{3}\left(\frac{1}{\sqrt{2}}-\frac{2}{\sqrt{3}}\right)-\sqrt{2}\left(\frac{3\sqrt{3}}{2}-\frac{5}{\sqrt{2}}\right)$$

중

13

출제 예상 90%

$\sqrt{12}$의 정수 부분을 a, 소수 부분을 b라고 할 때, $\dfrac{a}{b+3}$의 값을 구하시오.

중

14

출제 예상 85%

오른쪽 그림과 같은 직육면체의 겉넓이를 구하시오.

$2\sqrt{5}$ cm
$2\sqrt{3}$ cm
$(2\sqrt{3}+\sqrt{5})$ cm

정답과 해설 19쪽

1

다음 그림은 한 변의 길이가 8인 정사각형에서 네 변의 중점을 연결한 정사각형을 연속해서 3번 그린 것이다. 색칠한 도형의 둘레의 길이의 합을 구하시오.

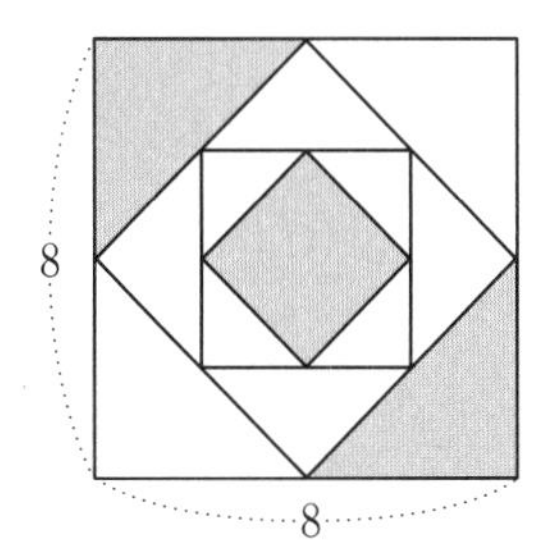

2

다음 그림은 민수가 설계한 집의 평면도이다. 이 평면도는 전체의 넓이가 80인 정사각형 모양이고, 방 A는 넓이가 20인 정사각형 모양이다. 방 B는 주방과 가로의 길이가 같고 넓이가 10인 직사각형 모양일 때, 욕실의 세로의 길이를 구하시오.

(단, 벽의 두께는 생각하지 않는다.)

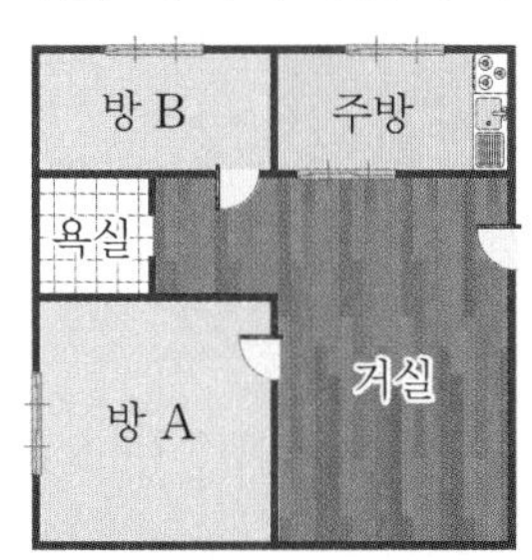

3

칠교판은 [그림 1]과 같이 7개의 조각으로 이루어진 퍼즐이다. 7개의 조각을 모두 이용하여 [그림 2]를 만들었다. [그림 1]에서 모눈 한 눈금의 길이를 1이라고 할 때, [그림 2]의 둘레의 길이를 구하시오.

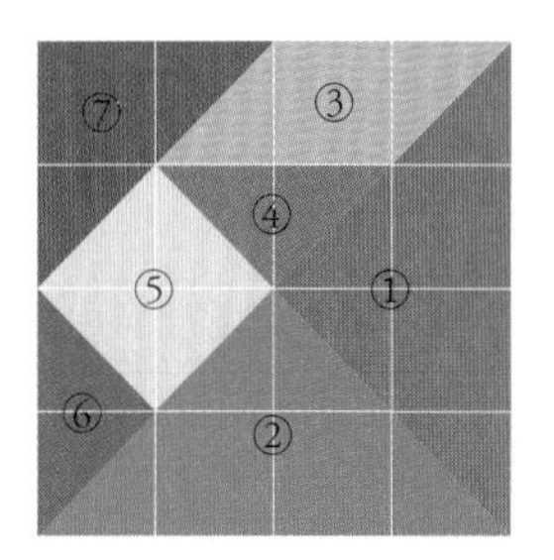

[그림 1]

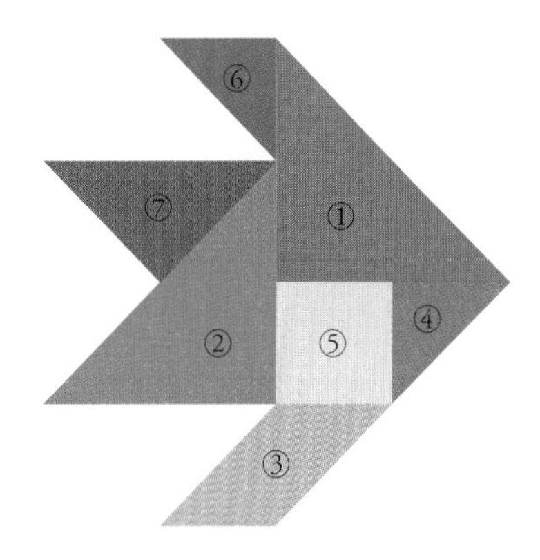

[그림 2]

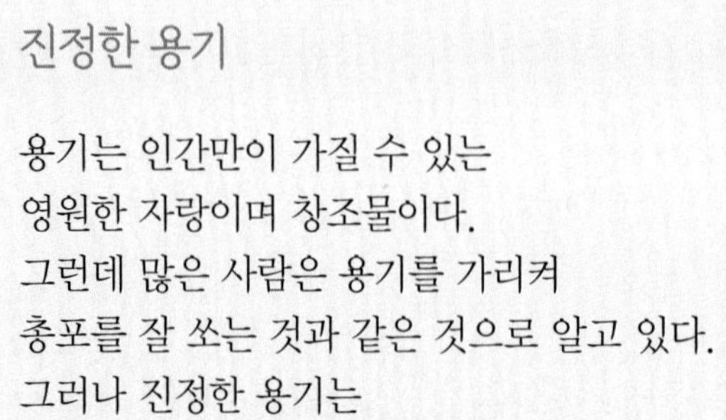

진정한 용기

용기는 인간만이 가질 수 있는
영원한 자랑이며 창조물이다.
그런데 많은 사람은 용기를 가리켜
총포를 잘 쏘는 것과 같은 것으로 알고 있다.
그러나 진정한 용기는
여러 사람들이 보는 앞에서 할 수 있는 일을
아무도 보지 않는 곳에서
해내는 것을 말하는 것이다.
– 라 로슈푸코

다항식의 곱셈과 인수분해

다항식의 곱셈

개념 01 다항식과 다항식의 곱셈

다항식과 다항식의 곱셈은 ❶ ______ 을 이용하여 전개하고 동류항이 있으면 간단히 정리한다.

➡ $(a+b)(c+d)=\underset{①}{ac}+\underset{②}{ad}+\underset{③}{bc}+\underset{④}{bd}$

참고 직사각형의 넓이와 다항식의 곱셈

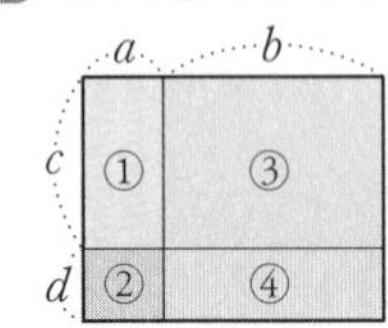

(큰 직사각형의 넓이)
=①+②+③+④이므로
$(a+b)(c+d)$
$=ac+ad+bc+bd$

답 | ❶ 분배법칙

QUIZ

다음 □ 안에 알맞은 것을 써넣으시오.

(1) $(2x-3)(y+1)$
$=2xy+\square-3y-3$

(2) $(x+3y)(2x+y)$
$=2x^2+xy+\square xy+3y^2$
$=2x^2+\square+3y^2$

정답 |
(1) $2x$ (2) 6, $7xy$

개념 02 곱셈 공식 (1)

① $(a+b)^2=a^2+2ab+b^2$
② $(a-b)^2=a^2-2ab+b^2$

[전개 과정]

① $(a+b)^2=(a+b)(a+b)=a^2+ab+ba+b^2=a^2+2ab+b^2$

② $(a-b)^2=(a-b)(a-b)=a^2-ab-ba+b^2=a^2-2ab+b^2$

참고 정사각형의 넓이와 곱셈 공식 (1)

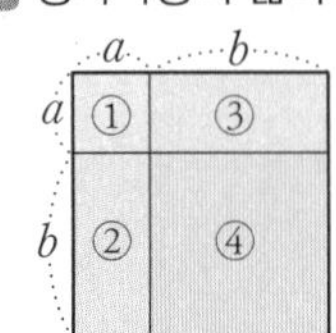

(큰 정사각형의 넓이)
=①+②+③+④이므로
$(a+b)^2=a^2+ab+ab+b^2$
$=a^2+2ab+b^2$

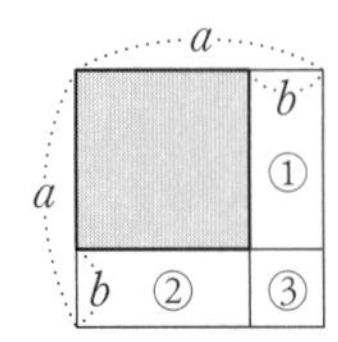

(색칠한 정사각형의 넓이)
=(큰 정사각형의 넓이)−①−②−③이므로
$(a-b)^2=a^2-b(a-b)-b(a-b)-b^2$
$=a^2-2ab+b^2$

QUIZ

다음 중 전개한 것이 옳은 것에는 ○표, 옳지 않은 것에는 ×표를 하시오.

(1) $(a-5)^2=a^2-10a-25$ ( )

(2) $(x+7)^2=x^2+49$ ( )

(3) $(x-2y)^2=x^2-4xy+4y^2$ ( )

정답 |
(1) × (2) × (3) ○

개념 03 곱셈 공식 (2)

$$(a+b)(a-b)=a^2-b^2$$

[전개 과정]

$(a+b)(a-b)=a^2-ab+ba-b^2=$ ❶ ______

참고 직사각형의 넓이와 곱셈 공식 (2)

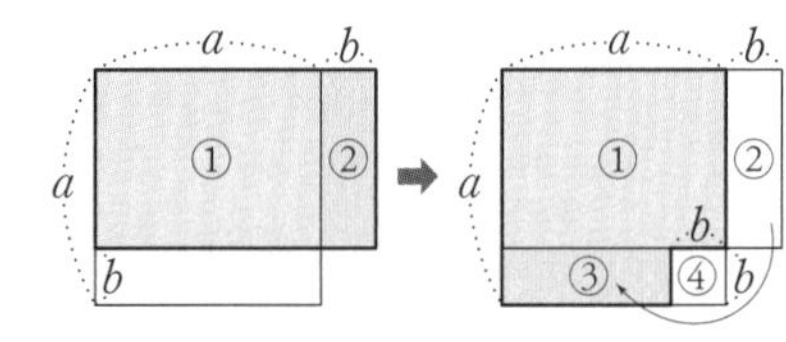

(색칠한 직사각형의 넓이)
=①+②=①+③
이므로
$(a+b)(a-b)$
$=a^2-④=a^2-b^2$

답 | ❶ a^2-b^2

QUIZ

다음 중 전개한 것이 옳은 것에는 ○표, 옳지 않은 것에는 ×표를 하시오.

(1) $(a+2)(a-2)=a^2+4$ ( )

(2) $(5-x)(5+x)=25-x^2$ ( )

(3) $(-a+b)(-a-b)=-a^2-b^2$ ( )

정답 |
(1) × (2) ○ (3) ×

개념 04 곱셈 공식 (3)

$$(x+a)(x+b)=x^2+(a+b)x+ab$$

[전개 과정]

$(x+a)(x+b)=x^2+$ ❶ $+ax+ab$

$=x^2+(a+b)x+$ ❷

참고 직사각형의 넓이와 곱셈 공식 (3)

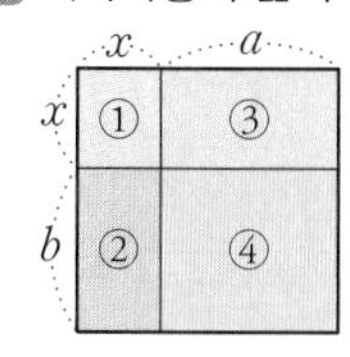

(큰 직사각형의 넓이)=①+②+③+④이므로

$(x+a)(x+b)=x^2+bx+ax+ab$

$=x^2+(a+b)x+ab$

답 | ❶ bx ❷ ab

QUIZ

다음 중 전개한 것이 옳은 것에는 ○표, 옳지 않은 것에는 ×표를 하시오.

(1) $(x-4)(x-2)=x^2-6x+6$ ( )

(2) $(a+1)(a-4)=a^2-3a-4$ ( )

(3) $(x-5y)(x+3y)=x^2-2xy-15y^2$ ( )

정답 |

(1) × (2) ○ (3) ○

개념 05 곱셈 공식 (4)

$$(ax+b)(cx+d)=acx^2+(ad+bc)x+bd$$

[전개 과정]

$(ax+b)(cx+d)=acx^2+adx+bcx+bd$

$=acx^2+($ ❶ $)x+bd$

참고 직사각형의 넓이와 곱셈 공식 (4)

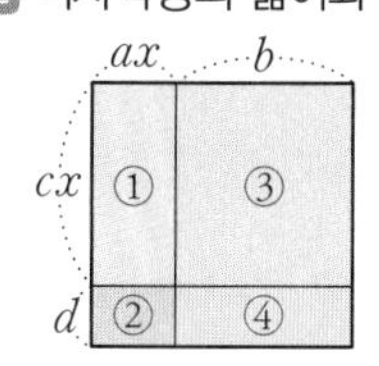

(큰 직사각형의 넓이)=①+②+③+④이므로

$(ax+b)(cx+d)$

$=acx^2+adx+bcx+bd$

$=acx^2+(ad+bc)x+bd$

답 | ❶ $ad+bc$

QUIZ

다음 중 전개한 것이 옳은 것에는 ○표, 옳지 않은 것에는 ×표를 하시오.

(1) $(5x-3)(-2x+1)=-10x^2+11x-3$ ( )

(2) $(x+3y)(2x-5y)=2x^2-11xy+15y^2$ ( )

(3) $(3a-2b)(5a+4b)=15a^2+2ab-8b^2$ ( )

정답 |

(1) ○ (2) × (3) ○

개념 06 곱셈 공식을 이용한 분모의 유리화

분모가 두 수의 합 또는 차로 되어 있는 무리수일 때, 곱셈 공식 $(a+b)(a-b)=$ ❶ 을 이용하여 분모를 유리화한다.

예 $\dfrac{\sqrt{2}}{\sqrt{3}+\sqrt{2}}=\dfrac{\sqrt{2}(\sqrt{3}-\sqrt{2})}{(\sqrt{3}+\sqrt{2})(\text{❷})}$

$=\dfrac{\sqrt{2}\times\sqrt{3}-(\sqrt{2})^2}{(\sqrt{3})^2-(\sqrt{2})^2}$

$=\dfrac{\sqrt{6}-2}{3-2}$

$=\sqrt{6}-2$

답 | ❶ a^2-b^2 ❷ $\sqrt{3}-\sqrt{2}$

QUIZ

다음 □ 안에 알맞은 것을 써넣으시오.

(1) $\dfrac{1}{\sqrt{2}+1}$의 분모를 유리화하려면 분모, 분자에 각각 □을 곱한다.

(2) $\dfrac{2}{\sqrt{5}-\sqrt{3}}$의 분모를 유리화하려면 분모, 분자에 각각 □을 곱한다.

정답 |

(1) $\sqrt{2}-1$ (2) $\sqrt{5}+\sqrt{3}$

교과서 개념 확인 테스트

01 곱셈 공식 (1) 개념 02

1-1 다음 식을 전개하시오.

(1) $(a+5)^2$ (2) $(x-6)^2$

(3) $(-2a+b)^2$ (4) $(2x-7y)^2$

1-2 다음 식을 전개하시오.

(1) $(a+4)^2$ (2) $(x-9)^2$

(3) $(5a+4b)^2$ (4) $(-3x-2y)^2$

02 곱셈 공식 (2) 개념 03

2-1 다음 식을 전개하시오.

(1) $(a+4)(a-4)$

(2) $(a+2b)(a-2b)$

(3) $(1-b)(1+b)$

(4) $(3x+y)(3x-y)$

(5) $(-y+6)(y+6)$

(6) $(-2+x)(-2-x)$

2-2 다음 식을 전개하시오.

(1) $(a+3)(a-3)$

(2) $(2-y)(2+y)$

(3) $(x-4y)(x+4y)$

(4) $(-2x+1)(2x+1)$

(5) $(-x-8)(-x+8)$

(6) $(-5a+b)(-5a-b)$

03 곱셈 공식 (3) 개념 04

3-1 다음 식을 전개하시오.

(1) $(x+4)(x+3)$

(2) $(y-3)(y+5)$

(3) $(x+6y)(x-2y)$

(4) $\left(x-\frac{1}{4}y\right)\left(x-\frac{1}{5}y\right)$

3-2 다음 식을 전개하시오.

(1) $(x+6)(x-4)$

(2) $(x-7)(x-8)$

(3) $(a+3b)(a+6b)$

(4) $\left(x-\frac{1}{2}y\right)\left(x+\frac{1}{3}y\right)$

04 곱셈 공식 (4) 개념 05

4-1 다음 식을 전개하시오.

(1) $(-x+4)(2x-7)$

(2) $(8x-3)(5x+2)$

(3) $(2a-3b)(3a+2b)$

(4) $\left(5x-\frac{1}{2}y\right)\left(2x-\frac{1}{3}y\right)$

4-2 다음 식을 전개하시오.

(1) $(2x+1)(4x+3)$

(2) $(3a-2)(-7a+5)$

(3) $(6x-y)(5x-2y)$

(4) $\left(\frac{1}{3}x+9y\right)\left(-\frac{1}{3}x-y\right)$

05 곱셈 공식을 이용한 수의 계산 개념 02 ~ 개념 04

5-1 곱셈 공식을 이용하여 다음을 계산하시오.

(1) 102^2 (2) 49^2

(3) 71×69 (4) 101×103

(5) $(5-\sqrt{2})^2$

(6) $(\sqrt{7}+\sqrt{6})(\sqrt{7}-\sqrt{6})$

5-2 곱셈 공식을 이용하여 다음을 계산하시오.

(1) 10.1^2 (2) 98^2

(3) 106×94 (4) 85×78

(5) $(\sqrt{6}+\sqrt{2})^2$

(6) $(2\sqrt{2}-\sqrt{5})(2\sqrt{2}+\sqrt{5})$

06 곱셈 공식을 이용한 분모의 유리화 개념 06

6-1 곱셈 공식을 이용하여 다음 수의 분모를 유리화하시오.

(1) $\frac{1}{2+\sqrt{3}}$ (2) $\frac{4}{\sqrt{6}-\sqrt{2}}$

(3) $\frac{\sqrt{2}+1}{\sqrt{2}-1}$ (4) $\frac{3-2\sqrt{2}}{3+2\sqrt{2}}$

6-2 곱셈 공식을 이용하여 다음 수의 분모를 유리화하시오.

(1) $\frac{1}{1-\sqrt{5}}$ (2) $\frac{\sqrt{7}}{2-\sqrt{7}}$

(3) $\frac{\sqrt{6}-2}{\sqrt{6}+2}$ (4) $\frac{\sqrt{5}+\sqrt{2}}{\sqrt{5}-\sqrt{2}}$

기출 기초 테스트

10종 교과서 공통 문제

유형 01 다항식과 다항식의 곱셈

10종 교과서 공통

1-1 $(x-5y)(3x+4)$를 전개한 식에서 x^2의 계수를 A, y의 계수를 B라고 하자. 이때 $A+B$의 값을 구하시오.

1-2 $(x-3y+1)(2x+y)$를 전개한 식에서 xy의 계수와 y^2의 계수의 곱을 구하시오.

유형 02 곱셈 공식

10종 교과서 공통

2-1 다음 식을 계산하시오.

(1) $(-3x+1)(-3x-1)+5(x+2)(2-x)$

(2) $2(x+3)(x-3)-(3x-5)(x+1)$

2-2 다음 식을 계산하시오.

(1) $(3x+4)(2x-3)-2(x+2)(x+5)$

(2) $(x-2)(x-4)-(3x+2)(-x+1)$

유형 03 곱셈 공식에서 미지수 구하기

10종 교과서 공통

3-1 다음 등식이 성립할 때, A, B에 알맞은 수를 각각 구하시오.

(1) $(x+A)^2=x^2+6x+B$

(2) $(Ax-2)^2=9x^2-12x+B$

(3) $(2x-A)(x+4)=2x^2+Bx-20$

3-2 다음 등식이 성립할 때, A, B에 알맞은 수를 각각 구하시오.

(1) $(x+A)^2=x^2+4x+B$

(2) $(x+A)(x-5)=x^2+Bx+15$

(3) $(3x+y)(Ax-3y)=6x^2+Bxy-3y^2$

유형 04 곱셈 공식을 이용한 수의 계산

10종 교과서 공통

4-1 다음은 곱셈 공식을 이용하여 $\frac{303^2-9}{300}$를 계산하는 과정이다. □ 안에 알맞은 수를 써넣으시오.

$$\begin{aligned}\frac{303^2-9}{300}&=\frac{(300+\square)^2-9}{300}\\&=\frac{300^2+2\times300\times\square+\square^2-9}{300}\\&=\frac{300^2}{300}+\frac{\square\times300}{300}\\&=300+\square=\square\end{aligned}$$

4-2 다음은 곱셈 공식을 이용하여 $\frac{2021\times2019+1}{2020}$을 계산하는 과정이다. □ 안에 알맞은 수를 써넣으시오.

$$\begin{aligned}&\frac{2021\times2019+1}{2020}\\&=\frac{(2020+\square)(2020-\square)+1}{2020}\\&=\frac{2020^2-\square^2+1}{2020}\\&=\frac{\square^2}{2020}=\square\end{aligned}$$

유형 05 곱셈 공식을 이용한 분모의 유리화

10종 교과서 공통

5-1 $\frac{\sqrt{5}-2}{\sqrt{5}+2}+\frac{\sqrt{5}+2}{\sqrt{5}-2}$를 간단히 하시오.

✓ $(a+b)(a-b)=a^2-b^2$을 이용하여 분모를 유리화한다. 이때 분자, 분모에 모두 같은 수를 곱한다.

5-2 $x=\frac{1}{3+2\sqrt{2}}$, $y=\frac{1}{3-2\sqrt{2}}$일 때, 다음 식의 값을 구하시오.

(1) $x+y$ (2) xy

유형 06 곱셈 공식의 변형

천재(이), 좋은책 유사

6-1 $x+y=-4$, $xy=-5$일 때, x^2+y^2의 값을 구하시오.

✓ 곱셈 공식을 변형하여 해결한다.
① $(a+b)^2=a^2+2ab+b^2$ ➡ $a^2+b^2=(a+b)^2-2ab$
② $(a-b)^2=a^2-2ab+b^2$ ➡ $a^2+b^2=(a-b)^2+2ab$

6-2 다음을 구하시오.

(1) $x-y=-3$, $xy=-2$일 때, x^2+y^2의 값

(2) $x+y=10$, $x^2+y^2=52$일 때, xy의 값

교과서 기본 테스트

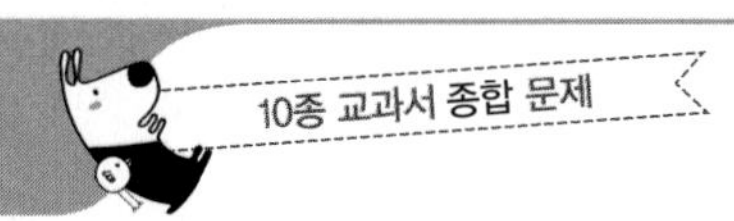

중하

01

출제 예상 95%

다음 중 옳은 것은?

① $(x-1)^2=x^2-2x-1$

② $(-2x+1)^2=4x^2-3x+1$

③ $(x+3)(x-3)=x^2+9$

④ $(x-3)(x-4)=x^2-7x+12$

⑤ $(5x-2)(3x+4)=15x^2-14x-8$

중

02

출제 예상 85%

다음 중 □ 안에 들어갈 수가 가장 큰 것은?

① $(-3x+y)^2=9x^2-\square xy+y^2$

② $(a-b)(a-6b)=a^2-\square ab+6b^2$

③ $(-2x-3y)^2=4x^2+\square xy+9y^2$

④ $(3a-2b)(-3a-2b)=-9a^2+\square b^2$

⑤ $(2x+3y)(-4x+5y)=-8x^2-\square xy+15y^2$

중

03

출제 예상 85%

다음 중 $(-a+b)(a-b)$와 전개식이 같은 것은?

① $(a+b)^2$ ② $-(a+b)^2$ ③ $-(a-b)^2$

④ $(-a-b)^2$ ⑤ $-(a+b)(a-b)$

중

04

출제 예상 85%

$a^2=45$, $b^2=50$일 때, $\left(\frac{2}{3}a+\frac{3}{5}b\right)\left(\frac{2}{3}a-\frac{3}{5}b\right)$의 값은?

① -2 ② -1 ③ 0

④ 1 ⑤ 2

중

05

출제 예상 90%

$(x-6)^2+(x+2)(x-3)=Ax^2-13x+B$일 때, $A-B$의 값을 구하시오. (단, A, B는 유리수)

중

06

출제 예상 90%

$(x-A)(x-7)=x^2-Bx+21$일 때, AB의 값을 구하시오. (단, A, B는 유리수)

중

07

출제 예상 80%

$(2x+1)(Ax+B)$를 전개하여 간단히 하면 상수항은 2이고, x의 계수는 상수항보다 3만큼 크다. 이때 x^2의 계수를 구하시오. (단, A, B는 유리수)

상중

08 까다로운 문제

출제 예상 80%

$(2x+a)(3x+b)$를 전개하면 $6x^2+Ax-5$일 때, 다음 중 유리수 A의 값이 될 수 있는 것을 모두 고르면? (단, a, b는 $a>b$인 정수) (정답 2개)

① -13 ② -7 ③ -5
④ 5 ⑤ 13

중

09

출제 예상 95%

곱셈 공식을 이용하여 8.9×9.1을 계산하려고 할 때, 다음 중 가장 편리한 공식은?

① $(a+b)^2=a^2+2ab+b^2$
② $(a-b)^2=a^2-2ab+b^2$
③ $(a+b)(a-b)=a^2-b^2$
④ $(x+a)(x+b)=x^2+(a+b)x+ab$
⑤ $(ax+b)(cx+d)=acx^2+(ad+bc)x+bd$

중

10

출제 예상 85%

$(3\sqrt{2}-2)^2=a+b\sqrt{2}$일 때, 유리수 a, b에 대하여 $a+b$의 값을 구하시오.

상중

11 까다로운 문제

출제 예상 80%

곱셈 공식 $(a+b)(a-b)=a^2-b^2$을 이용하여 $(2+1)(2^2+1)(2^4+1)-2^8$을 계산하면?

① -3 ② -1 ③ 1
④ 3 ⑤ 5

중

12

출제 예상 90%

$x=\dfrac{1}{\sqrt{10}+3}$, $y=\dfrac{1}{\sqrt{10}-3}$일 때, $x+y$의 값을 구하시오.

중

13

출제 예상 85%

$x-y=\sqrt{5}$, $xy=2$일 때, $\dfrac{y}{x}+\dfrac{x}{y}$의 값을 구하시오.

중

14

출제 예상 85%

오른쪽 그림에서 색칠한 직사각형의 넓이는?

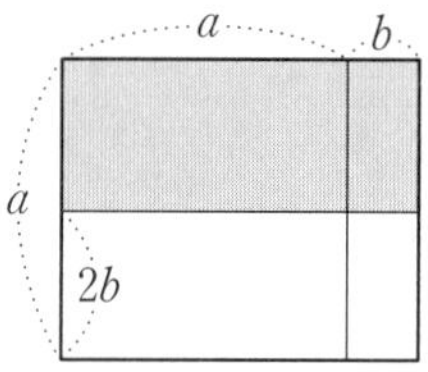

① a^2+ab
② a^2-b^2
③ $a^2+ab-2b^2$
④ $a^2-ab-2b^2$
⑤ $a^2+3ab+2b^2$

중
15
출제 예상 85%

오른쪽 그림과 같은 직육면체의 겉넓이를 구하시오.

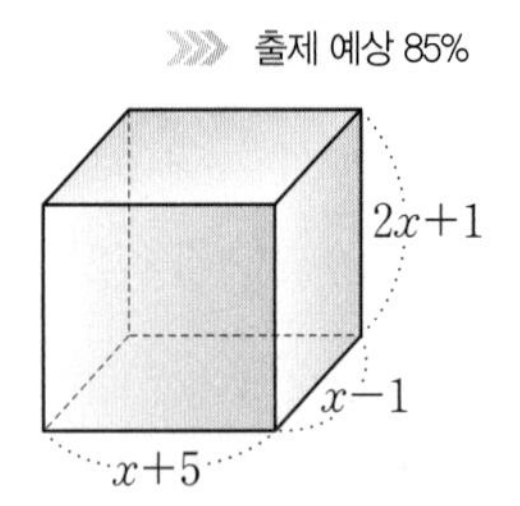

중
16
출제 예상 80%

한 변의 길이가 x인 정사각형에서 가로의 길이를 $2a$만큼 늘이고, 세로의 길이를 a만큼 줄여서 만든 직사각형의 넓이가 x^2+2x+b일 때, ab의 값을 구하시오. (단, a, b는 상수)

중
17
출제 예상 80%

효은이는 $(x+5)(x-3)$을 전개하는데 -3을 A로 잘못 보아 x^2+4x+B로 전개하였고, 하진이는 $(2x-1)(x+3)$을 전개하는데 2를 C로 잘못 보아 Cx^2-7x-3으로 전개하였다. 이때 $A+B+C$의 값을 구하시오. (단, A, B, C는 상수)

과정을 평가하는 서술형입니다.

중
18
출제 예상 90%

다음을 계산하시오.

$$(2x+3y)(x-5y)-3(x+4y)(x-4y)$$

중
19
출제 예상 90%

곱셈 공식을 이용하여 $\dfrac{2020\times2026+9}{2023}$를 계산하시오.

중
20
출제 예상 85%

오른쪽 그림에서 두 사각형 ABCD, FCEG는 모두 정사각형이다. $\overline{AH}=x$, $\overline{AB}=y$일 때, 다음 물음에 답하시오.

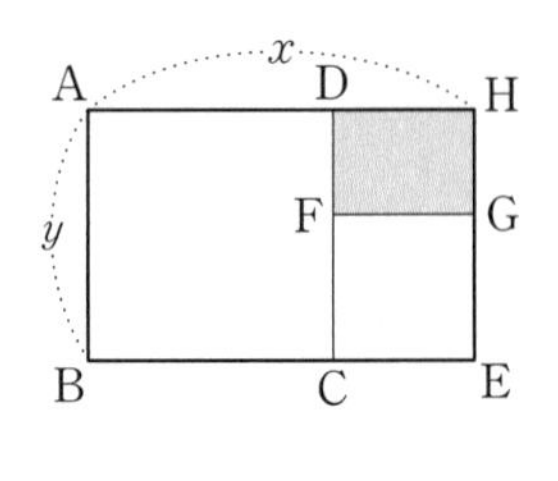

(1) $\overline{DF}$의 길이를 x, y를 사용한 식으로 나타내시오.
(2) 직사각형 DFGH의 넓이를 x, y를 사용하여 전개한 식으로 나타내시오.

창의력·융합형·서술형·코딩

정답과 해설 25쪽

1

승빈이네 학교에는 다음 그림과 같이 가로, 세로의 길이가 각각 $(2a+3)$ m, $(3b+4)$ m인 직사각형 모양의 꽃밭이 있다. 이 꽃밭에 폭이 2 m로 일정한 길이 있을 때, 길을 제외한 꽃밭의 넓이를 전개한 식으로 나타내시오.

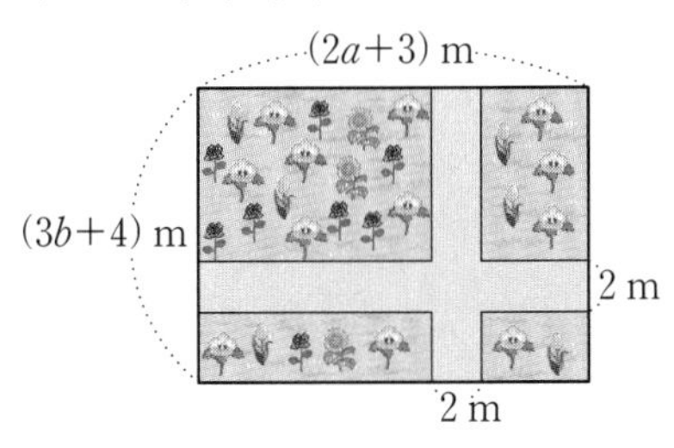

2

아래 그림과 같이 한 변의 길이가 a cm인 정사각형을 대각선을 따라 자른 후 합동인 직각이등변삼각형 2개를 떼어 내고 하나의 직사각형을 만들었다. 다음 물음에 답하시오.

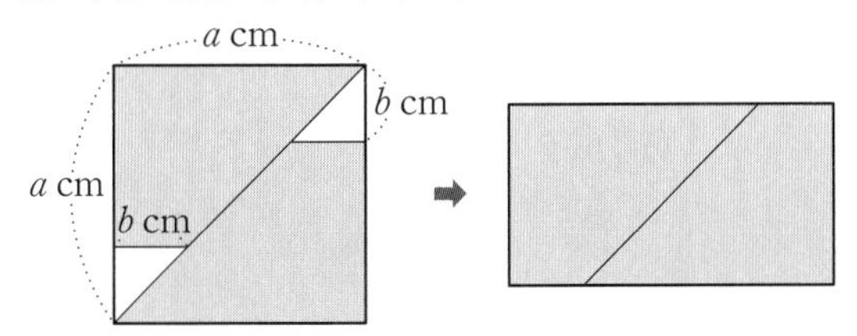

(1) 새로 만든 직사각형의 가로의 길이를 a, b를 사용한 식으로 나타내시오.

(2) 새로 만든 직사각형의 세로의 길이를 a, b를 사용한 식으로 나타내시오.

(3) 새로 만든 직사각형의 넓이를 a, b를 사용하여 전개한 식으로 나타내시오.

3

76, 74와 같이 십의 자리의 숫자가 같고 일의 자리의 숫자의 합이 10인 두 자리 자연수의 곱셈은 다음과 같은 방법으로 할 수 있다.

> **1단계** 십의 자리의 숫자 7과 그 수에 1을 더한 수인 8을 곱한다.
> ➡ $7\times8=56$
>
> **2단계** 일의 자리의 숫자 6과 4를 곱한다.
> ➡ $6\times4=24$
>
> **3단계** 위의 결과를 차례로 붙여서 쓴 5624가 76×74의 결과이다.
>
> $$\begin{array}{r} 7\ 6 \\ \times\ \ 7\ 4 \\ \hline \underline{5\ 6}\ \underline{2\ 4} \\ \uparrow\quad\ \uparrow \\ 7\times8\ \ 6\times4 \end{array}$$

(1) 62×68을 위와 같은 방법으로 계산하시오.

(2) 다음은 위와 같은 계산 방법의 원리를 다항식의 곱셈을 이용하여 설명하는 과정이다. ①~③에 알맞은 것을 써넣으시오.

> 두 자리 자연수의 십의 자리의 숫자를 x라 하고, 일의 자리의 숫자를 각각 y, z (단, $y+z=10$)라고 하면 두 자연수 $10x+y$와 $10x+z$의 곱은 다음과 같다.
>
> $(10x+y)(10x+z)$
> $=(\boxed{①})^2+(y+z)\times10x+yz$
> $=\boxed{②}+100x+yz$
> $=\boxed{③}x(x+1)+yz$

다항식의 인수분해

개념 01 인수분해

(1) **인수** 하나의 다항식을 두 개 이상의 다항식의 곱으로 나타낼 때, 각각의 식을 처음 다항식의 인수라고 한다.

참고 모든 다항식에서 1과 자기 자신은 그 다항식의 인수이다.

(2) **인수분해** 하나의 다항식을 두 개 이상의 ❶ ___ 의 곱으로 나타내는 것

$$x^2+5x+6 \underset{\text{전개}}{\overset{\text{인수분해}}{\rightleftarrows}} (x+2)(x+3)$$

(3) **공통으로 들어 있는 인수를 이용한 인수분해**

다항식 $ma+mb$에서 두 항 ma, mb에 공통으로 들어 있는 인수 ❷ ___ 을 묶어 내면 다음과 같이 인수분해할 수 있다.

➡ $ma+mb=m(a+b)$

참고 인수분해할 때에는 공통으로 들어 있는 인수가 남지 않도록 모두 묶어 낸다.

답 | ❶ 인수 ❷ m

QUIZ

1. 다음 식은 어떤 다항식을 인수분해한 것인지 구하시오.

(1) $a(a-2)$ (2) $(x+1)^2$

2. 다음 중 옳은 것에는 ○표, 옳지 않은 것에는 ×표를 하시오.

(1) $4ab^2-2a$를 인수분해하면 $2(2ab^2-a)$이다. ( )

(2) $3x^2+3x$를 인수분해하면 $x(x+3)$이다. ( )

정답 |
1. (1) a^2-2a (2) x^2+2x+1
2. (1) × (2) ×

개념 02 인수분해 공식 (1)

① $a^2+2ab+b^2=(a+b)^2$

② $a^2-2ab+b^2=(a-b)^2$

예 ① $a^2+4a+4=a^2+2\times a\times 2+2^2=(a+2)^2$

② $a^2-6a+9=a^2-2\times a\times 3+3^2=(a-3)^2$

QUIZ

다음 중 인수분해한 것이 옳은 것에는 ○표, 옳지 않은 것에는 ×표를 하시오.

(1) $x^2-8x+16=(x-4)^2$ ( )

(2) $x^2+4xy+4y^2=(x+4y)^2$ ( )

정답 |
(1) ○ (2) ×

개념 03 완전제곱식

(1) **완전제곱식** $(a+b)^2$, $3(a-b)^2$, $-\frac{1}{2}(2x-3y)^2$과 같이 다항식의 ❶ ___ 으로 된 식 또는 이 식에 상수를 곱한 식

(2) **완전제곱식이 되는 조건**

① x^2+ax+b가 완전제곱식이 되는 조건

➡ $b=\left(❷\ \square\right)^2$

② x^2의 계수가 1이 아닐 때, 완전제곱식이 되는 조건

➡ $■^2\pm 2\times ■\times ▲+▲^2=(■\pm ▲)^2$

예 ① $x^2+10x+\square=x^2+2\times x\times 5+\square$이므로

$\square=5^2=25$

② $9x^2+\square xy+16y^2=(3x)^2+\square xy+(\pm 4y)^2$이므로

$\square=2\times 3\times(\pm 4)=\pm 24$

답 | ❶ 제곱 ❷ $\frac{a}{2}$

QUIZ

다음 중 완전제곱식인 것에는 ○표, 아닌 것에는 ×표를 하시오.

(1) x^2+4x+4 ( )

(2) x^2+9x+9 ( )

(3) $16x^2-8x+1$ ( )

(4) $x^2+14x-49$ ( )

정답 |
(1) ○ (2) × (3) ○ (4) ×

개념 04 인수분해 공식 (2)

$$a^2-b^2=(a+b)(\text{❶}\quad)$$

예 ① $a^2-25=a^2-5^2=(a+5)(a-5)$
② $4x^2-9y^2=(2x)^2-(3y)^2=(\text{❷}\quad)(2x-3y)$

주의 모든 항에 공통으로 들어 있는 인수가 있으면 공통으로 들어 있는 인수로 먼저 묶어 낸 후 인수분해 공식을 이용한다.

예 $4x^2-36y^2=(2x)^2-(6y)^2=(2x+6y)(2x-6y)$ (×)
$4x^2-36y^2=4(x^2-9y^2)=4\{x^2-(3y)^2\}$
$=4(x+3y)(x-3y)$ (○)

답 | ❶ $a-b$ ❷ $2x+3y$

QUIZ

다음 중 인수분해한 것이 옳은 것에는 ○표, 옳지 않은 것에는 ×표를 하시오.

(1) $9x^2-1=(3x+1)(3x-1)$ ( )

(2) $y^2-4x^2=(2x+y)(2x-y)$ ( )

정답 |
(1) ○ (2) ×

개념 05 인수분해 공식 (3)

$$x^2+(a+b)x+ab=(x+a)(x+b)$$

참고 $x^2+(a+b)x+ab$를 인수분해할 때, 더해서 $a+b$가 되는 두 정수는 가짓수가 많으므로 곱해서 ab가 되는 두 정수를 먼저 찾는 것이 편리하다.

예 x^2+4x+3
$=x^2+(1+3)x+1\times3$
$=(\text{❶}\quad)(x+3)$

곱이 3인 두 정수	두 정수의 합
$-1, -3$	-4
$1, 3$	4

답 | ❶ $x+1$

QUIZ

다음 조건을 만족하는 두 정수를 구하시오.

(1) 합 : 7, 곱 : 12

(2) 합 : -3, 곱 : -10

정답 |
(1) 3, 4 (2) 2, -5

개념 06 인수분해 공식 (4)

$$acx^2+(ad+bc)x+bd=(\text{❶}\quad)(cx+d)$$

예 $2x^2+9x-5$를 인수분해하여 보자.
$ac=2$, $ad+bc=9$, $bd=-5$인 네 정수 a, b, c, d를 찾으면 오른쪽과 같으므로
$2x^2+9x-5=(x+5)(\text{❷}\quad)$

$2x^2+9x-5$
1 ↘ 5 → 10 ⋯ $x+5$
2 ↗ -1 → -1 ⋯ $2x-1$
9

주의 항에 문자가 포함되어 인수분해될 때에는 인수분해 결과에 문자도 같이 쓴다.
$6x^2-13xy+6y^2=(2x-3)(3x-2)$ (×)
$6x^2-13xy+6y^2=(2x-3y)(3x-2y)$ (○)

답 | ❶ $ax+b$ ❷ $2x-1$

QUIZ

다음은 $3x^2+2x-8$을 인수분해하는 과정이다. (1)~(4)에 알맞은 것을 써넣고, 주어진 식을 인수분해하시오.

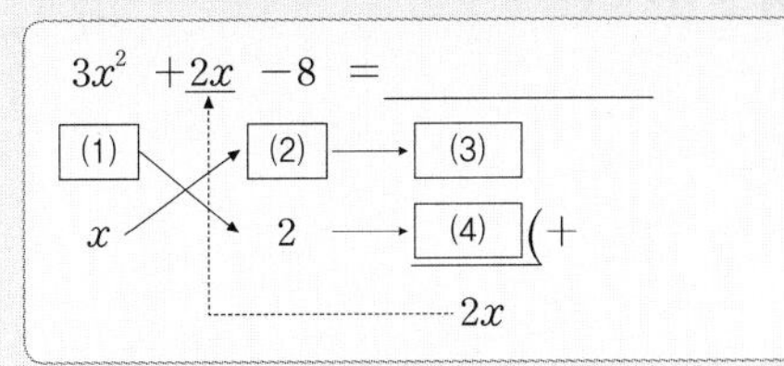

정답 |
(1) $3x$ (2) -4 (3) $-4x$ (4) $6x$
$(3x-4)(x+2)$

교과서 개념 확인 테스트

01 공통으로 들어 있는 인수를 이용한 인수분해 (1) 개념 01

1-1 다음 식을 인수분해하시오.

(1) $ax+2ay$

(2) $10a^2-5a$

(3) $3x^2y-7xy^2$

(4) $2xy^2-6xy+8y^2$

1-2 다음 식을 인수분해하시오.

(1) $2a^2-4ab^2$

(2) x^3+x^2y

(3) $3ab-5bc+2bd$

(4) $3a^2b-2ab^2-7ab$

02 공통으로 들어 있는 인수를 이용한 인수분해 (2) 개념 01

2-1 다음 식을 인수분해하시오.

(1) $3x(x+2)-(x+2)$

(2) $m(x-y)+n(y-x)$

(3) $(2x+1)(y+4)-2(y+4)$

✓ 공통으로 들어 있는 식이 다항식인 경우에도 하나의 문자로 생각하여 묶어 낸다.

2-2 다음 식을 인수분해하시오.

(1) $x(x+1)+6(x+1)$

(2) $(x-5)y-(5-x)$

(3) $(x+y)+(x-3y)(x+y)$

03 인수분해 공식 (1) 개념 02

3-1 다음 식을 인수분해하시오.

(1) a^2+6a+9

(2) $25a^2-20a+4$

(3) $3a^2+30ab+75b^2$

✓ 모든 항에 공통으로 들어 있는 인수가 있으면 공통으로 들어 있는 인수로 먼저 묶어 낸 후 인수분해 공식을 이용한다.

3-2 다음 식을 인수분해하시오.

(1) $x^2-\frac{1}{2}x+\frac{1}{16}$

(2) $9x^2-6xy+y^2$

(3) $16xy^2+8xy+x$

04 완전제곱식이 되는 조건 개념 03

4-1 다음 식이 완전제곱식이 되도록 □ 안에 알맞은 수를 써넣으시오.

(1) $a^2-8a+\square$

(2) $4x^2+24x+\square$

(3) $x^2+\square xy+25y^2$

4-2 다음 식이 완전제곱식이 되도록 □ 안에 알맞은 수를 써넣으시오.

(1) $a^2+\square a+64$

(2) $4x^2+12xy+\square y^2$

(3) $25a^2+\square ab+9b^2$

05 인수분해 공식 (2) 개념 04

5-1 다음 식을 인수분해하시오.

(1) a^2-4 (2) $36x^2-1$

(3) $9a^2-16b^2$ (4) $4x^2-\frac{1}{25}y^2$

5-2 다음 식을 인수분해하시오.

(1) x^2-100 (2) $12a^2-3b^2$

(3) $81x^2-49y^2$ (4) $\frac{1}{9}a^2-\frac{1}{4}b^2$

06 인수분해 공식 (3) 개념 05

6-1 다음 식을 인수분해하시오.

(1) x^2+2x-8

(2) $x^2-9x+14$

(3) $x^2+4xy-32y^2$

(4) $3x^2+18xy+15y^2$

6-2 다음 식을 인수분해하시오.

(1) $x^2-4x-21$

(2) $x^2+8x+15$

(3) $x^2-12xy+20y^2$

(4) $2x^2+6xy-36y^2$

정답과 해설 27쪽

07 인수분해공식 (4) 개념06

7-1 다음 식을 인수분해하시오.

(1) $3x^2+7x-6$

(2) $4x^2-3x-1$

(3) $6x^2+11xy+3y^2$

(4) $12x^2-23xy+10y^2$

7-2 다음 식을 인수분해하시오.

(1) $3x^2+14x+8$

(2) $12x^2-17x-5$

(3) $4x^2-4xy-3y^2$

(4) $5x^2-11xy+2y^2$

08 인수분해 공식 종합 개념01 ~ 개념06

8-1 다음을 인수분해하시오.

(1) $9x^2+12x+4$

(2) $25x^2-10xy+y^2$

(3) $-2x^2+8$

(4) $x^2-7x-30$

(5) $14x^2-17x-6$

8-2 다음을 인수분해하시오.

(1) $x^2-14x+49$

(2) $16x^2+24xy+9y^2$

(3) $\frac{1}{36}x^2-y^2$

(4) $x^2+3x-28$

(5) $10x^2+xy-3y^2$

09 인수분해 공식을 이용한 수의 계산 개념01 + 개념02 + 개념04

9-1 인수분해 공식을 이용하여 다음을 계산하시오.

(1) $120\times2.2+120\times2.8$

(2) $33^2-198+9$

(3) $\sqrt{40^2-24^2}$

9-2 인수분해 공식을 이용하여 다음을 계산하시오.

(1) $25\times13+25\times37$

(2) 117^2-17^2

(3) $\sqrt{136^2-64^2}$

기출 기초 테스트

정답과 해설 28쪽

유형 01 인수 찾기

1-1 다음 중 $3x^2y-6xy^2$의 인수가 아닌 것은?

① xy ② $3x-6y$ ③ $xy-2y^2$
④ $y-2x$ ⑤ x^2-2xy

(천재(류), 좋은책 유사)

1-2 다음 중 $(x-3)(x+2)$의 인수를 모두 고르면? (정답 2개)

① $x-3$ ② $x-2$ ③ $x-1$
④ $x+2$ ⑤ $x+3$

유형 02 공통으로 들어 있는 인수 구하기

2-1 다음 두 다항식을 각각 인수분해할 때, 공통으로 들어 있는 인수를 구하시오.

$$2x^2-3x-2, \qquad 3x^2-7x+2$$

(10종 교과서 공통)

2-2 다음 두 다항식에 공통으로 들어 있는 인수를 구하시오.

$$x^2-x-6, \qquad 2x^2-5x-3$$

유형 03 완전제곱식이 되는 조건

3-1 $9x^2+(4k-2)x+25$가 완전제곱식이 되도록 하는 모든 상수 k의 값을 구하시오.

(10종 교과서 공통)

3-2 $(x+4)(x+6)+k$가 완전제곱식이 되도록 하는 상수 k의 값을 구하시오.

유형 04 인수분해에서 미지수 구하기

4-1 x^2-5x+a를 인수분해하였더니 인수가 $x-1$, $x+b$일 때, $a-b$의 값을 구하시오. (단, a, b는 상수)

(천재 유사)

4-2 $6x^2+ax+4$를 인수분해하면 $(2x+1)(bx+c)$일 때, $a+b+c$의 값을 구하시오. (단, a, b, c는 상수)

유형 05 전개와 인수분해

5-1 $(2x+7)(5x-1)+16$이 x의 계수와 상수항이 자연수인 두 일차식의 곱으로 인수분해될 때, 두 일차식의 합은?

① $x+3$ ② $5x+9$ ③ $7x+6$
④ $10x+3$ ⑤ $11x+6$

(10종 교과서 공통)

5-2 $(3x-1)(5x+1)-7$이 x의 계수가 자연수이고 상수항이 정수인 두 일차식의 곱으로 인수분해될 때, 두 일차식의 합을 구하시오.

유형 06 인수분해 공식을 이용한 수의 계산

6-1 인수분해 공식을 이용하여 다음을 계산하시오.

(1) $1.42\times5.5^2-1.42\times4.5^2$

(2) $\dfrac{64\times98+36\times98}{99^2-1}$

(10종 교과서 공통)

6-2 인수분해 공식을 이용하여 다음을 계산하시오.

(1) $35\times3.5^2-35\times1.5^2$

(2) $307^2-14\times307+49$

유형 07 근호 안이 완전제곱식으로 인수분해되는 식의 계산

7-1 $2<x<3$일 때, $\sqrt{x^2-4x+4}-\sqrt{x^2-6x+9}$를 간단히 하면?

① -5　② $2x$　③ $2x-5$
④ $2x+5$　⑤ 5

(10종 교과서 공통)

7-2 $x>1$일 때, $\sqrt{x^2-2x+1}-\sqrt{x^2+2x+1}$을 간단히 하면?

① $-2x$　② -2　③ 0
④ 2　⑤ $2x$

유형 08 인수분해를 이용하여 식의 값 구하기

8-1 인수분해를 이용하여 다음을 구하시오.

(1) $x=\sqrt{7}+1$일 때, x^2-2x-3의 값

(2) $x=\sqrt{3}+\sqrt{2}$, $y=2\sqrt{3}+3\sqrt{2}$일 때, $9x^2-6xy+y^2$의 값

(10종 교과서 공통)

8-2 인수분해를 이용하여 다음을 구하시오.

(1) $a=2+\sqrt{5}$일 때, a^2-4a+4의 값

(2) $a=\sqrt{2}+\sqrt{3}$, $b=\sqrt{2}-\sqrt{3}$일 때, a^2-b^2의 값

유형 09 인수분해 공식과 도형

9-1 아래 그림과 같이 넓이가 각각 x^2, x, 1인 직사각형 모양의 막대를 모두 사용하여 하나의 직사각형을 만들었다. 다음을 구하시오.

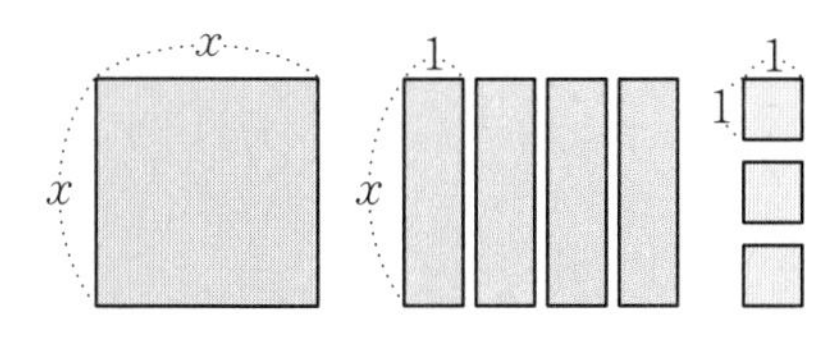

(1) 새로 만든 직사각형의 넓이

(2) 새로 만든 직사각형의 둘레의 길이

(천재(이), 동아(강) 유사)

9-2 다음 그림과 같이 넓이가 각각 x^2, x, 1인 세 종류의 직사각형 모양의 막대 6개를 모두 사용하여 하나의 직사각형을 만들 때, 새로 만든 직사각형의 둘레의 길이를 구하시오.

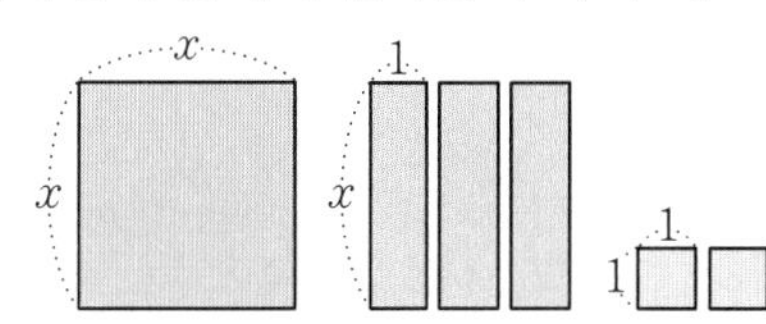

교과서 기본 테스트

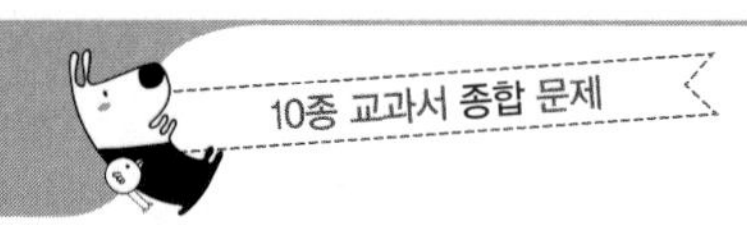

중하

01

출제 예상 85%

아래 식에 대한 다음 설명 중 옳지 않은 것은?

$$x(x^2-y) \underset{㉡}{\overset{㉠}{\rightleftarrows}} x^3-xy$$

① ㉠의 과정을 전개한다고 한다.

② ㉡의 과정을 인수분해한다고 한다.

③ x는 x^3과 $-xy$에 공통으로 들어 있는 인수이다.

④ ㉠의 과정에서 분배법칙이 이용된다.

⑤ x, x^2, x^2-y는 모두 x^3-xy의 인수이다.

중하

02

출제 예상 90%

다항식 x^2+5x+a를 인수분해하면 $(x+2)(x+3)$일 때, 상수 a의 값을 구하시오.

중

03

출제 예상 90%

다음 중 옳지 않은 것을 모두 고르면? (정답 2개)

① $ax-ay=a(x-y)$

② $x^2+8x+16=(x+4)^2$

③ $x^2-16=(x-4)^2$

④ $9a^2-b^2=(9a+b)(9a-b)$

⑤ $4a^2+12ab+9b^2=(2a+3b)^2$

중

04

출제 예상 85%

일차항의 계수가 1인 두 일차식의 곱이 $x^2-3x-40$일 때, 두 일차식의 합을 구하시오.

중

05

출제 예상 85%

다음 중 $x-3$을 인수로 갖지 않는 것은?

① $2x^2-13x+21$　② $2x^2-7x+3$

③ $2x^2-x-15$　④ $3x^2+8x-3$

⑤ $4x^2-11x-3$

중

06

출제 예상 85%

다음 중 두 다항식 $x^2-4x-12$, $5x^2+9x-2$에 공통으로 들어 있는 인수는?

① $x-6$　② $x-2$

③ $x+2$　④ $5x-1$

⑤ $(x+2)(x-6)$

상 중

07 까다로운 문제

출제 예상 85%

$x-4$가 두 다항식 x^2-ax+4, $3x^2-10x+b$에 공통으로 들어 있는 인수일 때, $a+b$의 값을 구하시오.

(단, a, b는 상수)

중

08

출제 예상 90%

다음 중 완전제곱식으로 인수분해되는 것을 모두 고르면? (정답 2개)

① x^2-2x-1
② $4x^2+16x+16$
③ $x^2-12x+144$
④ $9x^2+6xy+4y^2$
⑤ $x^2+x+\frac{1}{4}$

중

09

출제 예상 90%

다음 식이 완전제곱식이 되도록 하는 □ 안에 알맞은 양수 중에서 가장 큰 것은?

① $a^2+6a+\square$
② $a^2+\square a+1$
③ $\square x^2-16x+4$
④ $9y^2+\square y+\frac{1}{9}$
⑤ $4x^2+\square xy+25y^2$

중

10

출제 예상 90%

$(x-2)(x+10)+k$가 완전제곱식이 되도록 하는 상수 k의 값을 구하시오.

중

11

출제 예상 85%

$(x+1)(x-5)-16$을 인수분해하면?

① $(x-1)(x-5)$
② $(x-1)(x+5)$
③ $(x+1)(x+5)$
④ $(x-3)(x+7)$
⑤ $(x+3)(x-7)$

중

12

출제 예상 90%

인수분해를 이용하여 다음을 계산하시오.

$$2012\times2.1+2012\times0.9$$

중

13

출제 예상 85%

$x=5+\sqrt{2}$일 때, $x^2-10x+25$의 값을 구하시오.

중

14

출제 예상 85%

$x=\sqrt{5}+\sqrt{2}$, $y=\sqrt{5}-\sqrt{2}$일 때, $x^2+2xy+y^2$의 값을 구하시오.

중

15

출제 예상 85%

다음 그림과 같이 넓이가 각각 a^2, a, 1인 직사각형 모양의 막대 12개를 모두 사용하여 하나의 직사각형을 만들었다. 새로운 직사각형의 둘레의 길이를 구하시오.

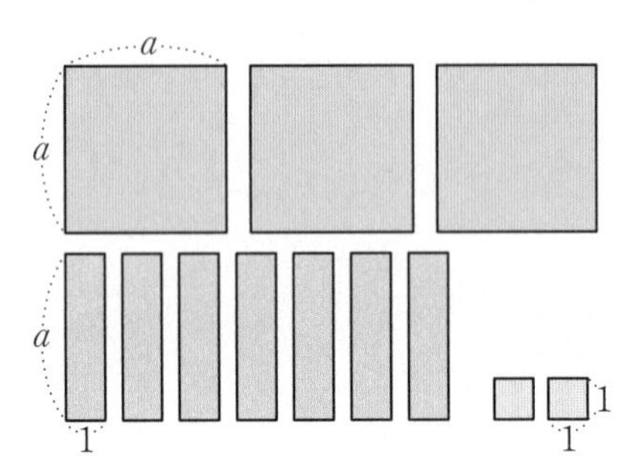

중

16

출제 예상 80%

오른쪽 그림과 같이 한 변의 길이가 각각 104 cm, 96 cm인 두 정사각형에 대하여 색칠한 부분의 넓이를 인수분해 공식을 이용하여 구하시오.

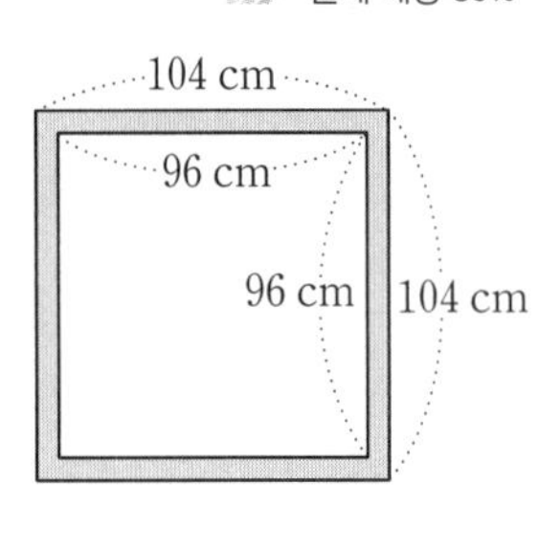

중

17

출제 예상 90%

오른쪽 그림과 같이 넓이가 $10x^2+29xy+21y^2$인 직사각형 모양의 액자가 있다. 이 액자의 가로의 길이가 $5x+7y$일 때, 이 액자의 세로의 길이를 구하시오.

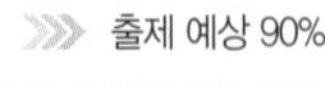

과정을 평가하는 서술형입니다.

중

18

출제 예상 90%

$1<x<2$일 때, $\sqrt{x^2-2x+1}-\sqrt{x^2-4x+4}$를 간단히 하시오.

중

19

출제 예상 85%

어떤 이차식을 태호는 상수항을 잘못 보아 $(2x-3)(x+2)$로 인수분해하였고, 윤지는 x의 계수를 잘못 보아 $(2x+3)(x-7)$로 인수분해하였다. 이때 처음 주어진 이차식을 바르게 인수분해하시오.

상

20 까다로운 문제

출제 예상 85%

인수분해 공식을 이용하여 다음을 계산하시오.

$$\left(1-\frac{1}{2^2}\right)\times\left(1-\frac{1}{3^2}\right)\times\left(1-\frac{1}{4^2}\right)\times\cdots\times\left(1-\frac{1}{11^2}\right)$$

창의력·융합형·서술형·코딩

1

인수분해 공식을 이용하여 다음 식의 값을 구하려고 한다. 물음에 답하시오.

$$15^2-13^2+11^2-9^2+7^2-5^2+3^2-1^2$$

(1) $a^2-b^2=(a+b)(a-b)$를 이용하여 다음 □ 안에 알맞은 수를 써넣으시오.

$$15^2-13^2=(15+\square)(15-\square)$$
$$11^2-9^2=(\square+9)(\square-9)$$

(2) (1)을 이용하여 주어진 식의 값을 구하시오.

2

다음을 읽고 물음에 답하시오.

연속한 두 짝수의 곱에 1을 더한 수는 그 두 짝수 사이에 있는 홀수의 제곱과 같다.

(1) 연속한 두 짝수 중 작은 수를 $2n$(n은 자연수)이라고 할 때, 큰 짝수를 n을 사용한 식으로 나타내시오.

(2) '연속한 두 짝수의 곱에 1을 더한 수'를 n을 사용하여 전개한 식으로 나타내시오.

(3) (2)의 식을 인수분해하고, 주어진 문장이 성립함을 확인하시오.

3

$9991=10000-9$, $a^2-b^2=(a+b)(a-b)$를 이용하여 9991은 소수가 아님을 설명하려고 한다. ㉠~㉢에 알맞은 수를 써넣으시오. (단, ㉡>㉢)

$9991=10000-9$
$=100^2-$ ㉠ ^{2}
$=(100+$ ㉠ $)(100-$ ㉠ $)$
$=$ ㉡ $\times$ ㉢

즉 9991의 약수는 1과 9991 이외에 ㉡, ㉢이 있으므로 9991은 소수가 아니다.

4

오른쪽 그림과 같이 원 모양의 호수 둘레에 너비가 $2a$ m인 길이 있다. 이 길의 한가운데를 지나는 원의 둘레의 길이가 40π m이고 길의 넓이가 240π m^2일 때, 상수 a의 값을 구하시오.

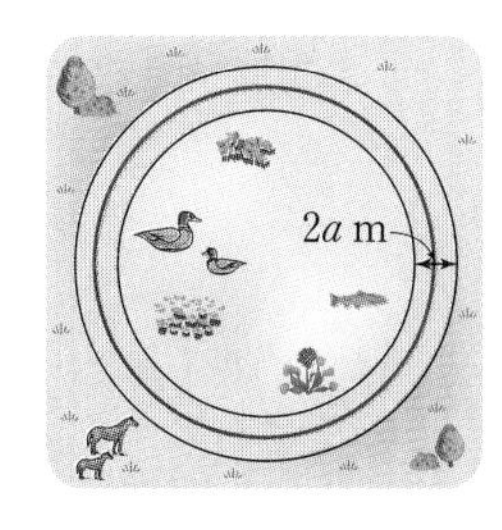

지금 당장 시도하기

시도하고 또 시도하는 자만이
성공을 이루어내고 그것을 유지한다.
시도한다고 잃을 것은 없으며,
성공하면 커다란 수확을 얻게 된다.
그러니 일단 시도해보라.
망설이지 말고 지금 당장 해보라.
– 클레멘트 스톤

이차방정식

이차방정식의 뜻과 풀이

개념 01 이차방정식의 뜻

방정식의 모든 항을 좌변으로 이항하여 정리한 식이

(x에 대한 ❶) $=0$

의 꼴로 변형되는 방정식을 x에 대한 **이차방정식**이라고 한다.

$x(x+6)=72$
↙ 이항
$x^2+6x-72=0$
x에 대한 이차식

$$ax^2+bx+c=0 \text{ (단, } a, b, c\text{는 상수, } a\neq0)$$

예 ① $3x^2+4=2x^2+x$ ➡ $x^2-x+4=0$ ➡ 이차방정식
② $4x^2-1=4x^2-3x-5$ ➡ $3x+4=0$ ➡ 일차방정식

참고 미지수의 값에 따라 참이 되기도 하고 거짓이 되기도 하는 등식을 방정식이라고 한다.

주의 방정식 $ax^2+bx+c=0$이 x에 대한 이차방정식이 되려면 $a\neq0$이어야 한다.

답 | ❶ 이차식

QUIZ

다음 중 이차방정식인 것에는 ○표, 이차방정식이 아닌 것에는 ×표를 하시오.

(1) $-2x^2=0$ ( )
(2) x^2-6x-3 ( )
(3) $x=x^2-2$ ( )
(4) $x(x-1)=x^2$ ( )

정답 |
(1) ○ (2) × (3) ○ (4) ×

개념 02 이차방정식의 해

(1) **이차방정식의 해(근)** x에 대한 이차방정식을 ❶ 이 되게 하는 x의 값

(2) **이차방정식을 푼다** 이차방정식의 해를 모두 구하는 것

예 x의 값이 -2, -1, 0, 1, 2일 때, 이차방정식 $x^2-x-2=0$의 해를 모두 구해 보자.

x	좌변	우변	참 / 거짓
-2	$(-2)^2-(-2)-2=4$	0	거짓
-1	$(-1)^2-(-1)-2=0$	0	참
0	$0^2-0-2=-2$	0	거짓
1	$1^2-1-2=-2$	0	거짓
2	$2^2-2-2=0$	0	참

$x=-1$ 또는 $x=2$일 때, 이차방정식 $x^2-x-2=0$은 참이 된다.
따라서 이차방정식 $x^2-x-2=0$의 해는 $x=-1$ 또는 $x=2$이다.

참고 이차방정식에서 미지수 x에 대한 특별한 말이 없을 때에는 x의 값의 범위를 실수 전체로 생각한다.

답 | ❶ 참

QUIZ

다음 중 [ ] 안의 수가 주어진 이차방정식의 해인 것에는 ○표, 해가 아닌 것에는 ×표를 하시오.

(1) $x^2=2$ [2] ( )
(2) $(x-1)(x+2)=0$ [-2] ( )

정답 |
(1) × (2) ○

개념 03 $AB=0$ 꼴의 이차방정식의 풀이

두 수 또는 두 식 A, B에 대하여 $AB=0$이면 다음 세 가지 중에서 어느 하나가 성립한다.

① $A=0$, $B=0$ ② $A=0$, $B\neq0$ ③ $A\neq0$, $B=0$

이 세 가지를 통틀어 $A=0$ 또는 $B=0$이라고 한다.

$AB=0$이면 $A=0$ 또는 $B=$ ❶

예 이차방정식 $(x+2)(x-3)=0$을 풀어 보자.
$(x+2)(x-3)=0$에서
$x+2=0$ 또는 $x-3=0$
$\therefore x=-2$ 또는 $x=3$

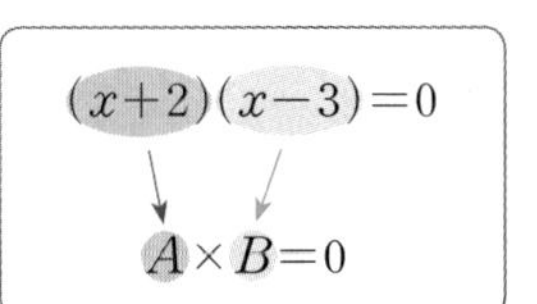

답 | ❶ 0

QUIZ

다음 이차방정식을 푸시오.

(1) $x(x+1)=0$
(2) $(x-3)(x+2)=0$
(3) $(2x-1)(x+3)=0$

정답 |
(1) $x=0$ 또는 $x=-1$
(2) $x=3$ 또는 $x=-2$
(3) $x=\frac{1}{2}$ 또는 $x=-3$

개념 04 인수분해를 이용한 이차방정식의 풀이

이차방정식 $ax^2+bx+c=0$ (단, $a\neq0$)의 좌변을 두 일차식의 곱으로 ❶ 할 수 있는 경우에는 인수분해를 이용하여 이차방정식을 풀 수 있다.

예 이차방정식 $x^2+4x-12=0$을 풀기 위해 좌변을 인수분해하면
$(x+6)(x-2)=0$
$x+6=0$ 또는 $x-2=0$
$\therefore x=-6$ 또는 $x=2$

참고 인수분해 공식
① $a^2+2ab+b^2=(a+b)^2$, $a^2-2ab+b^2=(a-b)^2$
② $a^2-b^2=(a+b)(a-b)$
③ $x^2+(a+b)x+ab=(x+a)(x+b)$
④ $acx^2+(ad+bc)x+bd=(ax+b)(cx+d)$

답 | ❶ 인수분해

QUIZ

다음은 인수분해를 이용하여 이차방정식을 푸는 과정이다. □ 안에 알맞은 것을 써넣으시오.

(1) $x^2-x=0$
$x(\square)=0$
$\therefore x=0$ 또는 $x=\square$

(2) $x^2-7x+12=0$
$(x-3)(\square)=0$
$\therefore x=3$ 또는 $x=\square$

정답 |
(1) $x-1$, 1
(2) $x-4$, 4

개념 05 이차방정식의 중근

(1) **중근** 이차방정식의 두 해가 중복일 때, 이 해를 주어진 이차방정식의 ❶ 이라고 한다.

예 이차방정식 $x^2-2x+1=0$을 풀기 위해 좌변을 인수분해하면
$(x-1)^2=0$ $\therefore x=1$

(2) **이차방정식이 중근을 가질 조건**

(완전제곱식)$=0$의 꼴로 나타낼 수 있는 이차방정식은 중근을 가진다.

➡ 이차방정식 $x^2+ax+b=0$이 중근을 가지려면

$$x^2+ax+b=x^2+2\times x\times\frac{a}{2}+\left(\frac{a}{2}\right)^2 \qquad \therefore b=\left(\frac{a}{2}\right)^2$$

참고 $(x+3)^2$, $2(a-b)^2$과 같이 다항식의 제곱으로 된 식 또는 이 식에 상수를 곱한 식을 완전제곱식이라고 한다.

답 | ❶ 중근

QUIZ

다음은 이차방정식 $x^2-4x+4=0$을 푸는 과정이다. □ 안에 알맞은 것을 써넣으시오.

좌변을 인수분해하면
$\square=0$
$\therefore x=\square$

정답 |
$(x-2)^2$, 2

STEP 1 교과서 개념 확인 테스트

01 이차방정식의 뜻 개념01

1-1 다음 보기 중 이차방정식인 것을 모두 고르시오.

보기
㉠ $2x^2-1=x$
㉡ $x^2-4x=x^2+5$
㉢ $2x^3+3x=2x^3-x^2$
㉣ $x^2=x(x-6)$

1-2 다음 보기 중 이차방정식인 것을 모두 고르시오.

보기
㉠ $x^2-3x=x^2$
㉡ $3x^2-x+1$
㉢ $4x-3=x(1+x)$
㉣ $2x^2=(x+1)^2$

02 이차방정식의 해 개념02

2-1 다음 중 [ ] 안의 수가 주어진 이차방정식의 해인 것에는 ○표, 해가 아닌 것에는 ×표를 ( ) 안에 써넣으시오.

(1) $x(x-6)=0$ [0] ( )
(2) $x^2-3x=0$ [1] ( )
(3) $2x^2-5x+2=0$ [2] ( )
(4) $(x+7)(x-1)=0$ [−1] ( )

2-2 다음 이차방정식 중에서 $x=2$를 해로 갖는 것을 모두 고르면? (정답 2개)

① $x^2-x-2=0$
② $(x-3)(x+2)=0$
③ $x^2-6x=0$
④ $x^2+5x-14=0$
⑤ $2x^2+x-6=0$

03 $AB=0$ 꼴의 이차방정식의 풀이 개념03

3-1 다음 이차방정식을 푸시오.

(1) $x(x-5)=0$
(2) $(x-2)(x+2)=0$
(3) $(x+3)(4+x)=0$
(4) $(3x+1)(2x-5)=0$

3-2 다음 이차방정식을 푸시오.

(1) $(x+2)(x-5)=0$
(2) $\left(x+\frac{1}{2}\right)\left(x+\frac{1}{3}\right)=0$
(3) $(6x-1)(5x+2)=0$
(4) $5(x-1)(x-4)=0$

04 인수분해를 이용한 이차방정식의 풀이 (1) 개념04

4-1 인수분해를 이용하여 다음 이차방정식을 푸시오.

(1) $9x^2-16=0$

(2) $x^2+3x-18=0$

(3) $x^2+9x+20=0$

(4) $x^2-x=12$

4-2 인수분해를 이용하여 다음 이차방정식을 푸시오.

(1) $5x^2-4=1$

(2) $x^2+6x-16=0$

(3) $x^2-11x+24=0$

(4) $2x^2+x-3=0$

05 인수분해를 이용한 이차방정식의 풀이 (2) 개념04

5-1 인수분해를 이용하여 다음 이차방정식을 푸시오.

(1) $(x-2)(x-6)=-3$

(2) $(x+2)^2=3(x+8)$

(3) $(x+2)(x-3)=6$

(4) $(2x-1)(x+1)=1-2x$

5-2 인수분해를 이용하여 다음 이차방정식을 푸시오.

(1) $x^2+3=4(x+2)$

(2) $(x+3)(x-3)=8x$

(3) $(x+1)(x-5)=x-11$

(4) $(5x-6)(x+1)=-8x$

06 중근을 가지는 이차방정식 개념05

6-1 다음 이차방정식을 푸시오.

(1) $x^2+6x+9=0$

(2) $25x^2+1=-10x$

(3) $2x^2-3x+8=5x$

(4) $x^2+9x=-3(x+12)$

6-2 다음 보기의 이차방정식 중에서 중근을 가지는 것을 고르시오.

보기

ㄱ $x^2-25=0$　　ㄴ $x^2+x-6=0$

ㄷ $(x-1)^2=9$　　ㄹ $x(x-8)=-16$

기출 기초 테스트

10종 교과서 **공통** 문제

유형 01 이차방정식이 되는 조건

1-1 $2ax^2-x+3=6x^2-8x+4$가 x에 대한 이차방정식일 때, 다음 중 상수 a의 값이 될 수 없는 것은?

① -2 ② -1 ③ 1
④ 2 ⑤ 3

(10종 교과서 공통)

1-2 $3ax^2-a^2x+1=2x(x-1)$이 x에 대한 이차방정식이 되도록 하는 상수 a의 조건을 구하시오.

유형 02 이차방정식의 해

2-1 이차방정식 $x^2+ax-6=0$의 한 근이 $x=2$일 때, 상수 a의 값을 구하시오.

(10종 교과서 공통)

2-2 이차방정식 $x^2+ax-4=0$의 한 근이 $x=-4$일 때, 다른 한 근을 구하시오. (단, a는 상수)

유형 03 이차방정식의 해의 뜻을 이용한 문제

3-1 이차방정식 $x^2+2x-1=0$의 한 근을 $x=m$, 이차방정식 $3x^2-5x+1=0$의 한 근을 $x=n$이라고 할 때, 다음 식의 값을 구하시오.

$$(m^2+2m-4)(3n^2-5n-5)$$

(동아(박), 비상, 좋은책 유사)

3-2 이차방정식 $x^2-3x-4=0$의 두 근을 a, b라고 할 때, $(a^2-3a+5)(b^2-3b-3)$의 값을 구하시오.

유형 04 공통인 해

4-1 다음 두 이차방정식의 공통인 해를 구하시오.

$x^2-9x+14=0,\ 3x^2-4x-4=0$

10종 교과서 공통

4-2 두 이차방정식 $x^2-2x-15=0$, $x^2-12x+35=0$을 동시에 만족하는 x의 값을 구하시오.

유형 05 이차방정식이 중근을 가질 조건

5-1 다음 이차방정식이 중근을 갖도록 하는 상수 k의 값을 구하시오.

(1) $x^2-6x+k=0$

(2) $x^2+14x+k=0$

(3) $x^2+kx+64=0$

(4) $4x^2-kx+4=0$

10종 교과서 공통

5-2 이차방정식 $x^2-8x+2-k=0$이 중근 $x=a$를 가질 때, k, a의 값을 각각 구하시오.

(단, k는 상수)

유형 06 이차방정식의 해의 조건

6-1 이차방정식 $x^2+ax+b=0$의 해가 $x=-5$ 또는 $x=2$일 때, $a+b$의 값을 구하시오.

(단, a, b는 상수)

천재(류), 동아(강), 미래엔 유사

6-2 이차방정식 $x^2+ax+b=0$의 해가 $x=3$ 또는 $x=4$일 때, 이차방정식 $bx^2+ax+1=0$의 해를 구하시오. (단, a, b는 상수)

교과서 기본 테스트

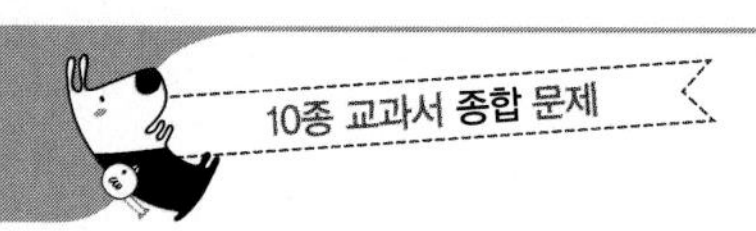

하

01

출제 예상 95%

다음 중 이차방정식이 아닌 것을 모두 고르면? (정답 2개)

① $-2x^2=0$

② $(x+2)(x-1)=1$

③ $(x+3)(3x-2)=3x^2-2$

④ $x^3-2x=x^3+4x^2-1$

⑤ $(x+1)(x-3)=x^2-5x+2$

하

02

출제 예상 90%

이차방정식 $3(x-1)(x+2)=x^2+2x$를 $ax^2+x+b=0$의 꼴로 나타낼 때, $a+b$의 값을 구하시오. (단, a, b는 상수)

중

03

출제 예상 95%

$2(x-2)^2+1=ax^2-3x+4$가 x에 대한 이차방정식일 때, 다음 중 상수 a의 값이 될 수 없는 것은?

① -3　② -2　③ -1

④ 1　⑤ 2

하

04

출제 예상 95%

다음 이차방정식 중 $x=1$을 해로 갖지 않는 것은?

① $x^2-x=0$　② $3x^2-4x+1=0$

③ $x^2-2x+1=0$　④ $x^2-4x-5=0$

⑤ $2x^2+3x-5=0$

하

05

출제 예상 80%

다음 이차방정식 중 해가 $x=-2$ 또는 $x=\frac{3}{2}$인 것은?

① $(x-1)(x-2)=0$

② $(2x+1)(x-2)=0$

③ $(x+2)(2x-3)=0$

④ $(2x+3)(x-2)=0$

⑤ $2(x+3)(x-2)=0$

중

06

출제 예상 95%

이차방정식 $x^2+6x=0$의 두 근 중 작은 근이 이차방정식 $x^2-ax+6a=0$의 근일 때, 상수 a의 값은?

① -3　② -1　③ 0

④ 1　⑤ 3

중하
07
출제 예상 95%

이차방정식 $x^2-10x=-24$를 풀면?

① $x=-4$ 또는 $x=-6$

② $x=-2$ 또는 $x=12$

③ $x=2$ 또는 $x=-12$

④ $x=3$ 또는 $x=-8$

⑤ $x=4$ 또는 $x=6$

중하
08
출제 예상 95%

다음 이차방정식 중 중근을 갖는 것은?

① $x^2-5x-14=0$ ② $3x^2+6x-9=0$

③ $2x^2-8x+8=0$ ④ $x^2+x-20=0$

⑤ $9x^2-4=0$

중
09
출제 예상 95%

이차방정식 $(x+1)(x-4)=6$의 해는?

① $x=-2$ 또는 $x=5$ ② $x=-1$ 또는 $x=4$

③ $x=1$ 또는 $x=-4$ ④ $x=2$ 또는 $x=-5$

⑤ $x=2$ 또는 $x=5$

중
10
출제 예상 95%

다음 두 이차방정식의 공통인 해를 구하시오.

$$x^2-4x+3=0,\ x^2-x-6=0$$

중
11
출제 예상 95%

이차방정식 $x^2+(k-5)x-5k=0$이 중근을 갖도록 하는 상수 k의 값은?

① -7 ② -5 ③ -3

④ 3 ⑤ 5

중
12
출제 예상 95%

이차방정식 $x^2+4(x-k)+10=0$이 중근을 가질 때, 상수 k의 값과 중근을 각각 구하시오.

중
13
출제 예상 80%

이차방정식 $x^2+ax+b=0$의 중근이 $x=-2$일 때, $a+b$의 값을 구하시오. (단, a, b는 상수)

정답과 해설 35쪽

중

14

출제 예상 90%

이차방정식 $x^2-6x+1=0$의 한 근을 $x=p$라고 할 때, p^2-6p+3의 값을 구하시오.

상중

15

출제 예상 90%

이차방정식 $x^2-2px-5=0$의 한 근이 $x=-5$이고 다른 한 근은 이차방정식 $x^2+(q-2)x+3q=0$을 만족할 때, 상수 p, q의 값을 구하시오.

상

16 까다로운 문제

출제 예상 85%

이차방정식 $x^2-(2+a)x+2a=0$의 두 근의 비가 $1:3$일 때, 상수 a의 값을 구하시오. (단, $a>2$)

과정을 평가하는 서술형입니다.

상중

17

출제 예상 85%

이차방정식 $x^2-5x-10=0$의 한 근을 $x=m$, 이차방정식 $x^2-4x+2=0$의 한 근을 $x=n$이라고 할 때, $m^2-5m-3n^2+12n$의 값을 구하시오.

중

18

출제 예상 90%

이차방정식 $x^2+4x+1=0$의 한 해가 $x=a$일 때, $a+\frac{1}{a}$의 값을 구하시오.

상중

19

출제 예상 90%

은지와 종우가 이차방정식 $x^2+ax+b=0$을 푸는데 은지는 x의 계수를 잘못 보고 풀어 두 근을 -3, 2로 구하고 종우는 상수항을 잘못 보고 풀어 두 근을 -1, 8로 구했다. 이때 $a+b$의 값을 구하시오.

(단, a, b는 상수)

창의력·융합형·서술형·코딩

정답과 해설 36쪽

1

정n각형의 대각선의 개수는 $\frac{n(n-3)}{2}$이다. n의 값이 5, 6, 7, 8일 때, 정n각형의 대각선의 개수가 14가 되는 n의 값을 구하시오.

2

다음은 이차방정식 $(x+2)(x-3)=x+2$의 해를 구한 것이다. 물음에 답하시오.

> 양변을 $x+2$로 나누면
> $x-3=1$ $\quad \therefore x=4$
> 따라서 주어진 이차방정식의 해는 $x=4$이다.

(1) 잘못된 부분을 찾고 그 이유를 쓰시오.

(2) 이차방정식 $(x+2)(x-3)=x+2$의 해를 바르게 구하시오.

3

한 개의 주사위를 두 번 던져서 처음 나온 눈의 수를 a, 두 번째 나온 눈의 수를 b라고 할 때, 이차방정식 $x^2+2ax+b=0$의 해가 중근일 확률을 구하시오.

4

일차함수 $y=ax+1$의 그래프가 점 $(a-3, 2a^2-3)$을 지나고 제4사분면을 지나지 않을 때, 상수 a의 값을 구하시오.

이차방정식의 여러 가지 풀이

개념 01 제곱근을 이용한 이차방정식의 풀이

(1) 이차방정식 $x^2=q\,(q>0)$의 해

➡ $x=\sqrt{q}$ 또는 $x=-\sqrt{q}$

참고 $x=\sqrt{q}$ 또는 $x=-\sqrt{q}$를 간단히 $x=\pm\sqrt{q}$로 나타내기도 한다.

주의 $q=0$이면 이차방정식 $x^2=q$, 즉 $x^2=0$은 중근 $x=0$을 가진다.

(2) 이차방정식 $(x-p)^2=q\,(q>0)$의 해

➡ $x-p=$ ❶ ☐ $\therefore x=p\pm\sqrt{q}$

예 ① $x^2-2=0$에서 $x^2=2$ $\therefore x=\pm\sqrt{2}$

② $(x-1)^2=3$에서 $x-1=\pm\sqrt{3}$ $\therefore x=1\pm\sqrt{3}$

답 | ❶ $\pm\sqrt{q}$

QUIZ

다음은 제곱근을 이용하여 이차방정식 $x^2-9=0$을 푸는 과정이다. ☐ 안에 알맞은 수를 써넣으시오.

상수항 -9를 우변으로 이항하면

$x^2=$☐

$\therefore x=\pm$☐

정답 |

9, 3

개념 02 완전제곱식을 이용한 이차방정식의 풀이

이차방정식 $ax^2+bx+c=0$ $(a\neq0)$의 좌변이 인수분해가 되지 않을 때는 ❶ ☐을 이용하여 이차방정식을 풀 수 있다.

예 이차방정식 $2x^2-8x+2=0$을 풀어 보자.

양변을 x^2의 계수인 2로 나누면

$x^2-4x+1=0$

상수항 1을 우변으로 이항하면

$x^2-4x=-1$

양변에 $\left(\frac{-4}{2}\right)^2$, 즉 4를 더하면

$x^2-4x+4=-1+4$

$x^2-4x+4=3$

좌변을 완전제곱식으로 고치면

$(x-2)^2=3$

제곱근을 이용하여 풀면

$x-2=\pm\sqrt{3}$

$\therefore x=2\pm\sqrt{3}$

$ax^2+bx+c=0$

↓ x^2의 계수로 나누기

$x^2+\frac{b}{a}x+\frac{c}{a}=0$

↓ 좌변을 완전제곱식으로 고치기

$(x-p)^2=q\ (q\geq0)$

↓ 제곱근을 이용하여 이차방정식 풀기

$\therefore x=p\pm\sqrt{q}$

답 | ❶ 완전제곱식

QUIZ

다음은 완전제곱식을 이용하여 이차방정식 $x^2-2x-4=0$을 푸는 과정이다. ☐ 안에 알맞은 수를 써넣으시오.

상수항 -4를 우변으로 이항하면

$x^2-2x=4$

양변에 $\left(\frac{☐}{2}\right)^2=$☐을 더하면

x^2-2x+☐$=4+$☐

좌변을 완전제곱식으로 고치면

$(x-1)^2=$☐

제곱근을 이용하여 풀면

$x-1=$☐

$\therefore x=$☐

정답 |

$-2, 1, 1, 1, 5, \pm\sqrt{5}, 1\pm\sqrt{5}$

개념 03 이차방정식의 근의 공식

이차방정식 $ax^2+bx+c=0\,(a\neq0)$의 근은

$$x=\frac{-b\pm\sqrt{b^2-4ac}}{2a}\ (\text{단, } b^2-4ac\geq0)$$

예 $x^2-3x-2=0$에서 $a=1$, $b=-3$, $c=-2$이므로

$$x=\frac{-(-3)\pm\sqrt{(-3)^2-4\times1\times(-2)}}{2\times1}$$

$$=\frac{3\pm\sqrt{9+8}}{2}=\frac{3\pm\sqrt{17}}{2}$$

설명 이차방정식 $ax^2+bx+c=0\,(a\neq0)$을 완전제곱식의 꼴로 바꾸면 근의 공식을 얻을 수 있다.

	$ax^2+bx+c=0\ (a\neq0)$의 풀이
① 양변을 x^2의 계수로 나누기	$x^2+\frac{b}{a}x+\frac{c}{a}=0$
② 상수항을 우변으로 이항하기	$x^2+\frac{b}{a}x=-\frac{c}{a}$
③ 양변에 $\left(\frac{x\text{의 계수}}{2}\right)^2$을 더하기	$x^2+\frac{b}{a}x+\left(\frac{b}{2a}\right)^2=-\frac{c}{a}+\left(\frac{b}{2a}\right)^2$
④ 좌변을 완전제곱식으로 고치기	$\left(x+\frac{b}{2a}\right)^2=\frac{b^2-4ac}{4a^2}$
⑤ 제곱근을 이용하여 풀기	$x+\frac{b}{2a}=\pm\frac{\sqrt{b^2-4ac}}{2a}$ $\therefore x=\frac{❶\ \square\pm\sqrt{b^2-4ac}}{2a}$

답 | ❶ $-b$

QUIZ

다음은 근의 공식을 이용하여 이차방정식 $3x^2+4x-2=0$을 푸는 과정이다. □ 안에 알맞은 수를 써넣으시오.

$a=3$, $b=4$, $c=\square$이므로

$$x=\frac{-4\pm\sqrt{4^2-4\times3\times(\square)}}{2\times3}$$

$$=\frac{-4\pm\sqrt{16+\square}}{6}$$

$$=\frac{\square}{3}$$

정답 |
-2, -2, 24, $-2\pm\sqrt{10}$

개념 04 복잡한 이차방정식의 풀이

(1) 괄호가 있는 이차방정식의 풀이

괄호를 풀어 $ax^2+bx+c=0$의 꼴로 정리한다.

(2) 계수나 상수항이 소수인 이차방정식의 풀이

양변에 10의 거듭제곱을 곱하여 계수나 상수항을 정수로 바꾼다.

(3) 계수나 상수항이 분수인 이차방정식의 풀이

양변에 분모의 최소공배수를 곱하여 계수나 상수항을 ❶ □로 바꾼다.

(4) 공통부분이 있는 이차방정식의 풀이

공통부분을 하나의 문자로 놓는다.

답 | ❶ 정수

QUIZ

다음 □ 안에 알맞은 것을 써넣으시오.

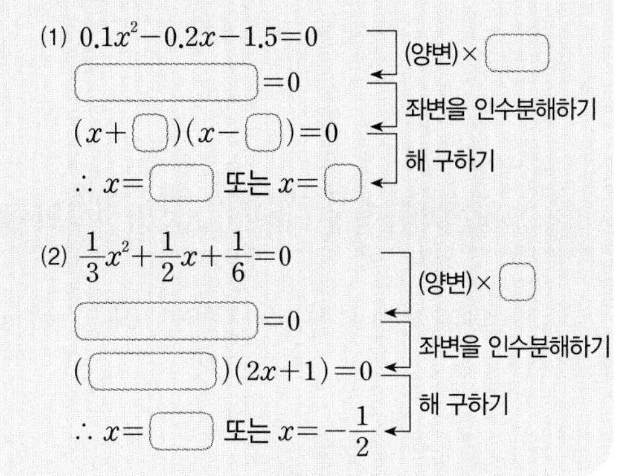

정답 |
(1) 10, $x^2-2x-15$, 3, 5, -3, 5
(2) 6, $2x^2+3x+1$, $x+1$, -1

STEP 1 교과서 개념 확인 테스트

01 제곱근을 이용한 이차방정식의 풀이 (1) 개념 01

1-1 제곱근을 이용하여 다음 이차방정식을 푸시오.

(1) $x^2=4$　(2) $3x^2=6$

(3) $x^2-8=0$　(4) $4x^2-7=0$

1-2 제곱근을 이용하여 다음 이차방정식을 푸시오.

(1) $x^2=12$　(2) $8x^2=4$

(3) $x^2-24=0$　(4) $16x^2-9=0$

02 제곱근을 이용한 이차방정식의 풀이 (2) 개념 01

2-1 제곱근을 이용하여 다음 이차방정식을 푸시오.

(1) $(x+2)^2=6$

(2) $(x-1)^2-12=0$

(3) $3(x+5)^2=24$

(4) $5(x-3)^2-20=0$

2-2 제곱근을 이용하여 다음 이차방정식을 푸시오.

(1) $(x+1)^2=5$

(2) $(x+3)^2-2=0$

(3) $(2x+3)^2-8=0$

(4) $4(x-3)^2=36$

03 완전제곱식을 이용한 이차방정식의 풀이 개념 02

3-1 완전제곱식을 이용하여 다음 이차방정식을 푸시오.

(1) $x^2-4x=-1$

(2) $x^2-5x+3=0$

(3) $2x^2-8x+3=0$

3-2 완전제곱식을 이용하여 다음 이차방정식을 푸시오.

(1) $x^2+6=-6x$

(2) $x^2+3x-2=0$

(3) $3x^2+6x-2=0$

정답과 해설 37쪽

04 근의 공식을 이용한 이차방정식의 풀이 (1) 개념 03

4-1 근의 공식을 이용하여 다음 이차방정식을 푸시오.

(1) $x^2-5x+1=0$

(2) $x^2+2x-4=0$

4-2 근의 공식을 이용하여 다음 이차방정식을 푸시오.

(1) $x^2+3x-6=0$

(2) $x^2+x-1=0$

05 근의 공식을 이용한 이차방정식의 풀이 (2) 개념 03

5-1 근의 공식을 이용하여 다음 이차방정식을 푸시오.

(1) $5x^2+2x-1=0$

(2) $3x^2+6x-1=0$

5-2 근의 공식을 이용하여 다음 이차방정식을 푸시오.

(1) $3x^2-4x-1=0$

(2) $2x^2-2x-5=0$

06 복잡한 이차방정식의 풀이 개념 04

6-1 다음 이차방정식을 푸시오.

(1) $0.2x^2+0.3x-0.9=0$

(2) $0.2x^2-x+0.3=0$

(3) $\frac{1}{6}x^2+x-\frac{1}{6}=0$

(4) $\frac{1}{5}x^2+\frac{3}{10}x-\frac{1}{2}=0$

6-2 다음 이차방정식을 푸시오.

(1) $0.1x^2-0.1x-0.4=0$

(2) $0.2x^2-0.5x+0.2=0$

(3) $\frac{1}{3}x^2-\frac{3}{5}x+\frac{1}{5}=0$

(4) $\frac{1}{5}x^2=\frac{1}{2}x+\frac{1}{2}$

기출 기초 테스트

유형 01 제곱근을 이용한 이차방정식의 풀이

(10종 교과서 공통)

1-1 이차방정식 $(x-2)^2=a$의 해가 $x=b\pm\sqrt{3}$일 때, 유리수 a, b의 값을 각각 구하시오.

1-2 이차방정식 $2(x+3)^2=a$의 해가 $x=b\pm\sqrt{2}$일 때, ab의 값을 구하시오.

(단, a, b는 유리수)

유형 02 완전제곱식을 이용한 이차방정식의 풀이

(10종 교과서 공통)

2-1 다음은 완전제곱식을 이용하여 이차방정식 $x^2-6x-4=0$을 푸는 과정이다. ㉠~㉥에 들어갈 알맞은 수를 구하시오.

> 상수항 -4를 우변으로 이항하면
> $x^2-6x=$ ㉠
> 양변에 ㉡ 를 더하면
> x^2-6x+ ㉡ $=$ ㉠ $+$ ㉡
> 좌변을 완전제곱식으로 고치면
> $(x-$ ㉢ $)^2=$ ㉣
> 제곱근을 구하면 $x-$ ㉢ $=$ ㉤
> $\therefore x=$ ㉥

2-2 다음은 완전제곱식을 이용하여 이차방정식 $2x^2+20x+8=0$을 푸는 과정이다. ㉠~㉣에 들어갈 알맞은 수를 구하시오.

> 양변을 2로 나누면 $x^2+10x+4=0$
> 상수항 4를 우변으로 이항하면
> $x^2+10x=-4$
> 양변에 ㉠ 를 더하면
> x^2+10x+ ㉠ $=-4+$ ㉠
> 좌변을 완전제곱식으로 고치면
> $(x+$ ㉡ $)^2=$ ㉢
> 제곱근을 이용하여 풀면 $x=$ ㉣

유형 03 완전제곱식의 꼴로 나타내기

(10종 교과서 공통)

3-1 이차방정식 $4x^2-8x-3=0$을 $(x+A)^2=B$의 꼴로 나타낼 때, 상수 A, B의 값을 각각 구하시오.

3-2 이차방정식 $x^2-6x=1+2x^2$을 $(x-p)^2=q$의 꼴로 나타낼 때, 상수 p, q의 값을 각각 구하시오.

유형 04 근의 공식을 이용한 이차방정식의 풀이

10종 교과서 공통

4-1 이차방정식 $3x^2-4x+a=0$의 해가 $x=\frac{b\pm\sqrt{19}}{3}$일 때, 유리수 a, b의 값을 각각 구하시오.

4-2 이차방정식 $2x^2+3x+k=0$의 해가 $x=\frac{A\pm\sqrt{17}}{4}$일 때, 유리수 A, k의 값을 각각 구하시오.

유형 05 복잡한 이차방정식의 풀이

10종 교과서 공통

5-1 이차방정식 $\frac{1}{2}x^2=x-0.4$를 푸시오.

5-2 이차방정식 $\frac{1}{5}x^2-0.1x=\frac{x}{2}-0.2$를 푸시오.

유형 06 이차방정식이 특별한 해를 가지는 조건

10종 교과서 공통

6-1 이차방정식 $(2x-5)^2-a+3=0$이 해를 갖기 위한 상수 a의 값의 범위를 구하려고 한다. 다음 물음에 답하시오.

(1) 주어진 이차방정식을 $A^2=B$의 꼴로 나타내시오.

(2) 주어진 이차방정식이 해를 갖기 위한 상수 a의 값의 범위를 구하시오.

6-2 이차방정식 $(x-5)^2=2k$의 두 해가 모두 자연수가 되도록 하는 자연수 k의 값을 모두 구하려고 한다. 다음 물음에 답하시오.

(1) 제곱근을 이용하여 주어진 이차방정식의 해를 k를 사용하여 나타내시오.

(2) 주어진 이차방정식의 두 해가 모두 자연수가 되도록 하는 자연수 k의 값을 모두 구하시오.

교과서 기본 테스트

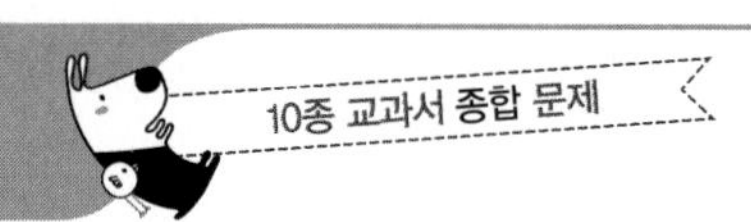

하

01

출제 예상 90%

이차방정식 $9x^2-5=0$을 풀면?

① $x=\frac{\sqrt{5}}{9}$ ② $x=\frac{\sqrt{5}}{3}$ ③ $x=\pm\frac{\sqrt{5}}{9}$

④ $x=\pm\frac{\sqrt{5}}{3}$ ⑤ $x=\pm\frac{5}{3}$

중하

02

출제 예상 95%

이차방정식 $2(x+3)^2-10=0$을 풀면?

① $x=-3\pm\sqrt{5}$ ② $x=3\pm\sqrt{5}$

③ $x=-3\pm2\sqrt{5}$ ④ $x=3\pm2\sqrt{5}$

⑤ $x=-3\pm4\sqrt{5}$

중하

03

출제 예상 95%

이차방정식 $2x^2+4x-5=0$을 $(x+p)^2=q$의 꼴로 나타낼 때, $p+q$의 값을 구하시오. (단, p, q는 상수)

중하

04

출제 예상 95%

다음은 이차방정식 $x^2-6x-2=0$의 해를 완전제곱식을 이용하여 푸는 과정이다. ①~⑤에 들어갈 수로 알맞지 않은 것은?

> $x^2-6x-2=0$에서
> $x^2-6x=$ ①
> x^2-6x+ ② $=$ ① $+$ ②
> $(x-$ ③ $)^2=$ ④
> $x-$ ③ $=\pm\sqrt{④}$
> $\therefore x=$ ⑤

① 2 ② 9 ③ 6

④ 11 ⑤ $3\pm\sqrt{11}$

중

05

출제 예상 85%

이차방정식 $(x-4)^2-5=0$의 두 근의 합은?

① $-8-2\sqrt{5}$ ② -8 ③ $8-2\sqrt{5}$

④ $2\sqrt{5}$ ⑤ 8

중

06

출제 예상 95%

이차방정식 $2(x+2)^2=a$의 해가 $x=b\pm\sqrt{7}$일 때, $a-b$의 값은? (단, a, b는 유리수)

① -16 ② -12 ③ 12

④ 16 ⑤ 26

중
07
출제 예상 90%

다음은 이차방정식의 근의 공식을 유도하는 과정이다. ①~⑤에 들어갈 것으로 알맞지 않은 것은?

$ax^2+bx+c=0(a\neq0)$에서
$x^2+\frac{b}{a}x+\frac{c}{a}=$ ①
$x^2+\frac{b}{a}x=-\frac{c}{a}$
$x^2+\frac{b}{a}x+$ ② $=-\frac{c}{a}+$ ②
$(x+$ ③ $)^2=\frac{b^2-4ac}{4a^2}$
$x+$ ③ $=$ ④ (단, $b^2-4ac\geq0$)
$\therefore x=$ ⑤

① 0　② $\frac{b^2}{4a^2}$　③ $\frac{b}{2a}$
④ $\frac{\sqrt{b^2-4ac}}{2a}$　⑤ $\frac{-b\pm\sqrt{b^2-4ac}}{2a}$

중
08
출제 예상 95%

이차방정식 $2x^2-6x+m=0$의 해가 $x=\frac{3\pm\sqrt{23}}{2}$일 때, 유리수 m의 값을 구하시오.

중
09
출제 예상 95%

이차방정식 $(2x-1)(x-4)=-3x+1$을 푸시오.

중
10
출제 예상 95%

이차방정식 $0.2x^2+0.1x=\frac{3}{2}$의 두 근을 α, β라고 할 때, $2\alpha+\beta$의 값은? (단, $\alpha>\beta$)

① -2　② $-\frac{1}{2}$　③ $\frac{1}{2}$
④ 1　⑤ 2

중
11
출제 예상 95%

이차방정식 $0.3x^2=-x-\frac{1}{4}$의 근이 $x=\frac{-10\pm\sqrt{B}}{A}$일 때, $A+B$의 값을 구하시오.
(단, A, B는 자연수)

중
12
출제 예상 95%

이차방정식 $3x-\frac{x^2-1}{2}=0.5(x-1)$을 풀면?

① $x=\frac{-3\pm\sqrt{14}}{2}$　② $x=\frac{-5\pm2\sqrt{10}}{2}$
③ $x=0$ 또는 $x=5$　④ $x=5\pm3\sqrt{11}$
⑤ $x=\frac{5\pm\sqrt{33}}{2}$

상 중

13

출제 예상 80%

이차방정식 $(x-4)(x+1)=3x-6$의 두 근 사이에 있는 정수는 모두 몇 개인지 구하시오.

상 중

14

출제 예상 85%

이차방정식 $x^2-kx+(k+1)=0$에서 x의 계수와 상수항을 서로 바꾸어 풀었더니 한 근이 $x=2$이었다. 이때 처음 이차방정식의 해를 구하시오.

(단, k는 상수)

상

15 까다로운 문제

출제 예상 80%

이차방정식 $x^2+3x+k=0$의 두 근이 모두 유리수가 되도록 하는 자연수 k의 값을 구하시오.

과정을 평가하는 서술형입니다.

상 중

16

출제 예상 80%

이차방정식 $4(x-2)^2=a$의 두 근의 차가 1일 때, 유리수 a의 값을 구하시오. (단, $a>0$)

상

17

출제 예상 80%

이차방정식 $\frac{1}{2}x^2-3x+3=0$의 해 중 일차부등식 $x+2>3x-6$을 만족하는 해를 구하려고 한다. 다음 물음에 답하시오.

(1) 주어진 이차방정식을 $(x+p)^2=q$의 꼴로 나타내고, 제곱근을 이용하여 해를 구하시오.

(단, p, q는 상수)

(2) (1)에서 구한 두 해 중 일차부등식 $x+2>3x-6$을 만족하는 해를 구하시오.

중

18

출제 예상 95%

이차방정식 $x^2-1=\frac{7x-6}{3}$을 푸시오.

정답과 해설 41쪽

1

이차방정식 $3x^2+x-2=0$을 다음 각각의 방법으로 푸시오.

(1) 인수분해를 이용하여 푸시오.

(2) 완전제곱식을 이용하여 푸시오.

(3) 근의 공식을 이용하여 푸시오.

2

오른쪽 그림과 같이 8부터 15까지의 자연수가 하나씩 적힌 원판이 있다. 이 원판에 화살을 한 번 던져 맞힌 칸에 적힌 수를 다음 이차방정식의 □ 안에 써넣을 때, 이차방정식의 두 근 중 자연수인 근의 크기만큼 상품을 받는 놀이를 하려고 한다.

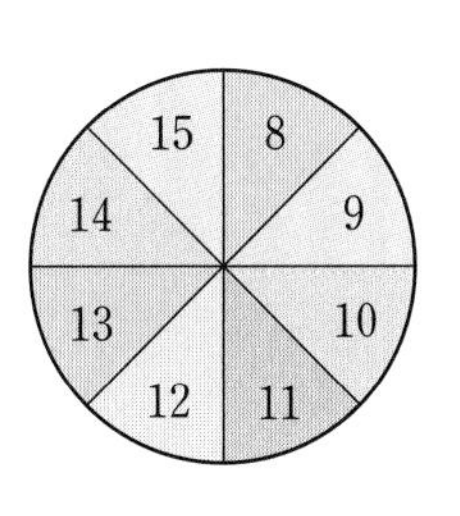

$x^2-2x-\square=0$

어떤 수가 적힌 칸을 맞혀야 가장 많은 상품을 받을 수 있는지 구하시오. (단, 이차방정식을 풀어 자연수인 근이 나오지 않는 경우는 상품을 받지 못한다.)

3

아라비아의 수학자 알콰리즈미의 방법으로 이차방정식 $x^2+8x=20$의 양수인 해를 구하려고 한다. 다음 □ 안에 알맞은 수를 써넣으시오.

(1) 넓이가 x^2인 정사각형 1개와 넓이가 $8x$인 직사각형 1개를 이어 붙여 직사각형을 만든다. 이 직사각형의 넓이를 20이라고 할 때, 이를 식으로 나타내면 다음과 같다.

$$x^2+\square x=20$$

<table><tr><td>x^2</td><td>$8x$</td></tr></table>

(2) (1)에서 넓이가 $8x$인 직사각형을 합동인 2개의 직사각형으로 나누어 붙이고, 이 도형에 한 변의 길이가 4인 정사각형을 이어 붙인다. 이를 식으로 나타내면 다음과 같다.

$$x^2+8x+\square=20+\square$$

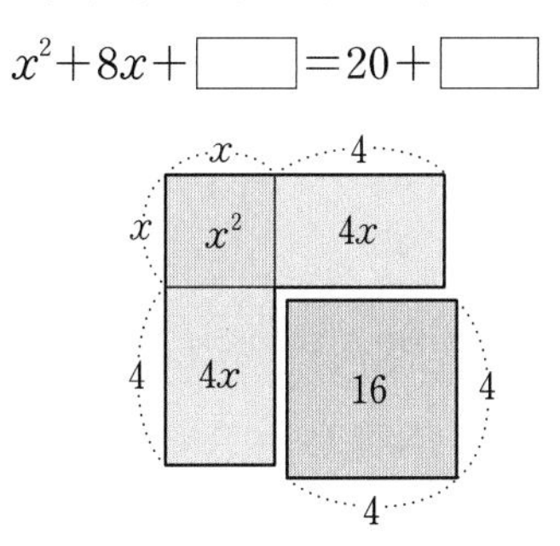

(3) (2)에서 만든 큰 정사각형의 한 변의 길이는 $x+\square$이고, 넓이는 $\square$이다. 이를 식으로 나타내면 다음과 같다.

$$(x+4)^2=\square$$

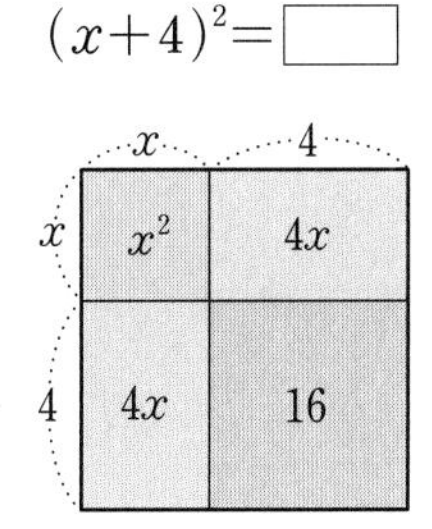

(4) (3)의 식에서

$$x+4=\square \qquad \therefore x=\square$$

이차방정식의 활용

개념 01 이차방정식의 활용 문제를 푸는 순서

1단계 문제의 뜻을 이해하고 구하려고 하는 것을 미지수 x로 놓는다.

2단계 문제에 주어진 수량 사이의 관계를 찾아 ❶ ( ) 을 세운다.

3단계 이차방정식을 풀어 미지수 x의 값을 구한다.

4단계 구한 해가 문제의 뜻에 맞는지 확인한다.

예 두 장의 카드에 연속하는 두 자연수가 각각 하나씩 적혀 있다. 두 수의 제곱의 합이 145일 때, 두 카드에 적힌 두 수를 구해 보자.

1단계 두 카드에 적힌 두 수 중 작은 수를 x라고 하자.

2단계 두 카드에 적힌 두 수 중 큰 수는 ❷ ( ) 이고,
두 수의 제곱의 합이 145이므로
$x^2+(x+1)^2=145$

3단계 $x^2+(x+1)^2=145$에서 $2x^2+2x-144=0$
$x^2+x-72=0$, $(x+9)(x-8)=0$
$\therefore x=-9$ 또는 $x=8$
이때 x는 자연수이므로 $x=8$이다.
따라서 두 카드에 적힌 두 수는 8, 9이다.

4단계 $8^2+9^2=145$이므로 문제의 뜻에 맞다.

답 | ❶ 이차방정식 ❷ $x+1$

QUIZ

차가 3인 두 자연수의 곱이 88일 때, 이를 만족하는 두 자연수를 구하려고 한다. 다음 □ 안에 알맞은 것을 써넣으시오.

1단계 두 자연수 중 작은 수를 x라고 하면
큰 수는 ( ) 이다.

2단계 두 자연수의 곱이 88이므로
$x(\square)=88$

3단계 위의 이차방정식을 풀면
$x^2+3x=88$, $x^2+3x-88=0$
$(x+11)(x-\square)=0$
$x=-11$ 또는 $x=\square$
이때 x는 자연수이므로 $x=\square$
따라서 구하는 두 자연수는 □, □이다.

정답 |
1단계 $x+3$ 2단계 $x+3$
3단계 8, 8, 8, 8, 11

개념 02 이차방정식의 여러 가지 활용 문제

(1) 이차방정식에 자주 활용되는 공식

① n각형의 대각선의 개수 : $\dfrac{n(n-3)}{2}$

② 1부터 n까지의 자연수의 합 : $\dfrac{n(n+1)}{2}$

(2) 수에 대한 문제

① 연속하는 두 자연수(정수) : $x-1$, x 또는 x, ❶ ( )

② 연속하는 세 자연수(정수) : $x-1$, x, $x+1$
또는 x, $x+1$, $x+2$

③ 연속하는 두 홀수(짝수) : $x-2$, x 또는 x, $x+2$

(3) 도형의 넓이에 대한 공식

① (삼각형의 넓이)$=\dfrac{1}{2}\times$(밑변의 길이)$\times$(높이)

② (직사각형의 넓이)$=$(가로의 길이)$\times$(세로의 길이)

③ (원의 넓이)$=\pi\times$(❷ ( ) 의 길이)^2

④ (사다리꼴의 넓이)
$=\dfrac{1}{2}\times\{$(윗변의 길이)$+$(아랫변의 길이)$\}\times$(높이)

답 | ❶ $x+1$ ❷ 반지름

QUIZ

다음 괄호 안의 알맞은 것에 ○표 하시오.

(1) 연속하는 두 홀수 중 작은 수를 x라고 하면 큰 수는 $(x-2, x+2)$이다.

(2) 나이의 차가 1세인 형제가 있다. 형의 나이를 x세라고 하면 동생의 나이는 $(x-1, x+1)$세이다.

(3) 세로의 길이가 가로의 길이의 $\frac{1}{2}$보다 1 cm만큼 더 긴 직사각형이 있다. 가로의 길이를 x cm라고 하면 세로의 길이는 $\left(\frac{1}{2}x-1, \frac{1}{2}x+1\right)$ cm이다.

정답 |
(1) $x+2$ (2) $x-1$ (3) $\frac{1}{2}x+1$

교과서 개념 확인 테스트

정답과 해설 42쪽

01 이차방정식의 활용 – 식이 주어진 경우 개념 01 + 개념 02

1-1 n각형의 대각선의 개수가 $\frac{n(n-3)}{2}$일 때, 대각선의 개수가 27인 다각형은 몇 각형인지 구하려고 한다. 다음 물음에 답하시오.

(1) 조건을 만족하는 이차방정식을 세우시오.

(2) (1)에서 세운 이차방정식을 풀어 대각선의 개수가 27인 다각형은 몇 각형인지 구하시오.

1-2 1부터 n까지의 자연수의 합은 $\frac{n(n+1)}{2}$이다. 1부터 n까지의 자연수의 합이 55일 때, n의 값을 구하시오.

02 이차방정식의 활용 – 식이 주어지지 않은 경우 개념 01 + 개념 02

2-1 연속하는 세 자연수 중 가장 큰 수의 제곱이 다른 두 수의 곱의 2배보다 20만큼 작다고 할 때, 세 자연수 중 가장 큰 수를 구하려고 한다. 다음 물음에 답하시오.

(1) 연속하는 세 자연수 중 가운데 수를 x라고 할 때, 아래 표를 완성하시오.

가장 작은 수	가운데 수	가장 큰 수
	x	

(2) 조건을 만족하는 이차방정식을 세우시오.

(3) (2)에서 세운 이차방정식을 풀어 세 자연수 중 가장 큰 수를 구하시오.

2-2 선형이는 동생보다 4세 더 많다. 두 사람의 나이의 곱이 192일 때, 선형이와 동생의 나이를 각각 구하시오.

기출 기초 테스트

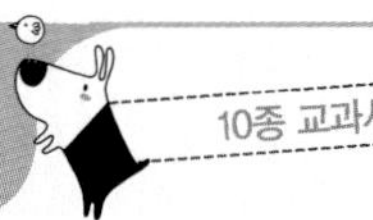

10종 교과서 공통 문제

유형 01 식이 주어진 경우

1-1 지면에서 똑바로 위로 쏘아 올린 폭죽의 x초 후의 높이는 $(40x-5x^2)$ m라고 한다. 이 폭죽이 높이가 80 m인 지점에서 터졌다고 할 때, 쏘아 올린 지 몇 초 후에 터진 것인지 구하시오.

(10종 교과서 공통)

1-2 어느 농구 선수가 골대를 향해 던진 농구공의 t초 후의 높이는 $(2+9t-5t^2)$ m라고 한다. 이 농구공이 땅에 떨어지는 것은 농구공을 던진 지 몇 초 후인지 구하시오.

유형 02 수에 대한 문제

2-1 연속하는 세 짝수가 있다. 가장 큰 수의 제곱이 다른 두 수의 제곱의 합과 같을 때, 이 세 짝수의 합을 구하시오.

(10종 교과서 공통)

2-2 연속하는 두 자연수의 제곱의 합이 113일 때, 두 자연수를 구하시오.

유형 03 분배에 대한 문제

3-1 사탕 54개를 한 모둠의 학생들에게 남김없이 똑같이 나누어 주려고 한다. 한 학생이 받을 사탕의 개수가 모둠의 학생 수보다 3만큼 작다고 할 때, 이 모둠의 학생 수를 구하시오.

(비상, 좋은책 유사)

3-2 학생들에게 130개의 볼펜을 남김없이 똑같이 나누어 주려고 한다. 한 학생이 받을 볼펜의 수가 학생 수보다 3만큼 크다고 할 때, 학생은 모두 몇 명인지 구하시오.

유형 04 도형에 대한 문제 (1)

4-1 오른쪽 그림과 같이 가로, 세로의 길이가 각각 16 m, 12 m인 직사각형 모양의 꽃밭에 폭이 일정한 십자형의 산책로를 만들려고 한다. 산책로를 제외한 꽃밭의 넓이가 140 m^{2}일 때, 산책로의 폭을 구하시오.

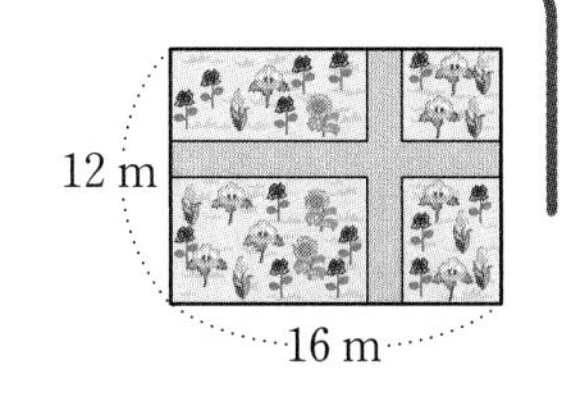

10종 교과서 공통

4-2 오른쪽 그림과 같이 가로, 세로의 길이가 각각 10 m, 7 m인 직사각형 모양의 땅에 폭이 x m로 일정한 도로를 만들려고 한다. 도로를 제외한 땅의 넓이가 40 m^{2}일 때, x의 값을 구하시오.

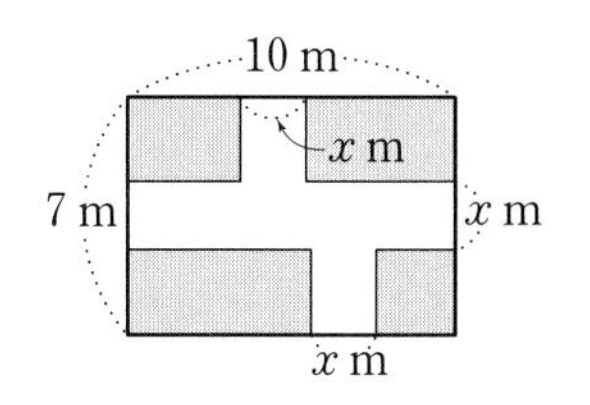

유형 05 도형에 대한 문제 (2)

5-1 오른쪽 그림과 같이 정사각형 모양의 종이의 네 귀퉁이에서 한 변의 길이가 5 cm인 정사각형을 각각 잘라 내어 윗면이 없는 직육면체 모양의 상자를 만들었더니 상자의 부피가 125 cm^{3}가 되었다. 이때 처음 정사각형 모양의 종이의 한 변의 길이를 구하시오.

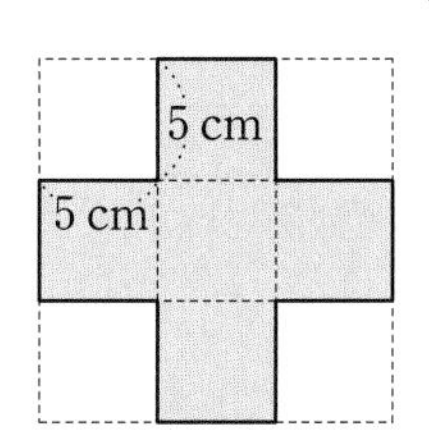

10종 교과서 공통

5-2 가로의 길이가 세로의 길이보다 5 cm 만큼 더 긴 직사각형 모양의 종이가 있다. 오른쪽 그림과 같이 종이의 네 귀퉁이에서 한 변의 길이가 4 cm인 정사각형을 잘라 윗면이 없는 직육면체 모양의 상자를 만들었더니 부피가 600 cm^{3}가 되었다. 이때 처음 직사각형 모양의 종이의 세로의 길이를 구하시오.

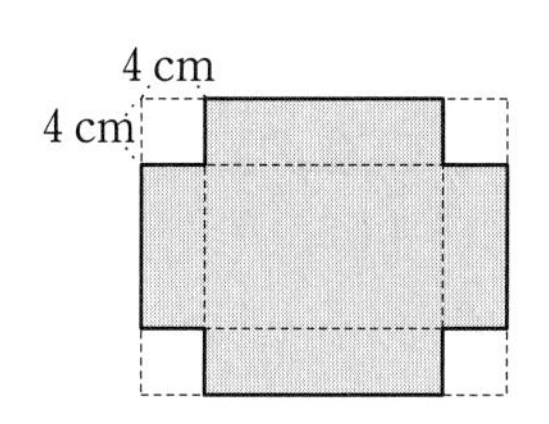

유형 06 도형에 대한 문제 (3)

6-1 오른쪽 그림과 같이 길이가 12 cm인 선분 AB 위에 점 P를 잡아 $\overline{AP}$와 $\overline{BP}$를 각각 한 변으로 하는 정사각형을 만들었다. 두 정사각형의 넓이의 합이 74 cm^{2}일 때, $\overline{AP}$의 길이를 구하시오. (단, $\overline{AP}<\overline{BP}$)

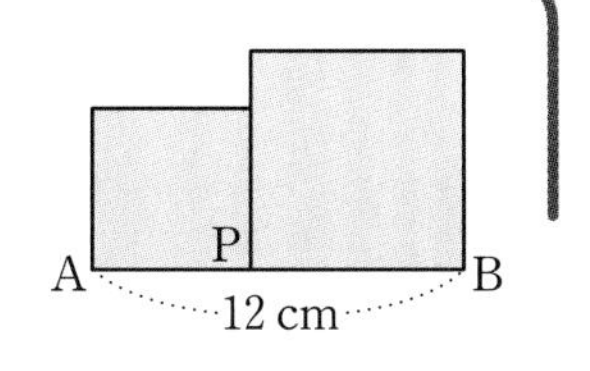

10종 교과서 공통

6-2 오른쪽 그림은 지름의 길이가 30 cm인 반원 안에 반지름의 길이가 서로 다른 두 개의 반원을 접하도록 그린 것이다. 색칠한 부분의 넓이가 50π cm^{2}일 때, 가장 작은 반원의 반지름의 길이를 구하시오.

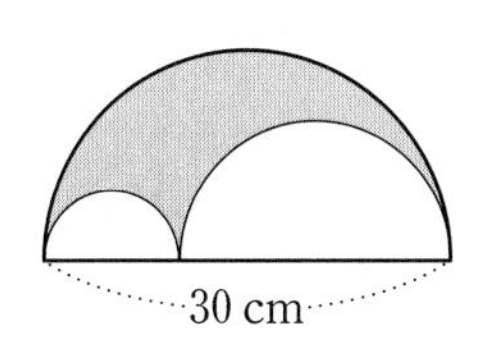

교과서 기본 테스트

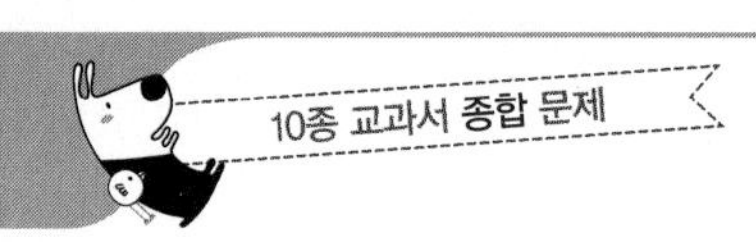

중

01

출제 예상 90%

n각형의 대각선의 개수가 $\frac{n(n-3)}{2}$일 때, 대각선의 개수가 20인 다각형을 구하시오.

중

02

출제 예상 95%

폭죽을 지면에서 초속 45 m로 수직으로 쏘아 올릴 때, t초 후의 높이는 $(45t-5t^2)$ m라고 한다. 이 폭죽이 올라가면서 높이 90 m인 지점에서 터졌다고 할 때, 쏘아 올린 지 몇 초 후에 터진 것인지 구하시오.

중하

03

출제 예상 90%

가로의 길이가 세로의 길이보다 5 m만큼 더 길고 넓이가 150 m^2인 직사각형의 가로의 길이를 구하시오.

중

04

출제 예상 95%

준희와 오빠의 나이 차는 4세이다. 오빠 나이의 제곱은 준희 나이의 제곱의 2배보다 4세만큼 작을 때, 준희와 오빠의 나이를 각각 구하시오.

중하

05

출제 예상 80%

민정이가 수학 교과서를 펼쳤더니 펼쳐진 두 면의 쪽수의 곱이 156이었다. 두 면의 쪽수의 합을 구하시오.

중

06

출제 예상 90%

정민이는 공책 72권을 친구들과 남김없이 똑같이 나누어 가지려고 한다. 한 사람이 갖게 되는 공책의 수가 사람 수의 3배보다 6권이 더 많았다. 이때 한 사람이 갖게 되는 공책은 모두 몇 권인지 구하시오.

중

07

출제 예상 95%

가로의 길이와 세로의 길이가 각각 18 m, 10 m인 직사각형 모양의 잔디밭에 오른쪽 그림과 같이 폭이 x m로 일정한 길을 내었다. 길을 제외한 잔디밭의 넓이가 128 m^{2}일 때, x의 값을 구하시오.

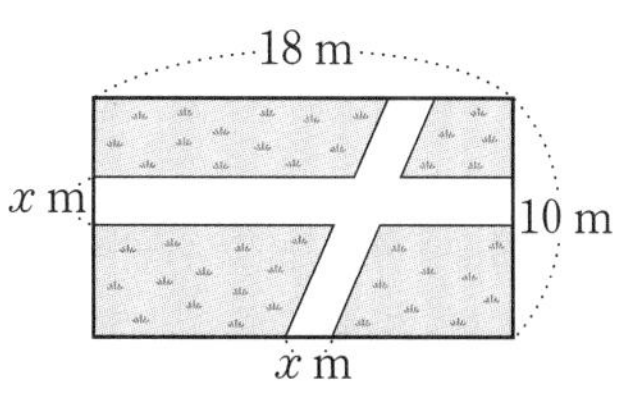

중

08

출제 예상 90%

오른쪽 그림과 같이 반지름의 길이가 2 cm인 원에서 반지름의 길이를 x cm만큼 늘였더니 색칠한 부분의 넓이가 처음 원의 넓이의 3배가 되었다. 이때 x의 값을 구하시오.

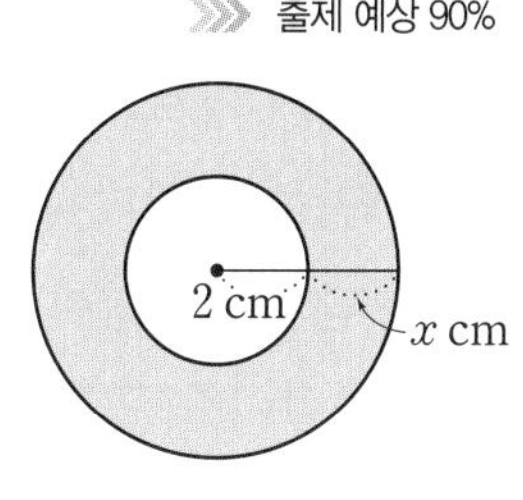

중

09

출제 예상 95%

오른쪽 그림과 같은 정사각형 모양의 두꺼운 종이가 있다. 이 종이의 네 귀퉁이에서 한 변의 길이가 3 cm인 정사각형을 잘라 내어 뚜껑이 없는 상자를 만들려고 한다.
상자의 부피가 108 cm^{3}일 때, 처음 정사각형 모양의 종이의 한 변의 길이를 구하시오.

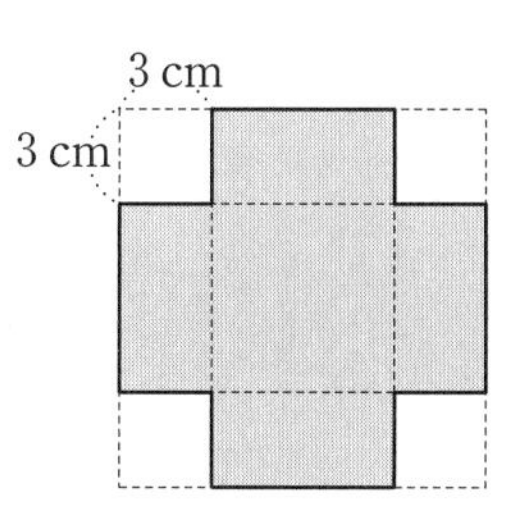

중

10

출제 예상 90%

오른쪽 그림과 같은 어느 해 6월의 달력에서 아래, 위로 이웃하는 두 수를 각각 제곱하여 더한 값이 337이 될 때, 이를 만족하는 두 수를 구하시오.

6월

일요일	월요일	화요일	수요일	목요일	금요일	토요일
		1	2	3	4	5
6	7	8	9	10	11	12
13	14	15	16	17	18	19
20	21	22	23	24	25	26
27	28	29	30			

상중

11

출제 예상 85%

어떤 두 자리 자연수가 있다. 일의 자리의 숫자와 십의 자리의 숫자의 합은 6이고, 원래 두 자리 자연수는 각 자리의 숫자의 곱보다 24만큼 크다고 할 때, 이 두 자리 자연수를 구하시오.

상중

12 까다로운 문제

출제 예상 80%

어느 귤 농장에서 한 상자에 1000 g씩 포장하면 3300개의 상자를 채울 수 있는 양을 생산하였다고 한다. 한 상자에 x g씩 더 넣어 새롭게 포장하면 상자는 $3x$개만큼 줄어든다고 할 때, x의 값을 구하시오. (단, 남는 귤은 없고, 상자의 무게는 생각하지 않는다.)

정답과 해설 44쪽

상

13

출제 예상 90%

오른쪽 그림과 같은 직사각형 ABCD에서 점 P는 $\overline{AB}$ 위를 점 A에서 점 B까지 1초에 2 cm씩 움직이고, 점 Q는 $\overline{BC}$ 위를 점 B에서 점 C까지 1초에 3 cm씩 움직인다. 두 점 P, Q가 동시에 출발할 때, △PBQ의 넓이가 48 cm^2가 될 때까지 걸리는 시간을 구하시오.

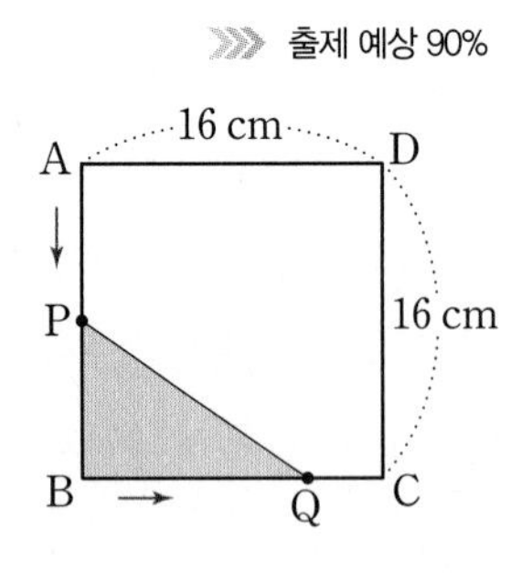

상

14 까다로운 문제

출제 예상 80%

길이가 15 cm인 끈을 잘라서 넓이의 비가 1 : 2인 두 개의 정삼각형을 만들려고 한다. 이때 작은 정삼각형의 한 변의 길이는?

① $(5-3\sqrt{2})$ cm ② $(10-4\sqrt{2})$ cm
③ $(10-5\sqrt{2})$ cm ④ $(4\sqrt{2}-5)$ cm
⑤ $(5\sqrt{2}-5)$ cm

과정을 평가하는 서술형입니다.

중

15

출제 예상 95%

연속하는 세 자연수 중 가장 큰 수의 제곱이 다른 두 수의 곱의 2배보다 11만큼 작다고 할 때, 가장 큰 수를 구하시오.

중

16

출제 예상 90%

정사각형의 가로의 길이를 2만큼 늘이고, 세로의 길이를 4만큼 늘였더니 넓이가 처음 정사각형의 넓이의 3배인 직사각형이 되었다. 이때 처음 정사각형의 한 변의 길이를 구하시오.

상

17

출제 예상 85%

오른쪽 그림은 한 변의 길이가 17 cm인 정사각형 ABCD에서 $\overline{AE}=\overline{BF}=\overline{CG}=\overline{DH}$가 되도록 네 점 E, F, G, H를 잡아 □EFGH를 그린 것이다. □EFGH는 한 변의 길이가 13 cm인 정사각형일 때, $\overline{AH}$의 길이를 구하시오. (단, $\overline{AH}>\overline{DH}$)

창의력·융합형·서술형·코딩

1

다음 각 문장을 이차방정식으로 나타내고, x의 값을 구하시오.

(1) 현아의 나이는 x세이고 동생은 현아보다 4세 어리다. 이때 두 사람의 나이의 곱은 165이다.

(2) 강당에 의자 200개를 한 줄에 x개씩 $(x-10)$ 줄로 배열한다.

(3) 가로의 길이는 x cm이고 세로의 길이는 가로의 길이보다 4 cm만큼 더 긴 직사각형 모양의 종이의 넓이는 192 cm^2이다.

2

어떤 선분을 두 부분으로 나누었을 때,
(전체의 길이) : (긴 부분의 길이)
=(긴 부분의 길이) : (짧은 부분의 길이)
를 만족하는 비를 황금비라고 한다. 다음 □ 안에 알맞은 것을 써넣으시오.

$x+1$
A — x — B — 1 — C

위의 그림에서 $\overline{AB}=x$, $\overline{BC}=1$이라고 하면
$\overline{AC}$: □=□ : $\overline{BC}$이므로
$(x+1)$: □=□ : 1
□$=(x+1)\times 1$에서 □$-x-1=0$
이때 $x>0$이므로 $x=$□, 약 $x=1.618$
즉 황금비는 어떤 선분을 1.618 : 1로 나누는 비이다.

3

조선 시대의 수학자 홍정하(洪正夏, 1684~?)가 쓴 『구일집』에는 다음과 같은 문제가 실려 있다. 작은 정사각형의 한 변의 길이를 구하시오.

> 크고 작은 두 개의 정사각형이 있다. 두 정사각형의 넓이의 합은 468평방자이고, 큰 정사각형의 한 변의 길이는 작은 정사각형의 한 변의 길이보다 6자만큼 길다. 작은 정사각형의 한 변의 길이는 얼마인가?

4

다음은 12세기경 인도의 수학자 바스카라가 쓴 수학책 『릴라바티』에 있는 수학 문제 중 하나이다. 원숭이의 수를 구하시오.

> 어느 숲속에서 원숭이 무리가 이리저리 뛰며 놀고 있다. 이 무리의 원숭이의 수는 숲 전체 원숭이의 수의 $\frac{1}{8}$의 제곱이다. 전체 원숭이의 수에서 이 무리의 원숭이의 수를 제외한 나머지 12마리는 근처 언덕에서 서로 소리를 지르고 있다. 이 숲에 있는 전체 원숭이는 몇 마리인가?

책읽기의 세 가지 가르침

책을 읽는 사람은
세 가지 가르침을 지켜야 한다.
책을 가지고 있으면서 읽지 않는 사람,
책에서 사회에 유익한 교훈을 끌어내지 못하는 사람,
책을 읽고 자신의 생각을 끌어내지 못하는 사람은
소중한 세 아이를 잃는 것과 같다.
– 탈무드

이차함수

10. 이차함수와 그래프

개념 01 이차함수

(1) **이차함수** 함수 $y=f(x)$에서 y가 x에 대한 이차식
$y=ax^2+bx+c$ (단, a, b, c는 상수, $a\neq0$)
로 나타날 때, 이 함수를 x에 대한 ❶ 라고 한다.

참고 $y=ax^2+bx+c$를 $f(x)=ax^2+bx+c$로 나타내기도 한다.

예 ① $y=x^2-x+1$, $f(x)=-2x^2+x$ ➡ 이차함수

② $y=3x-1$, $f(x)=-\frac{7}{x^2}$ ➡ 이차함수가 아니다.

(2) **이차함수의 함숫값** 이차함수 $f(x)=ax^2+bx+c$에서 $x=k$일 때의 함숫값 $f(k)$는
➡ $f(k)=ak^2+bk+c$

예 이차함수 $f(x)=x^2+4x-5$에 대하여 $x=-1$일 때의 함숫값은
$f(-1)=(-1)^2+4\times(-1)-5=1-4-5=-8$

참고 ① 함수 : 두 변수 x, y에 대하여 x의 값이 변함에 따라 y의 값이 하나씩 정해지는 대응 관계

② 함숫값 : 함수 $y=f(x)$에서 x의 값이 정해지면 그에 따라 정해지는 y의 값, 즉 $f(x)$

답 | ❶ 이차함수

QUIZ

1. 다음 중 이차함수인 것에는 ○표, 이차함수가 아닌 것에는 ×표를 하시오.

(1) $y=-x^2$ ( )

(2) $y=5x$ ( )

(3) $y=x(x-1)+2$ ( )

(4) $y=\frac{1}{x^2}+\frac{2}{x}+3$ ( )

2. 이차함수 $f(x)=x^2+x-2$에 대하여 $f(2)$의 값을 구하시오.

정답 |
1. (1) ○ (2) × (3) ○ (4) ×
2. 4

개념 02 이차함수 $y=x^2$, $y=-x^2$의 그래프

(1) **이차함수 $y=x^2$의 그래프**

① ❶ 을 지나고, 아래로 볼록한 곡선이다.

② y축에 대칭이다.

③ $x<0$일 때, x의 값이 증가하면 y의 값은 감소한다.
$x>0$일 때, x의 값이 증가하면 y의 값도 증가한다.

(2) **이차함수 $y=-x^2$의 그래프**

① 원점을 지나고, 위로 볼록한 곡선이다.

② ❷ 에 대칭이다.

③ $x<0$일 때, x의 값이 증가하면 y의 값도 증가한다.
$x>0$일 때, x의 값이 증가하면 y의 값은 감소한다.

참고 y축에 대칭이라는 말은 y축을 접는 선으로 하여 그래프를 접었을 때, 그래프가 완전히 포개어진다는 의미이다.

답 | ❶ 원점 ❷ y축

QUIZ

다음은 이차함수 $y=x^2$의 그래프에 대한 설명이다. 괄호 안의 알맞은 것에 ○표 하시오.

(1) 원점을 지나고 (위로, 아래로) 볼록한 곡선이다.

(2) (x축, y축)에 대칭이다.

(3) $x<0$일 때, x의 값이 증가하면 y의 값은 (증가, 감소)한다.

(4) $x>0$일 때, x의 값이 증가하면 y의 값은 (증가, 감소)한다.

정답 |
(1) 아래로 (2) y축 (3) 감소 (4) 증가

개념 03 이차함수의 그래프의 축과 꼭짓점

(1) **포물선** 이차함수 $y=x^2$, $y=-x^2$의 그래프와 같은 모양의 곡선

(2) **축** 포물선이 대칭이 되는 직선

(3) ❶ ______ 포물선과 축의 교점

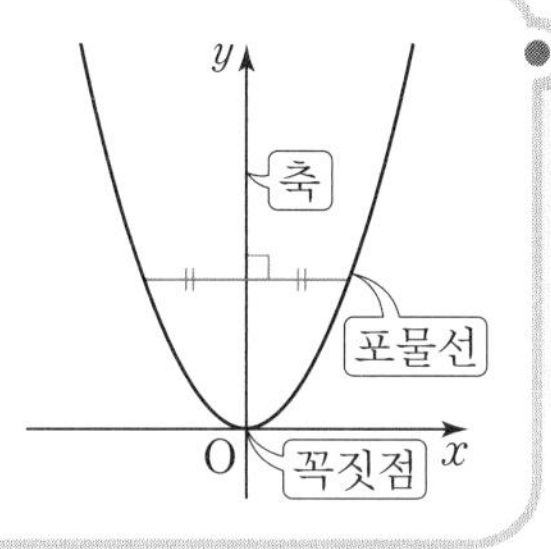

답 | ❶ 꼭짓점

QUIZ

다음 □ 안에 알맞은 것을 써넣으시오.

(1) 포물선이 대칭이 되는 직선을 □이라고 한다.

(2) 포물선과 축의 교점을 □이라고 한다.

정답 |
(1) 축 (2) 꼭짓점

개념 04 이차함수 $y=ax^2$의 그래프의 성질

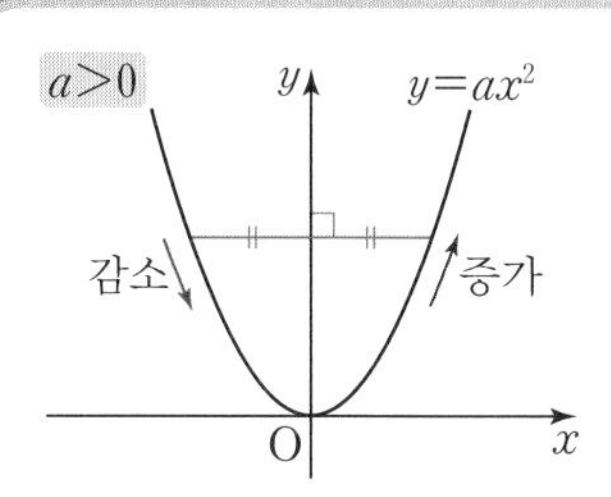

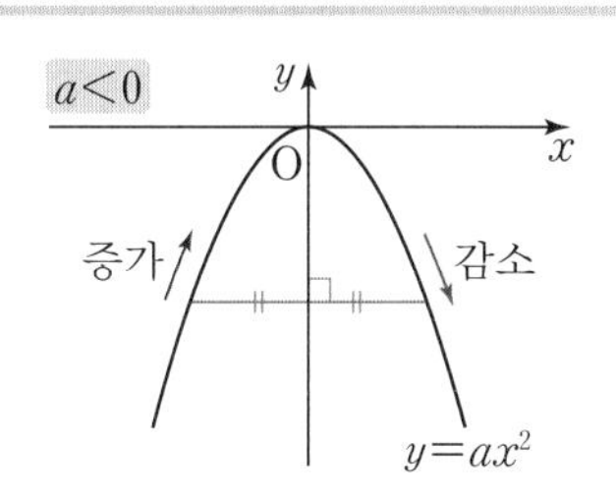

(1) 원점을 꼭짓점으로 하고, y축을 축으로 하는 포물선이다.
  ① 꼭짓점의 좌표 : $(0, 0)$
  ② 축의 방정식 : $x=0$ (y축)

(2) $a>0$이면 ❶ ______로 볼록하고, $a<0$이면 ❷ ______로 볼록하다.

(3) a의 절댓값이 클수록 그래프의 폭이 좁아진다.

(4) $y=ax^2$의 그래프와 $y=-ax^2$의 그래프는 x축에 서로 대칭이다.

답 | ❶ 아래 ❷ 위

QUIZ

다음 괄호 안의 알맞은 것에 ○표 하시오.

(1) $y=2x^2$의 그래프는 (위로, 아래로) 볼록하다.

(2) $y=-4x^2$의 그래프는 (위로, 아래로) 볼록하다.

(3) $y=-4x^2$의 그래프가 $y=2x^2$의 그래프보다 폭이 (좁다, 넓다).

정답 |
(1) 아래로 (2) 위로 (3) 좁다

Plus 개념

(1) 이차함수 $y=x^2$, $y=-x^2$의 그래프의 대칭

① 두 그래프는 각각 y축에 대칭이다.

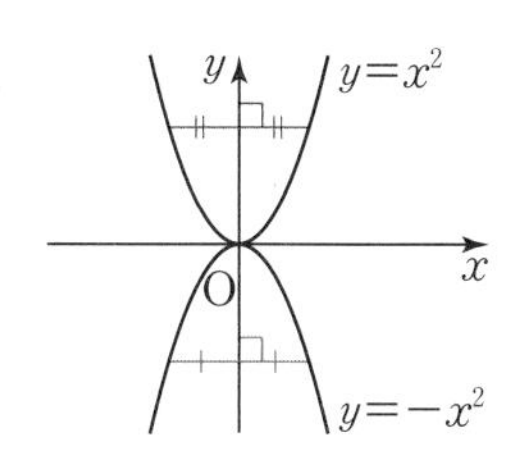

② 두 그래프는 서로 x축에 대칭이다.

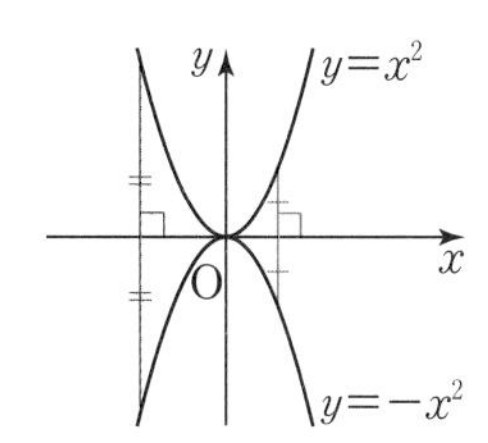

(2) 이차함수 $y=ax^2$에서 a의 역할

① 그래프의 모양 결정 : $a>0$이면 아래로 볼록, $a<0$이면 위로 볼록

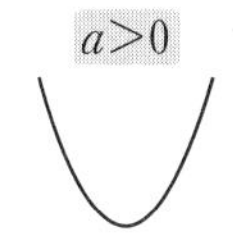

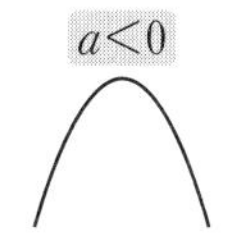

② 그래프의 폭 결정 : a의 절댓값이 클수록 그래프의 폭이 좁아진다.

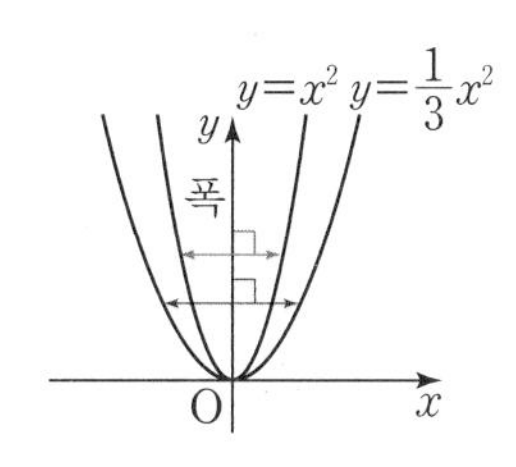

교과서 개념 확인 테스트

01 이차함수의 뜻 개념01

1-1 다음 보기 중 이차함수인 것을 모두 고르시오.

보기
㉠ $y=x^2-(x+x^2)$　㉡ $y=\frac{2}{x}$
㉢ $y=-x(1+2x)$　㉣ $y=3-x^2$

1-2 다음 보기 중 이차함수인 것을 모두 고르시오.

보기
㉠ $y=(x+2)^2$　㉡ $y=-2(x^2+1)$
㉢ $y=2x$　㉣ $y=(x+1)^2-x^2$

02 이차함수의 함숫값 개념01

2-1 이차함수 $f(x)=4x^2-6x+1$에 대하여 다음 함숫값을 구하시오.

(1) $f(-1)$　(2) $f(0)$

(3) $f\left(\frac{1}{2}\right)$　(4) $f(3)-f(-2)$

2-2 이차함수 $f(x)=-x^2+2x-3$에 대하여 다음 함숫값을 구하시오.

(1) $f(-2)$　(2) $f(0)$

(3) $f\left(\frac{3}{2}\right)$　(4) $f(-1)+f(1)$

03 이차함수 $y=x^2$, $y=-x^2$의 그래프의 성질 개념02

3-1 다음 보기 중 이차함수 $y=x^2$의 그래프에 대한 설명으로 옳은 것을 모두 고르시오.

보기
㉠ 점 (2, 2)를 지난다.
㉡ 제4사분면을 지난다.
㉢ x의 값이 -4에서 -1까지 증가할 때, y의 값은 감소한다.
㉣ x의 값이 3에서 5까지 증가할 때, y의 값도 증가한다.

3-2 다음 보기 중 이차함수 $y=-x^2$의 그래프에 대한 설명으로 옳은 것을 모두 고르시오.

보기
㉠ 점 (2, -2)를 지난다.
㉡ 제3, 4사분면을 지난다.
㉢ x의 값이 1에서 3까지 증가할 때, y의 값도 증가한다.
㉣ x의 값이 -1에서 0까지 증가할 때, y의 값도 증가한다.

04 이차함수 $y=ax^2$의 그래프 그리기 개념 04

4-1 이차함수 $y=x^2$의 그래프를 이용하여 다음 이차함수의 그래프를 그리시오.

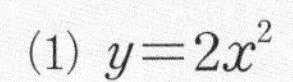
(1) $y=2x^2$

(2) $y=\frac{1}{2}x^2$

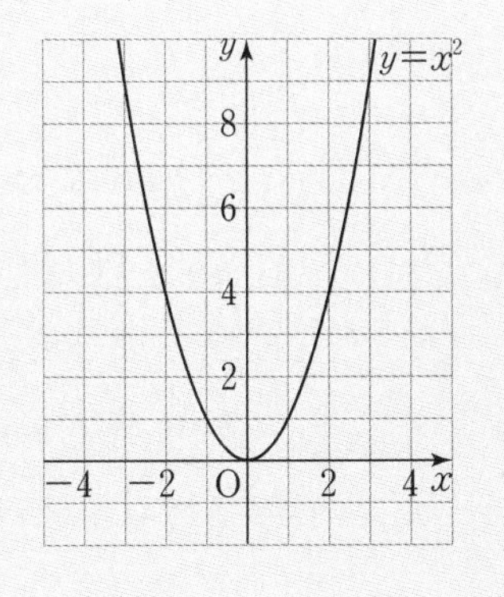

4-2 이차함수 $y=-x^2$의 그래프를 이용하여 다음 이차함수의 그래프를 그리시오.

(1) $y=-2x^2$

(2) $y=-\frac{1}{2}x^2$

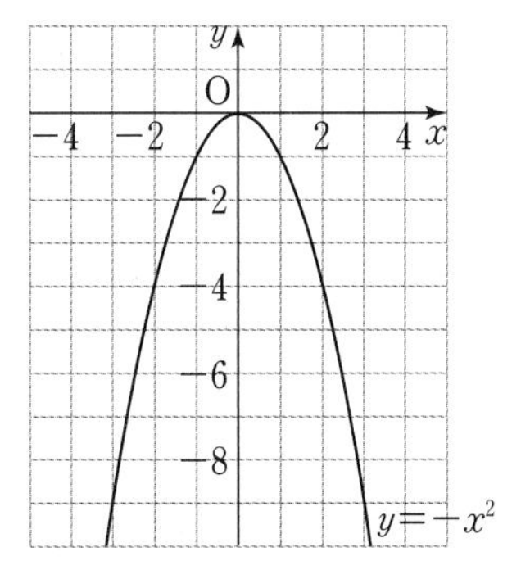

05 이차함수 $y=ax^2$의 그래프의 성질 (1) 개념 04

5-1 다음 보기의 이차함수에 대하여 물음에 답하시오.

보기

㉠ $y=\frac{1}{2}x^2$ ㉡ $y=-2x^2$

㉢ $y=-3x^2$ ㉣ $y=-\frac{1}{2}x^2$

(1) 그래프가 위로 볼록한 것을 모두 고르시오.

(2) 그래프의 폭이 가장 좁은 것을 고르시오.

(3) 그래프가 x축에 서로 대칭인 것끼리 짝지으시오.

5-2 다음 보기의 이차함수에 대하여 물음에 답하시오.

보기

㉠ $y=-2x^2$ ㉡ $y=\frac{2}{3}x^2$

㉢ $y=2x^2$ ㉣ $y=-\frac{3}{2}x^2$

(1) 그래프가 아래로 볼록한 것을 모두 고르시오.

(2) 그래프의 폭이 가장 넓은 것을 고르시오.

(3) 그래프가 x축에 서로 대칭인 것끼리 짝지으시오.

06 이차함수 $y=ax^2$의 그래프의 성질 (2) 개념 04

6-1 다음 그래프 (1)~(4)를 나타내는 이차함수의 식을 보기에서 각각 고르시오.

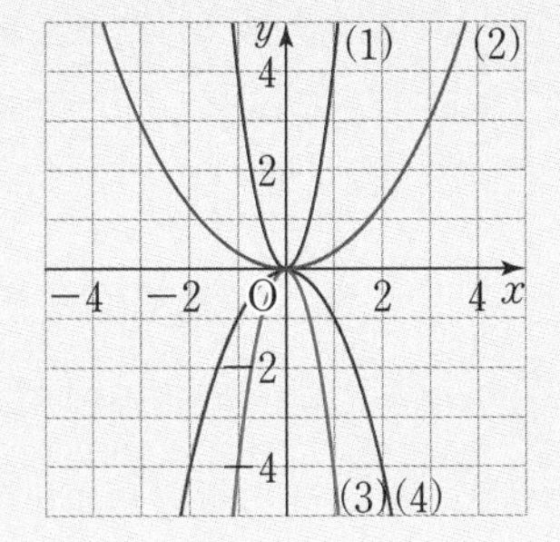

보기

㉠ $y=4x^2$

㉡ $y=\frac{1}{3}x^2$

㉢ $y=-x^2$

㉣ $y=-4x^2$

6-2 다음 이차함수 (1)~(4)의 그래프를 ㉠~㉣ 중에서 각각 고르시오.

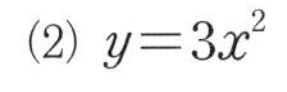
(1) $y=\frac{3}{5}x^2$

(2) $y=3x^2$

(3) $y=-\frac{1}{3}x^2$

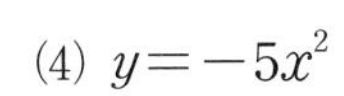
(4) $y=-5x^2$

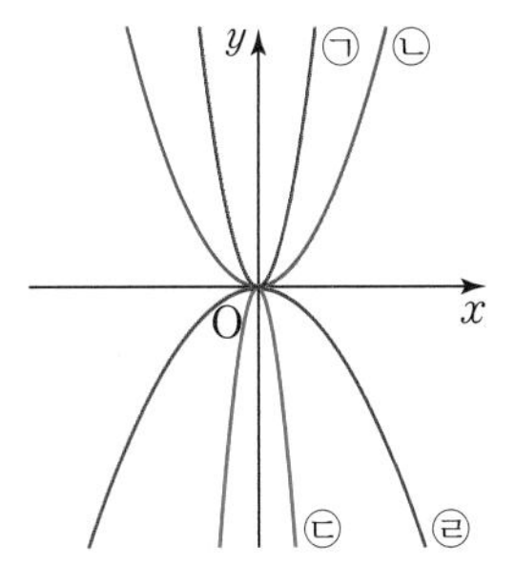

기출 기초 테스트

10종 교과서 공통 문제

유형 01 이차함수의 뜻

1-1 다음에서 y를 x의 식으로 나타내고, y가 x에 대한 이차함수인 것을 모두 고르시오.

(1) 자동차를 타고 시속 60 km로 x시간 동안 이동한 거리 y km

(2) 한 변의 길이가 x cm인 정사각형의 넓이 $y\ \text{cm}^2$

(3) 넓이가 $1\ \text{cm}^2$인 직사각형의 가로의 길이가 x cm일 때, 세로의 길이 y cm

(4) 반지름의 길이가 x cm인 원의 넓이 $y\ \text{cm}^2$

(10종 교과서 공통)

1-2 다음에서 y를 x의 식으로 나타내고, y가 x에 대한 이차함수인 것을 모두 고르시오.

(1) 연속한 두 자연수 x, $x+1$의 곱 y

(2) x각형의 대각선의 개수 y

(3) 한 장에 300원인 색종이 x장을 사고 지불해야 하는 금액 y원

(4) 밑변의 길이가 $(x+1)$ cm, 높이가 4 cm인 삼각형의 넓이 $y\ \text{cm}^2$

유형 02 이차함수가 되는 조건

2-1 함수 $y=ax(x-1)+(x+2)(x-1)$이 x에 대한 이차함수일 때, 다음 중 상수 a의 값이 될 수 없는 것은?

① -2 ② -1 ③ 0
④ 1 ⑤ 2

(천재(류), 동아(박) 유사)

2-2 함수 $y=2x^2-x(ax-2)-5$가 x에 대한 이차함수가 되도록 하는 상수 a의 조건을 구하시오.

유형 03 이차함수의 함숫값

3-1 이차함수 $f(x)=-x^2+5x+a$에 대하여 $f(1)=2$일 때, 상수 a의 값을 구하시오.

(천재(류), 동아 유사)

3-2 이차함수 $f(x)=-3x^2-ax+6$에 대하여 $f(-2)=-10$, $f(1)=b$일 때, ab의 값을 구하시오. (단, a는 상수)

유형 04 이차함수 $y=ax^2$의 그래프에서 미지수 구하기

4-1 이차함수 $y=ax^2$의 그래프가 오른쪽 그림과 같을 때, 상수 a의 값을 구하시오.

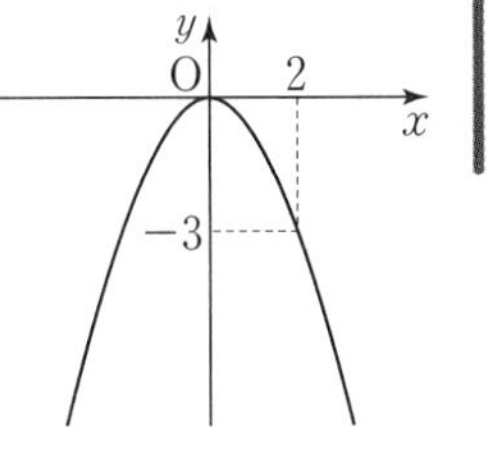

10종 교과서 공통

4-2 이차함수 $y=4x^2$의 그래프는 점 $(1, a)$를 지나고, 이차함수 $y=bx^2$의 그래프와 x축에 서로 대칭이다. 이때 $a-b$의 값을 구하시오.

(단, b는 상수)

유형 05 이차함수 $y=ax^2$의 그래프의 성질

5-1 다음 보기 중 이차함수 $y=ax^2$의 그래프에 대한 설명으로 옳은 것을 모두 고르시오.

보기

㉠ a의 값이 클수록 그래프의 폭이 좁다.
㉡ 이차함수 $y=-ax^2$의 그래프와 x축에 서로 대칭이다.
㉢ $a>0$이면 제1사분면과 제2사분면을 지난다.
㉣ $x>0$일 때, x의 값이 증가하면 y의 값도 증가한다.

10종 교과서 공통

5-2 다음 보기 중 이차함수 $y=-2x^2$의 그래프에 대한 설명으로 옳지 않은 것을 모두 고르시오.

보기

㉠ 이차함수 $y=-\frac{1}{2}x^2$의 그래프와 x축에 서로 대칭이다.
㉡ y축을 축으로 한다.
㉢ 아래로 볼록한 포물선이다.
㉣ $x<0$일 때, x의 값이 증가하면 y의 값도 증가한다.

유형 06 이차함수 $y=ax^2$의 그래프의 폭

6-1 두 이차함수 $y=2x^2$, $y=ax^2$의 그래프가 오른쪽 그림과 같을 때, 상수 a의 값의 범위를 구하시오.

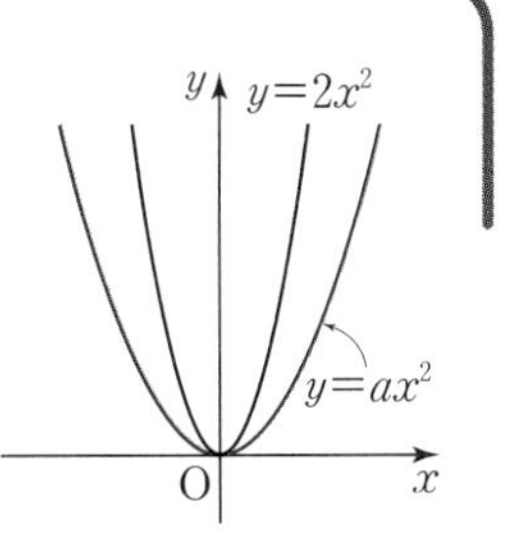

10종 교과서 공통

6-2 세 이차함수 $y=ax^2$, $y=-3x^2$, $y=-\frac{1}{2}x^2$의 그래프가 오른쪽 그림과 같을 때, 상수 a의 값의 범위를 구하시오.

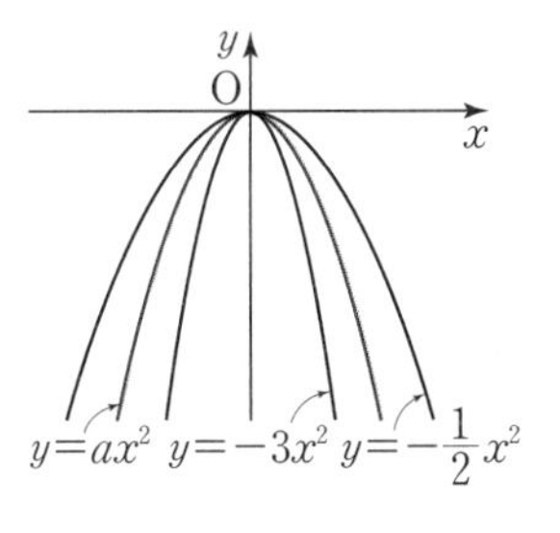

교과서 기본 테스트

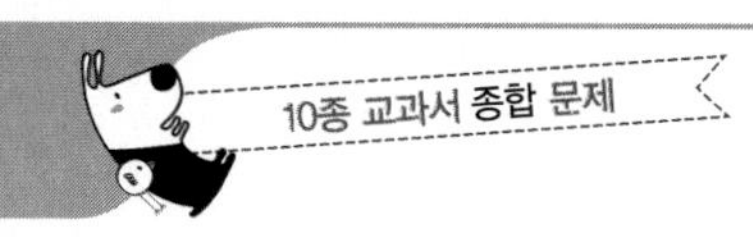

중

01

출제 예상 95%

다음 중 y가 x에 대한 이차함수인 것을 모두 고르면? (정답 2개)

① 반지름의 길이가 x cm인 원의 둘레의 길이 y cm
② 한 변의 길이가 $3x$ cm인 정사각형의 둘레의 길이 y cm
③ 한 모서리의 길이가 x cm인 정육면체의 겉넓이 $y\text{ cm}^2$
④ 가로의 길이가 x cm이고 세로의 길이가 5 cm인 직사각형의 넓이 $y\text{ cm}^2$
⑤ 밑면은 한 변의 길이가 $(x+2)$ cm인 정사각형이고 높이가 9 cm인 사각뿔의 부피 $y\text{ cm}^3$

중

02

출제 예상 95%

다음 보기 중 이차함수가 아닌 것을 모두 고르시오.

보기

㉠ $y=x^2-1$	㉡ $y=3(x-1)+1$
㉢ $y=x(x+2)-x^2$	㉣ $x^2+x-8=5$
㉤ $y=x(3x+2)$	㉥ $y=4x^2-x(x-4)$

중

03

출제 예상 85%

함수 $y=3x^2-kx(x-1)+2$가 x에 대한 이차함수일 때, 다음 중 상수 k의 값이 될 수 없는 것은?

① -3 ② -2 ③ 0
④ 2 ⑤ 3

중

04

출제 예상 90%

이차함수 $f(x)=2x^2+5x-2$에 대하여 $f(2)-2f(-1)$의 값을 구하시오.

중

05

출제 예상 85%

이차함수 $f(x)=x^2+3x+a$에서 $f(-1)=3$일 때, 상수 a의 값을 구하시오.

중하

06

출제 예상 85%

지면으로부터 25 m 높이에 있는 건물의 옥상에서 초속 20 m로 똑바로 위로 던진 공의 x초 후의 높이를 h m라고 하면 $h=-5x^2+20x+25$인 관계가 성립한다. 공을 던진 지 2초 후의 높이를 구하시오.

중
07
출제 예상 90%

다음 중 이차함수 $y=2x^2$의 그래프에 대한 설명으로 옳지 않은 것은?

① y축에 대칭이다.
② 점 $(1,\ 2)$를 지난다.
③ 위로 볼록한 포물선이다.
④ 이차함수 $y=\frac{1}{5}x^2$의 그래프와 꼭짓점이 일치한다.
⑤ 이차함수 $y=6x^2$의 그래프보다 폭이 더 넓다.

중
08
출제 예상 95%

다음 중 이차함수 $y=-\frac{7}{3}x^2$의 그래프에 대한 설명으로 옳지 않은 것을 모두 고르면? (정답 2개)

① 위로 볼록한 포물선이다.
② 원점을 꼭짓점으로 한다.
③ 점 $(3,\ 21)$을 지난다.
④ $y=\frac{7}{3}x^2$의 그래프와 x축에 서로 대칭이다.
⑤ $x<0$일 때, x의 값이 증가하면 y의 값은 감소한다.

중
09
출제 예상 85%

이차함수 $y=5x^2$의 그래프와 x축에 서로 대칭인 그래프가 점 $(-2,\ k)$를 지날 때, k의 값을 구하시오.

중
10
출제 예상 90%

이차함수 $y=ax^2$의 그래프가 두 점 $(2,\ -12)$, $(-3,\ k)$를 지날 때, $a+k$의 값을 구하시오.
(단, a는 상수)

중
11
출제 예상 80%

다음 보기의 이차함수를 그래프의 폭이 넓은 것부터 차례로 나열한 것은?

보기
ㄱ $y=-3x^2$ ㄴ $y=-x^2$ ㄷ $y=2x^2$

① ㄱ, ㄴ, ㄷ ② ㄱ, ㄷ, ㄴ
③ ㄴ, ㄱ, ㄷ ④ ㄴ, ㄷ, ㄱ
⑤ ㄷ, ㄴ, ㄱ

중
12
출제 예상 85%

다음 이차함수의 그래프 중 아래로 볼록하면서 폭이 가장 좁은 것은?

① $y=-3x^2$ ② $y=-\frac{1}{3}x^2$ ③ $y=\frac{1}{4}x^2$
④ $y=x^2$ ⑤ $y=3x^2$

중
13
출제 예상 80%

다음 보기 중 이차함수 $y=ax^2$의 그래프에 대한 설명으로 옳은 것을 모두 고른 것은?

보기
ㄱ x축을 축으로 하는 포물선이다.
ㄴ $y=2ax^2$의 그래프보다 폭이 넓다.
ㄷ $a<0$일 때, x의 값이 증가하면 y의 값은 감소한다.

① ㄴ　② ㄷ　③ ㄱ, ㄴ
④ ㄱ, ㄷ　⑤ ㄴ, ㄷ

중
14
출제 예상 85%

두 이차함수 $y=4x^2$과 $y=-x^2$의 그래프가 오른쪽 그림과 같을 때, 다음 이차함수 중 그 그래프가 색칠한 부분에 있지 않은 것은?

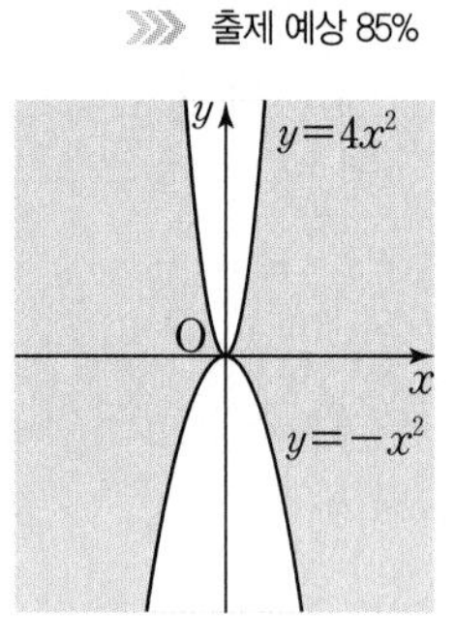

① $y=-3x^2$
② $y=-\frac{1}{3}x^2$
③ $y=-\frac{1}{4}x^2$
④ $y=x^2$
⑤ $y=3x^2$

상
15 까다로운 문제
출제 예상 80%

두 이차함수 $y=2x^2$, $y=\frac{1}{2}x^2$의 그래프가 각각 제1사분면 위의 두 점 A, B를 지난다고 하자. 두 점 A, B의 y좌표가 모두 k이고 $\overline{AB}=1$일 때, 양수 k의 값을 구하시오.

과정을 평가하는 서술형입니다.

중
16
출제 예상 85%

이차함수 $f(x)=x^2-3x+2$에서 $f(a)=2$일 때, 양수 a의 값을 구하시오.

중
17
출제 예상 90%

이차함수 $y=ax^2$의 그래프는 이차함수 $y=-3x^2$의 그래프와 x축에 서로 대칭이고, 점 $(2, b)$를 지난다. 이때 $a+b$의 값을 구하시오. (단, a는 상수)

중
18
출제 예상 85%

네 이차함수 $y=ax^2$, $y=bx^2$, $y=cx^2$, $y=dx^2$의 그래프가 오른쪽 그림과 같을 때, 네 수 a, b, c, d의 대소 관계를 부등호를 사용하여 나타내시오.

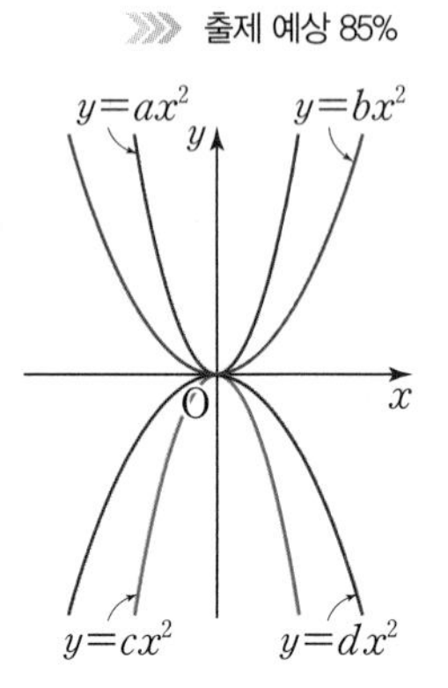

창의력·융합형·서술형·코딩

정답과 해설 50쪽

1

다음 그림과 같은 규칙으로 바둑알을 배열하려고 한다. x단계에서 사용한 바둑돌의 개수를 y라고 할 때, 물음에 답하시오.

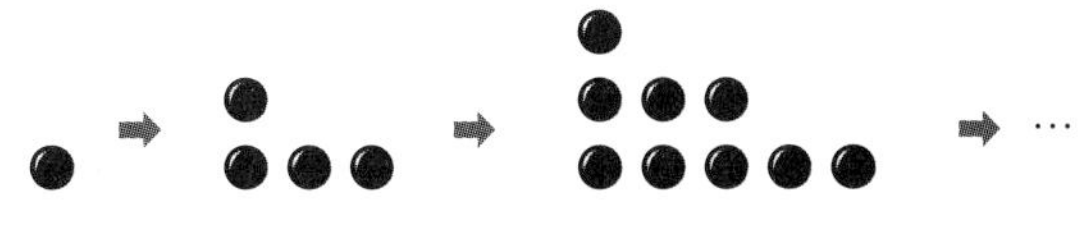

[1단계] [2단계] [3단계]

(1) 다음 표를 완성하시오.

x	1	2	3	4	$\cdots$
y	1				$\cdots$

(2) x와 y 사이의 관계를 식으로 나타내시오.

(3) y가 x에 대한 이차함수인지 말하시오.

2

이차함수 $y=x^2$에 대하여 다음 물음에 답하시오.

(1) 다음 표를 완성하시오.

x	$\cdots$	-2	-1	0	1	2	$\cdots$
y	$\cdots$						$\cdots$

(2) (1)에서 x의 값이 모든 실수가 되도록 하였을 때, 이차함수 $y=x^2$의 그래프를 다음 좌표평면 위에 그리시오.

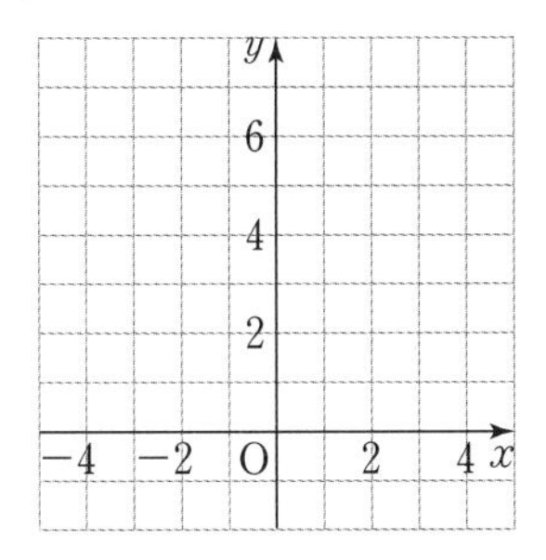

(3) 다음 글을 읽고 괄호 안의 알맞은 것에 ◯표 하시오.

> 이차함수 $y=x^2$의 그래프는 원점을 제외하고는 모두 x축보다 (위쪽, 아래쪽)에 있으므로 함숫값이 음수가 되는 x의 값은 (있다, 없다).

3

운전자가 전방의 위험을 감지하고 브레이크를 밟는 순간부터 자동차가 완전히 멈출 때까지 움직인 거리를 제동 거리라고 한다. 제동 거리는 속력의 제곱에 정비례하고 자동차의 속력 x km/h와 제동 거리 y m 사이에 다음 표와 같은 관계가 있다고 할 때, 물음에 답하시오.

x	8	16	24	32	$\cdots$
y	0.5	2	4.5	8	$\cdots$

(1) x와 y 사이의 관계를 식으로 나타내시오.

(2) (1)의 결과를 이용하여 달리는 자동차의 속력을 2배로 올리면 제동 거리는 몇 배로 늘어나는지 구하시오.

4

다음 그림과 같이 이차함수 $y=ax^2$의 그래프 위에 네 점 A, B, C, D가 있다. A$(-2, 2)$, B$(2, 2)$이고, 선분 AB에 평행한 선분 CD의 길이가 8일 때, 사다리꼴 ABCD의 넓이를 구하시오.

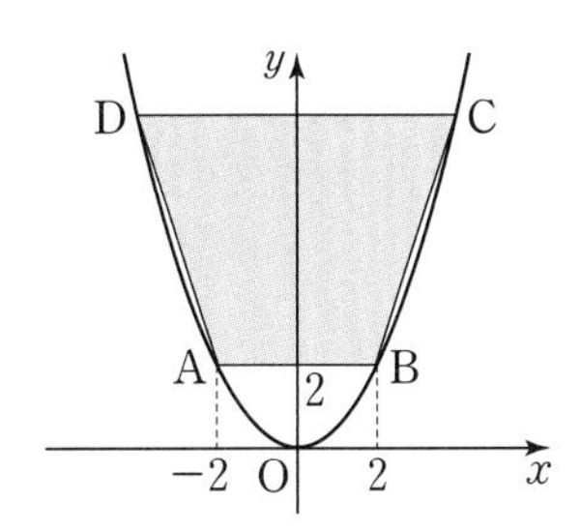

이차함수 $y=ax^2+q$, $y=a(x-p)^2$의 그래프

개념 01 이차함수 $y=ax^2+q$의 그래프

이차함수 $y=ax^2+q$의 그래프는

(1) 이차함수 $y=ax^2$의 그래프를 y축의 방향으로 q만큼 평행이동한 것이다.

① $q>0$이면
y축의 양의 방향으로 평행이동

② $q<0$이면
y축의 음의 방향으로 평행이동

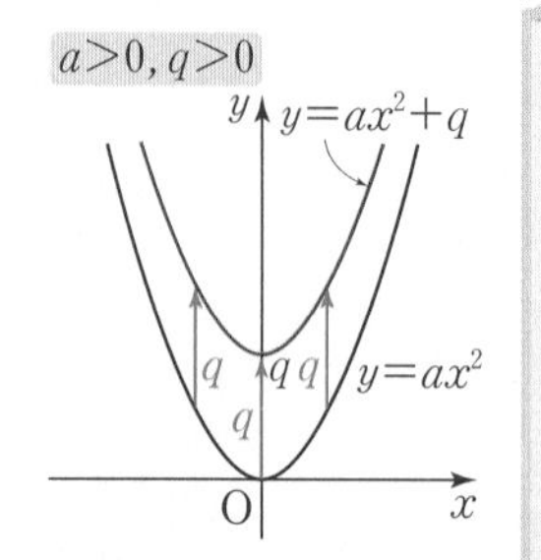

(2) 꼭짓점의 좌표 $(0,$ ❶ $)$

(3) 축의 방정식 $x=0$ (y축)

예 $y=-x^2+2$의 그래프는 $y=-x^2$의 그래프를 y축의 방향으로 2만큼 평행이동한 것이다.
① 꼭짓점의 좌표 : $(0, 2)$
② 축의 방정식 : $x=0$

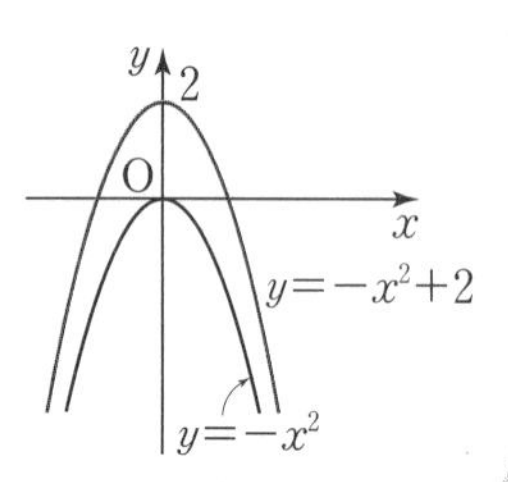

답 | ❶ q

QUIZ

다음은 이차함수 $y=ax^2+q$의 그래프에 대한 설명이다. □ 안에 알맞은 것을 써넣으시오.

(1) 이차함수 $y=ax^2$의 그래프를 □축의 방향으로 □만큼 평행이동한 것이다.

(2) 점 $(0,$ □$)$를 꼭짓점으로 하고, □축을 축으로 하는 포물선이다.

정답 |
(1) y, q (2) q, y

개념 02 이차함수 $y=a(x-p)^2$의 그래프

이차함수 $y=a(x-p)^2$의 그래프는

(1) 이차함수 $y=ax^2$의 그래프를 x축의 방향으로 p만큼 평행이동한 것이다.

① $p>0$이면
x축의 양의 방향으로 평행이동

② $p<0$이면
x축의 음의 방향으로 평행이동

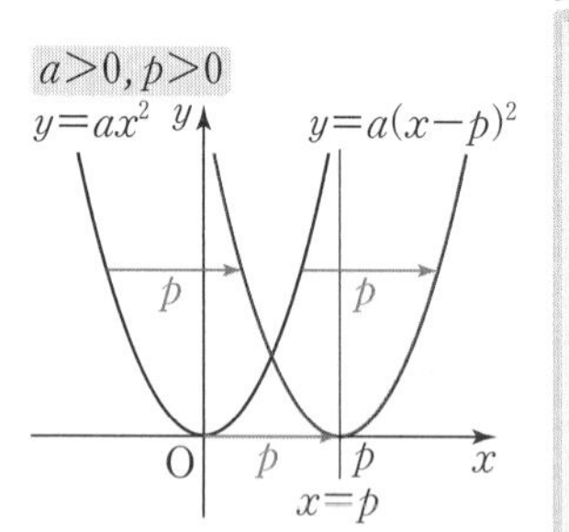

(2) 꼭짓점의 좌표 $($ ❶ $, 0)$

(3) 축의 방정식 $x=$ ❷

예 $y=-3(x+2)^2$의 그래프는 $y=-3x^2$의 그래프를 x축의 방향으로 -2만큼 평행이동한 것이다.
① 꼭짓점의 좌표 : $(-2, 0)$
② 축의 방정식 : $x=-2$

답 | ❶ p ❷ p

QUIZ

다음은 이차함수 $y=a(x-p)^2$의 그래프에 대한 설명이다. □ 안에 알맞은 것을 써넣으시오.

(1) 이차함수 $y=ax^2$의 그래프를 □축의 방향으로 □만큼 평행이동한 것이다.

(2) 점 $($□$, 0)$을 꼭짓점으로 하고, 직선 □를 축으로 하는 포물선이다.

정답 |
(1) x, p (2) p, $x=p$

교과서 개념 확인 테스트

정답과 해설 50쪽

01 이차함수 $y=ax^2+q$의 그래프 (1) 개념01

1-1 다음 이차함수의 그래프는 이차함수 $y=3x^2$의 그래프를 y축의 방향으로 얼마만큼 평행이동한 것인지 구하시오.

(1) $y=3x^2+2$　　(2) $y=3x^2-4$

1-2 다음 이차함수의 그래프는 이차함수 $y=5x^2$의 그래프를 y축의 방향으로 얼마만큼 평행이동한 것인지 구하시오.

(1) $y=5x^2+4$　　(2) $y=5x^2-3$

02 이차함수 $y=ax^2+q$의 그래프 (2) 개념01

2-1 다음 이차함수의 그래프를 y축의 방향으로 [ ] 안의 수만큼 평행이동한 그래프를 나타내는 이차함수의 식과 꼭짓점의 좌표를 각각 구하시오.

(1) $y=6x^2$ [4]　　(2) $y=-\frac{2}{5}x^2$ [-2]

2-2 다음 이차함수의 그래프를 y축의 방향으로 [ ] 안의 수만큼 평행이동한 그래프를 나타내는 이차함수의 식과 꼭짓점의 좌표를 각각 구하시오.

(1) $y=2x^2$ [-3]　　(2) $y=-\frac{1}{3}x^2$ [1]

03 이차함수 $y=ax^2+q$의 그래프 그리기 개념01

3-1 이차함수 $y=2x^2$의 그래프를 이용하여 다음 이차함수의 그래프를 그리고, 축의 방정식과 꼭짓점의 좌표를 각각 구하시오.

(1) $y=2x^2+2$

(2) $y=2x^2-1$

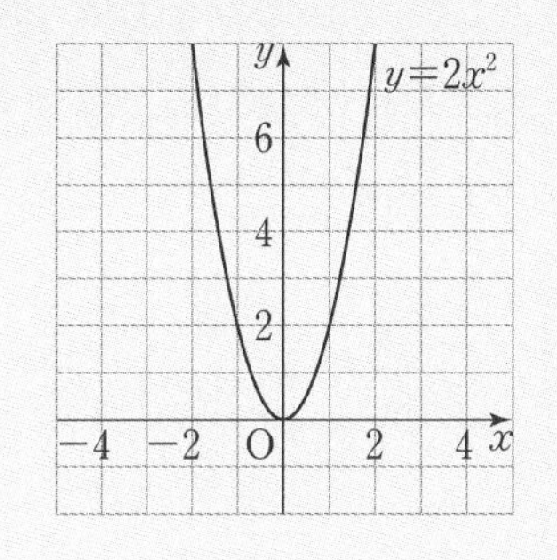

3-2 이차함수 $y=-2x^2$의 그래프를 이용하여 다음 이차함수의 그래프를 그리고, 축의 방정식과 꼭짓점의 좌표를 각각 구하시오.

(1) $y=-2x^2-1$

(2) $y=-2x^2+2$

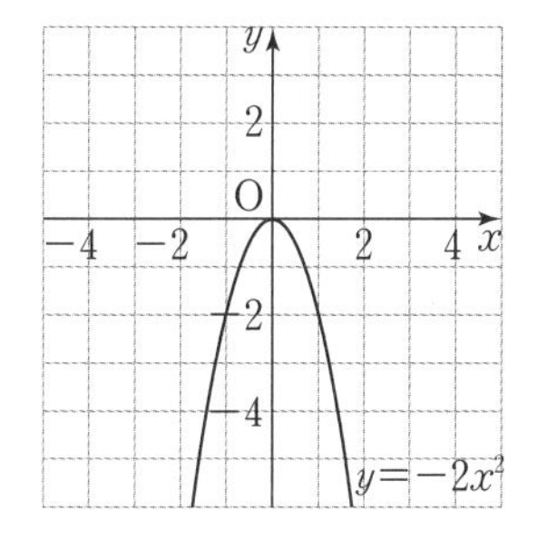

정답과 해설 50쪽

04 이차함수 $y=a(x-p)^2$의 그래프 (1) 개념 02

4-1 다음 이차함수의 그래프는 이차함수 $y=-3x^2$의 그래프를 x축의 방향으로 얼마만큼 평행이동한 것인지 구하시오.

(1) $y=-3(x+5)^2$ (2) $y=-3\left(x-\frac{4}{3}\right)^2$

4-2 다음 이차함수의 그래프는 이차함수 $y=5x^2$의 그래프를 x축의 방향으로 얼마만큼 평행이동한 것인지 구하시오.

(1) $y=5(x-1)^2$ (2) $y=5(x+2)^2$

05 이차함수 $y=a(x-p)^2$의 그래프 (2) 개념 02

5-1 다음 이차함수의 그래프를 x축의 방향으로 [ ] 안의 수만큼 평행이동한 그래프가 나타내는 이차함수의 식과 꼭짓점의 좌표를 각각 구하시오.

(1) $y=\frac{1}{3}x^2$ [-2] (2) $y=-x^2$ [3]

5-2 다음 이차함수의 그래프를 x축의 방향으로 [ ] 안의 수만큼 평행이동한 그래프가 나타내는 이차함수의 식과 꼭짓점의 좌표를 각각 구하시오.

(1) $y=-2x^2$ [4] (2) $y=\frac{3}{2}x^2$ [-1]

06 이차함수 $y=a(x-p)^2$의 그래프 그리기 개념 02

6-1 이차함수 $y=\frac{1}{2}x^2$의 그래프를 이용하여 다음 이차함수의 그래프를 그리고, 축의 방정식과 꼭짓점의 좌표를 각각 구하시오.

(1) $y=\frac{1}{2}(x-1)^2$

(2) $y=\frac{1}{2}(x+2)^2$

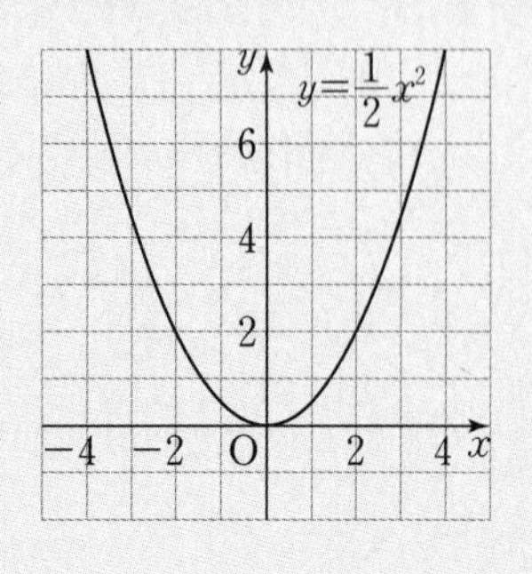

6-2 이차함수 $y=-2x^2$의 그래프를 이용하여 다음 이차함수의 그래프를 그리고, 축의 방정식과 꼭짓점의 좌표를 각각 구하시오.

(1) $y=-2(x-2)^2$

(2) $y=-2(x+1)^2$

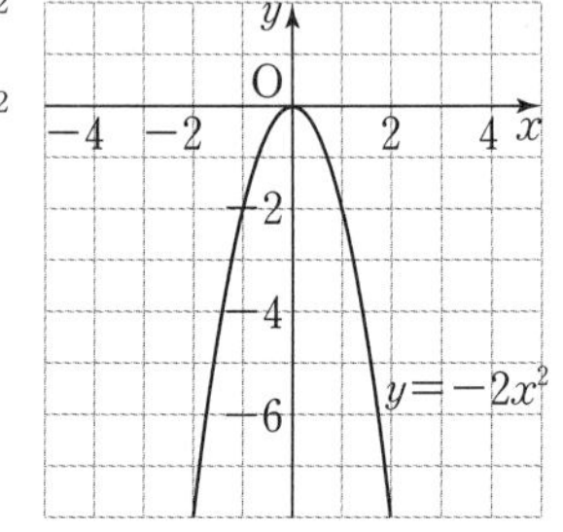

기출 기초 테스트

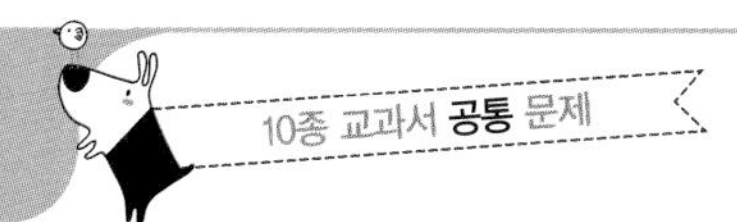

정답과 해설 51쪽

유형 01 이차함수 $y=ax^2+q$의 그래프 위의 점

1-1 이차함수 $y=-4x^2$의 그래프를 y축의 방향으로 3만큼 평행이동하면 점 $(1,\ k)$를 지날 때, k의 값을 구하시오.

(10종 교과서 공통)

1-2 이차함수 $y=3x^2$의 그래프를 y축의 방향으로 -1만큼 평행이동한 그래프가 점 $(-2,\ k)$를 지날 때, k의 값을 구하시오.

유형 02 이차함수 $y=ax^2+q$의 그래프의 평행이동

2-1 이차함수 $y=ax^2+2$의 그래프를 y축의 방향으로 q만큼 평행이동하였더니 이차함수 $y=2x^2-3$의 그래프와 일치하였다. 이때 $a+q$의 값을 구하시오. (단, a는 상수)

✓ $y=ax^2+q$의 그래프를 y축의 방향으로 n만큼 평행이동한 그래프를 나타내는 이차함수의 식 ➡ $y=ax^2+q+n$

(10종 교과서 공통)

2-2 이차함수 $y=-2x^2+q$의 그래프를 y축의 방향으로 3만큼 평행이동하면 꼭짓점의 좌표가 $(0,\ -1)$이 될 때, 상수 q의 값을 구하시오.

유형 03 이차함수 $y=ax^2+q$의 그래프의 성질

3-1 다음 중 이차함수 $y=-3x^2+4$의 그래프에 대한 설명으로 옳지 않은 것은?

① 축의 방정식은 $x=0$이다.
② 꼭짓점의 좌표는 $(0,\ 4)$이다.
③ 위로 볼록한 포물선이다.
④ 모든 사분면을 지난다.
⑤ $y=-3x^2$의 그래프를 y축의 방향으로 -4만큼 평행이동한 것이다.

(10종 교과서 공통)

3-2 다음 중 이차함수 $y=2x^2+1$의 그래프에 대한 설명으로 옳은 것을 모두 고르면? (정답 2개)

① y축에 대칭이다.
② 제3사분면을 지난다.
③ x축보다 항상 위에 있다.
④ 위로 볼록한 포물선이다.
⑤ $y=\frac{1}{2}x^2$의 그래프와 x축에 서로 대칭이다.

정답과 해설 51쪽

유형 04 이차함수 $y=a(x-p)^2$의 그래프 위의 점

4-1 이차함수 $y=\frac{1}{3}x^2$의 그래프를 x축의 방향으로 3만큼 평행이동하면 점 $(1, k)$를 지날 때, k의 값을 구하시오.

천재(류), 동아(박) 유사

4-2 이차함수 $y=-2x^2$의 그래프를 x축의 방향으로 -5만큼 평행이동하면 점 $(-4, a)$를 지난다. 이때 a의 값을 구하시오.

유형 05 이차함수 $y=a(x-p)^2$의 그래프의 평행이동

5-1 이차함수 $y=-4(x+3)^2$의 그래프를 x축의 방향으로 p만큼 평행이동하면 $y=-4x^2$의 그래프와 일치할 때, p의 값을 구하시오.

✓ $y=a(x-p)^2$의 그래프를 x축의 방향으로 m만큼 평행이동한 그래프를 나타내는 이차함수의 식 ➡ $y=a(x-m-p)^2$

천재(류) 유사

5-2 이차함수 $y=2(x-1)^2$의 그래프를 x축의 방향으로 p만큼 평행이동한 그래프의 꼭짓점의 좌표가 $(3, 0)$일 때, p의 값을 구하시오.

유형 06 이차함수 $y=a(x-p)^2$의 그래프의 성질

6-1 다음 중 이차함수 $y=-(x-1)^2$의 그래프에 대한 설명으로 옳은 것을 모두 고르면? (정답 2개)

① 위로 볼록한 포물선이다.
② 꼭짓점의 좌표는 $(-1, 0)$이다.
③ 축의 방정식은 $x=-1$이다.
④ y축과 만나는 점의 좌표는 $(0, -1)$이다.
⑤ $y=-x^2$의 그래프를 y축의 방향으로 1만큼 평행이동한 것이다.

10종 교과서 공통

6-2 다음 중 이차함수 $y=2(x+3)^2$의 그래프에 대한 설명으로 옳은 것은?

① 점 $(0, 0)$을 지난다.
② 축의 방정식은 $x=3$이다.
③ 꼭짓점의 좌표는 $(3, 0)$이다.
④ $y=2x^2$의 그래프를 x축의 방향으로 3만큼 평행이동한 것이다.
⑤ $x>-3$일 때, x의 값이 증가하면 y의 값도 증가한다.

교과서 기본 테스트

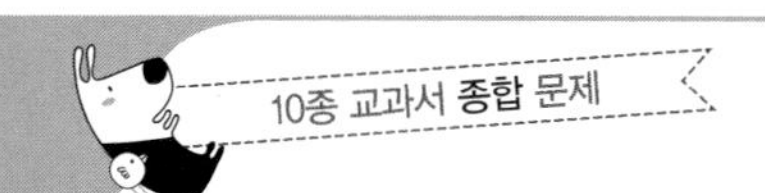

정답과 해설 52쪽

하

01

출제 예상 95%

이차함수 $y=-\frac{1}{3}x^2$의 그래프를 y축의 방향으로 -6 만큼 평행이동한 그래프의 식은?

① $y=-\frac{1}{3}x^2-6$
② $y=-\frac{1}{3}x^2+6$
③ $y=-\frac{1}{3}(x-6)^2$
④ $y=-\frac{1}{3}(x+6)^2$
⑤ $y=\frac{1}{3}(x-6)^2$

중하

02

출제 예상 95%

이차함수 $y=\frac{1}{5}x^2$의 그래프를 y축의 방향으로 a만큼 평행이동하면 점 $(5,\ 2)$를 지난다고 할 때, a의 값을 구하시오.

중

03

출제 예상 85%

이차함수 $y=ax^2$의 그래프를 y축의 방향으로 2만큼 평행이동한 그래프가 두 점 $(-1,\ 6)$, $(2,\ b)$를 지날 때, $b-a$의 값을 구하시오. (단, a는 상수)

중

04

출제 예상 85%

이차함수 $y=x^2+q$의 그래프가 점 $(-1,\ 5)$를 지날 때, 다음 중 이차함수 $y=qx^2$의 그래프 위에 있는 점은? (단, q는 상수)

① $(-1,\ 1)$
② $\left(-\frac{1}{2},\ -1\right)$
③ $(0,\ 4)$
④ $\left(\frac{1}{2},\ 2\right)$
⑤ $(1,\ 4)$

중

05

출제 예상 85%

이차함수 $y=5x^2-3$의 그래프를 y축의 방향으로 k만큼 평행이동하였더니 이차함수 $y=ax^2+4$의 그래프와 일치하였다. 이때 $a+k$의 값을 구하시오.
(단, a는 상수)

중

06

출제 예상 90%

다음 중 이차함수 $y=-x^2-\frac{1}{2}$의 그래프에 대한 설명으로 옳지 않은 것은?

① $y=-x^2$의 그래프를 y축 방향으로 $-\frac{1}{2}$만큼 평행이동한 것이다.
② 꼭짓점의 좌표는 $\left(0,\ -\frac{1}{2}\right)$이다.
③ 축의 방정식은 $y=0$이다.
④ 점 $\left(-1,\ -\frac{3}{2}\right)$을 지난다.
⑤ y축에 대칭인 그래프이다.

중하

07

출제 예상 90%

다음 중 이차함수 $y=2(x+1)^2$의 그래프는?

①
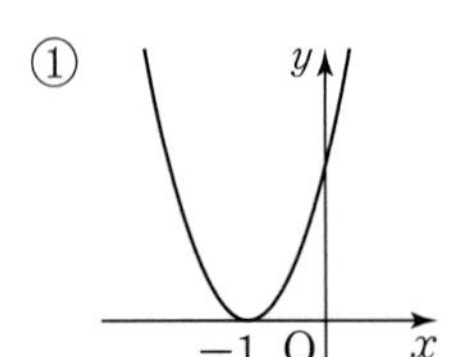

②
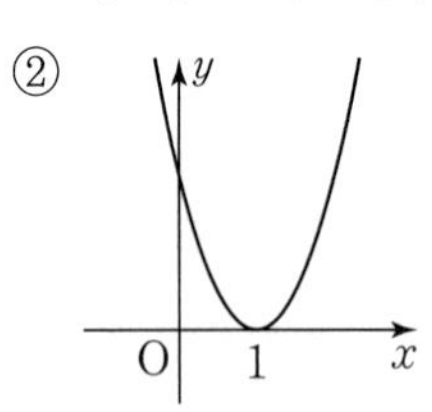

③
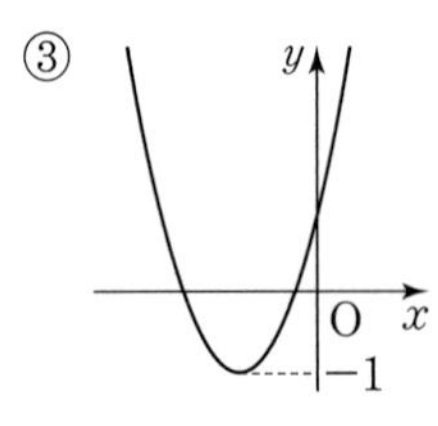

④
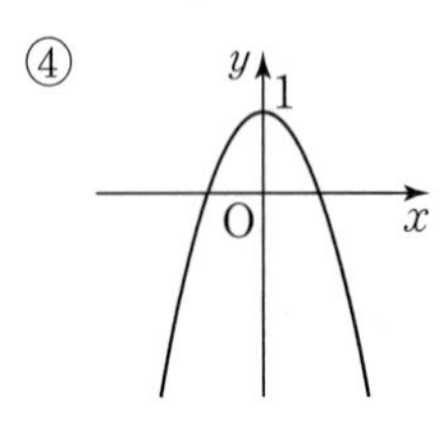

⑤
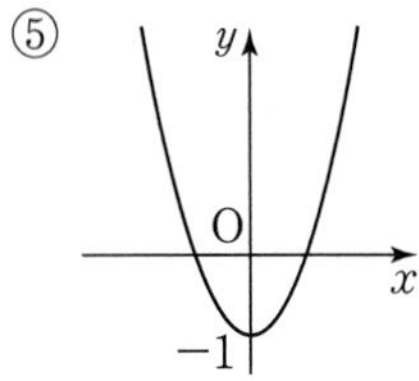

중하

08

출제 예상 90%

이차함수 $y=ax^2$의 그래프를 x축의 방향으로 -3만큼 평행이동하면 점 $(-2,\ 3)$을 지난다고 할 때, 상수 a의 값을 구하시오.

중

09

출제 예상 85%

이차함수 $y=a(x-p)^2$의 그래프는 꼭짓점의 좌표가 $(-1,\ 0)$이고, y축과 만나는 점의 좌표가 $(0,\ 2)$이다. 이때 $a-p$의 값을 구하시오. (단, a, p는 상수)

상중

10 까다로운 문제

출제 예상 80%

이차함수 $y=a(x+p)^2$의 그래프는 이차함수 $y=-3x^2$의 그래프를 평행이동한 것이고, 꼭짓점의 좌표가 $(2,\ r)$이다. 이때 $a-p+r$의 값을 구하시오.

(단, a, p는 상수)

중

11

출제 예상 85%

이차함수 $y=-(x+1)^2$의 그래프에서 x의 값이 증가할 때 y의 값도 증가하는 x의 값의 범위는?

① $x<-1$ ② $x>-1$ ③ $x<0$
④ $x<1$ ⑤ $x>1$

중

12

출제 예상 85%

이차함수 $y=-4x^2$의 그래프를 x축의 방향으로 3만큼 평행이동한 그래프가 y축과 만나는 점의 좌표가 $(a,\ b)$일 때, $a+b$의 값을 구하시오.

중

13

출제 예상 90%

다음 중 이차함수 $y=-\frac{3}{5}(x+2)^2$의 그래프에 대한 설명으로 옳지 않은 것은?

① 위로 볼록한 포물선이다.

② 축의 방정식은 $x=-2$이다.

③ 꼭짓점의 좌표는 $(-2,\ 0)$이다.

④ $y=\frac{3}{5}x^2$의 그래프와 폭이 같다.

⑤ $x>-2$일 때, x의 값이 증가하면 y의 값도 증가한다.

중하

14

출제 예상 85%

오른쪽 그림은 이차함수 $y=\frac{1}{2}x^2$의 그래프를 x축의 방향으로 평행이동한 그래프이다. 이 그래프의 식을 구하시오.

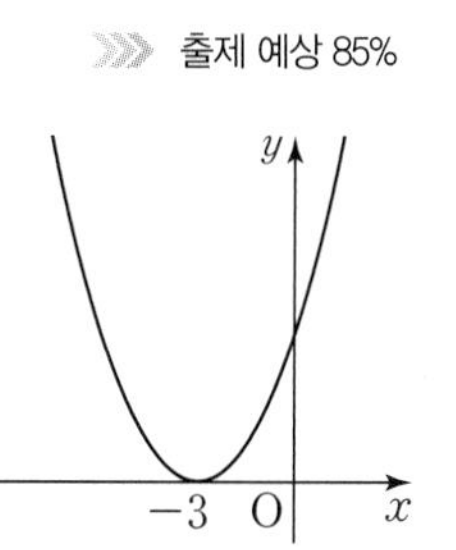

중

15

출제 예상 80%

다음 중 두 이차함수 $y=3x^2-2$와 $y=3(x+1)^2$의 그래프에 대한 설명으로 옳지 않은 것을 모두 고르면? (정답 2개)

① 그래프의 축이 같다.

② 그래프의 폭이 같다.

③ 꼭짓점의 좌표가 같다.

④ 두 그래프 모두 $y=2x^2$의 그래프보다 폭이 좁다.

⑤ 두 그래프 모두 $y=3x^2$의 그래프를 평행이동한 것이다.

과정을 평가하는 서술형입니다.

중

16

출제 예상 95%

다음 이차함수의 그래프의 축의 방정식과 꼭짓점의 좌표를 평행이동을 이용하여 각각 구하시오.

(1) $y=\frac{1}{4}x^2-3$

(2) $y=5(x+4)^2$

중

17

출제 예상 85%

이차함수 $y=ax^2+q$의 그래프가 오른쪽 그림과 같을 때, $a-q$의 값을 구하시오. (단, a, q는 상수)

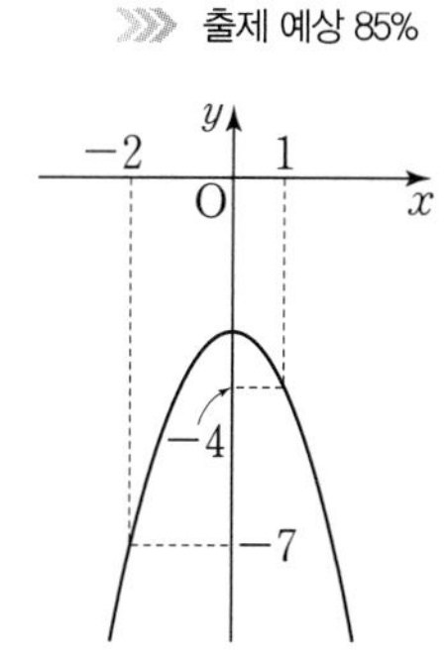

중

18

출제 예상 85%

오른쪽 그림은 이차함수 $y=ax^2$의 그래프를 평행이동한 그래프이다. 이 그래프가 점 $(9,\ k)$를 지날 때, k의 값을 구하시오. (단, a는 상수)

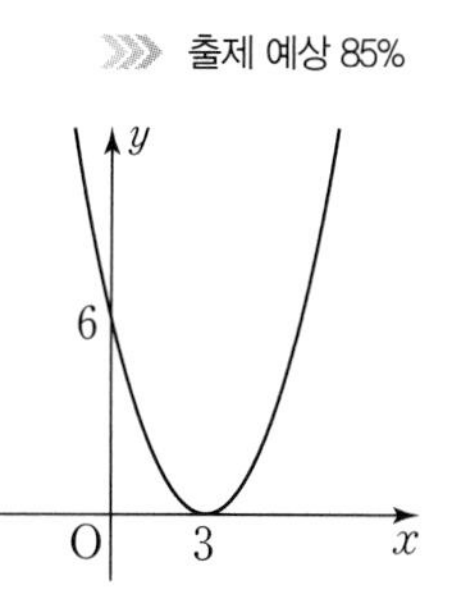

12 이차함수 $y=a(x-p)^2+q$ 의 그래프

개념 01 이차함수 $y=a(x-p)^2+q$의 그래프

이차함수 $y=a(x-p)^2+q$의 그래프는

(1) 이차함수 $y=ax^2$의 그래프를 x축의 방향으로 p만큼, y축의 방향으로 q만큼 평행이동한 것이다.

(2) 꼭짓점의 좌표 : (p, q)

(3) 축의 방정식 : $x=$ ❶

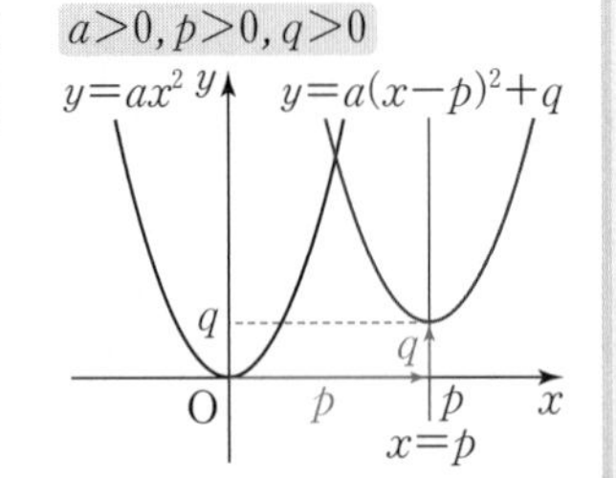

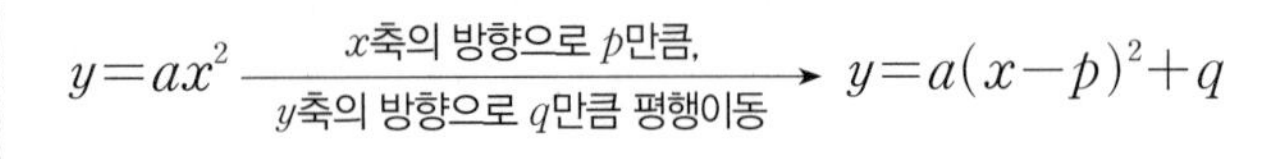

참고 ① x^2의 계수 a는 변하지 않으므로 그래프의 모양과 폭은 변하지 않는다.
② 그래프의 증가, 감소는 축의 방정식 $x=p$를 기준으로 바뀐다.

예 $y=-2(x+3)^2-1$의 그래프는 $y=-2x^2$의 그래프를 x축의 방향으로 -3만큼, y축의 방향으로 -1만큼 평행이동한 것이다.
① 꼭짓점의 좌표 : $(-3, -1)$
② 축의 방정식 : $x=-3$

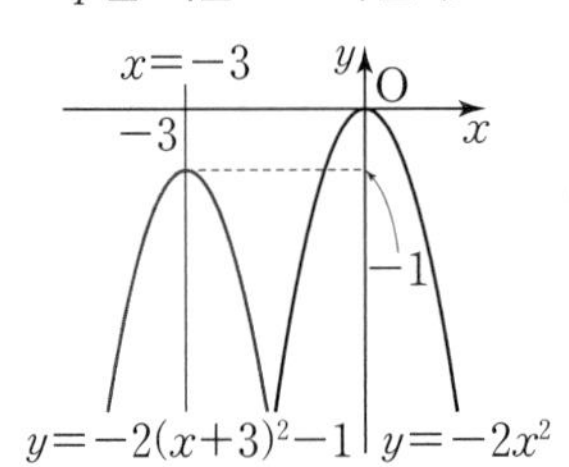

답 | ❶ p

QUIZ

다음은 이차함수 $y=a(x-p)^2+q$의 그래프에 대한 설명이다. □ 안에 알맞은 것을 써넣으시오. (단, a, p, q는 상수)

(1) 이차함수 $y=ax^2$의 그래프를 x축의 방향으로 □만큼, y축의 방향으로 □만큼 평행이동한 것이다.

(2) 점 (□, □)를 꼭짓점으로 하고, 직선 $x=$□를 축으로 하는 포물선이다.

정답 |
(1) p, q (2) p, q, p

개념 02 이차함수 $y=a(x-p)^2+q$의 그래프에서 a, p, q의 부호

(1) **a의 부호** 그래프의 모양으로 결정한다.
① 아래로 볼록 ➡ $a>0$
② 위로 볼록 ➡ a ❶ 0

(2) **p, q의 부호** 꼭짓점 (p, q)가 제몇 사분면에 있는지 확인하여 결정한다.

제1사분면	제2사분면	제3사분면	제4사분면
$p>0, q>0$	$p<0, q>0$	$p<0, q<0$	$p>0, q<0$

예 오른쪽 그림의 $y=a(x-p)^2+q$의 그래프에서
① 그래프가 위로 볼록한 포물선이므로
$a<0$
② 그래프의 꼭짓점이 제2사분면에 있으므로
$p<0, q>0$

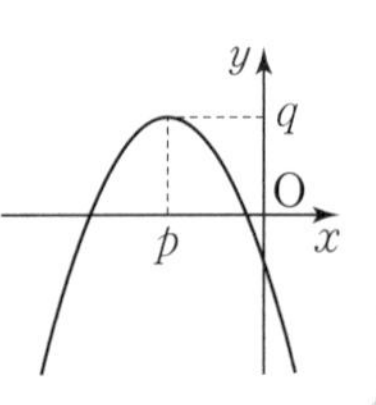

답 | ❶ $<$

QUIZ

다음은 이차함수 $y=a(x-p)^2+q$의 그래프에 대한 설명이다. □ 안에 $>$, $<$ 중 알맞은 것을 써넣으시오.

(1) 아래로 볼록하면 a□0이고,
위로 볼록하면 a□0이다.

(2) 꼭짓점이 제1사분면에 있으면 p□0, q□0이다.

정답 |
(1) $>$, $<$ (2) $>$, $>$

Plus 개념 이차함수의 그래프

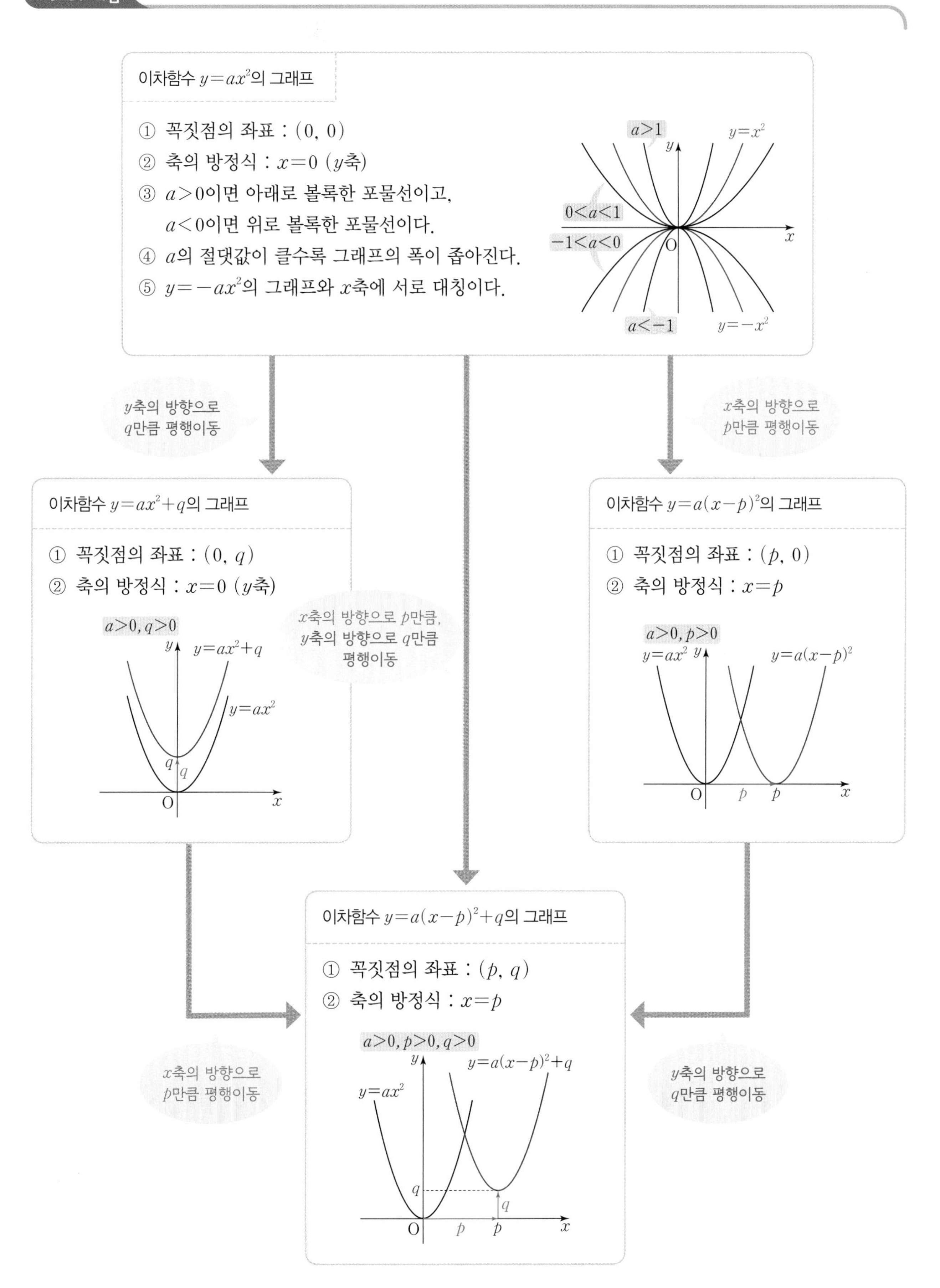

STEP 1

교과서 개념 확인 테스트

정답과 해설 54쪽

01 이차함수 $y=a(x-p)^2+q$의 그래프 (1) 개념 01

1-1 다음 이차함수의 그래프는 이차함수 $y=-2x^2$의 그래프를 x축과 y축의 방향으로 각각 얼마만큼 평행이동한 것인지 구하시오.

(1) $y=-2(x+1)^2+3$

(2) $y=-2(x-5)^2+2$

1-2 다음 이차함수의 그래프는 이차함수 $y=3x^2$의 그래프를 x축과 y축의 방향으로 각각 얼마만큼 평행이동한 것인지 구하시오.

(1) $y=3(x+4)^2-5$

(2) $y=3(x-2)^2-1$

02 이차함수 $y=a(x-p)^2+q$의 그래프 (2) 개념 01

2-1 다음 이차함수의 그래프를 x축과 y축의 방향으로 [ ] 안의 수만큼 차례로 평행이동한 그래프를 나타내는 이차함수의 식을 구하시오.

(1) $y=2x^2$ [−1, 4]

(2) $y=-\frac{2}{3}x^2$ [2, −5]

2-2 다음 이차함수의 그래프를 x축과 y축의 방향으로 [ ] 안의 수만큼 차례로 평행이동한 그래프를 나타내는 이차함수의 식을 구하시오.

(1) $y=\frac{3}{2}x^2$ [1, 2]

(2) $y=5x^2$ [3, −1]

03 이차함수 $y=a(x-p)^2+q$의 그래프 그리기 개념 01

3-1 이차함수 $y=-\frac{1}{3}x^2$의 그래프를 이용하여 다음 이차함수의 그래프를 그리고, 축의 방정식과 꼭짓점의 좌표를 각각 구하시오.

(1) $y=-\frac{1}{3}(x-1)^2+2$

(2) $y=-\frac{1}{3}(x+1)^2-3$

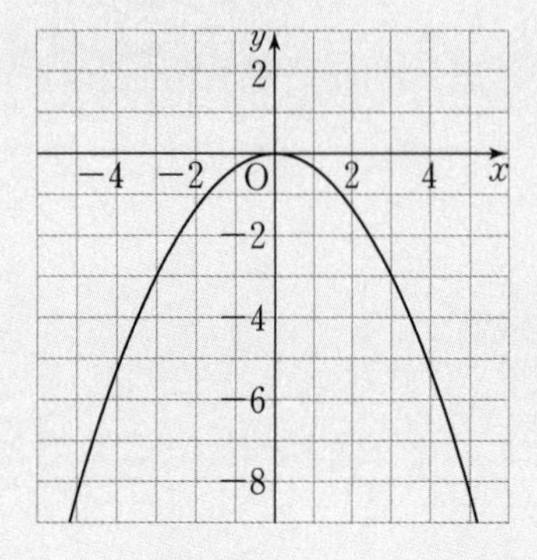

3-2 이차함수 $y=\frac{1}{2}x^2$의 그래프를 이용하여 다음 이차함수의 그래프를 그리고, 축의 방정식과 꼭짓점의 좌표를 각각 구하시오.

(1) $y=\frac{1}{2}(x-2)^2+1$

(2) $y=\frac{1}{2}(x+3)^2-1$

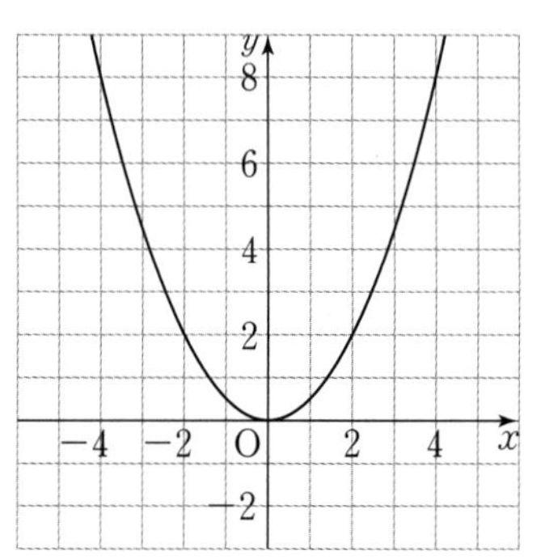

1. 다음 이차함수의 그래프의 축의 방정식, 꼭짓점의 좌표, y축과의 교점의 좌표를 차례로 구하고, 그 그래프를 아래 순서에 따라 그리시오.

> 이차함수 $y=a(x-p)^2+q$의 그래프는 다음 순서에 따라 그린다.
> ❶ a의 부호에 따라 그래프의 모양을 결정한다.
> ➡ $a>0$이면 아래로 볼록, $a<0$이면 위로 볼록
> ❷ 꼭짓점 (p, q)를 나타낸다.
> ❸ y축과의 교점을 나타낸다.
> ➡ 이차함수의 식에 $x=0$을 대입하여 y축과의 교점의 좌표를 구한다.
> ❹ 축 $x=p$에 대칭이 되도록 ❶의 모양에 맞는 포물선을 그린다.

(1) $y=(x+1)^2-3$

① 축의 방정식

② 꼭짓점의 좌표

③ y축과의 교점의 좌표

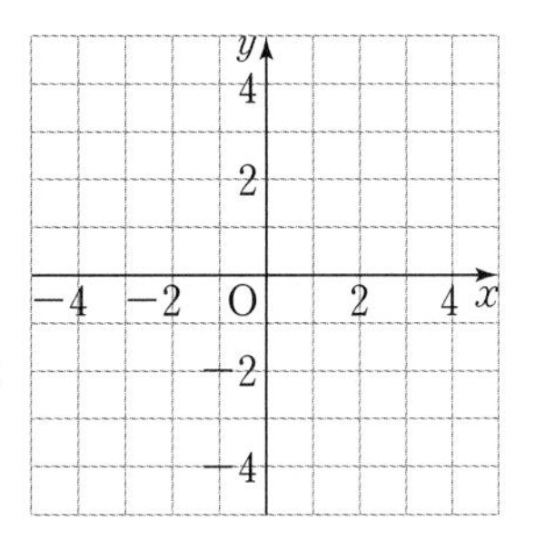

(2) $y=3(x-1)^2+2$

① 축의 방정식

② 꼭짓점의 좌표

③ y축과의 교점의 좌표

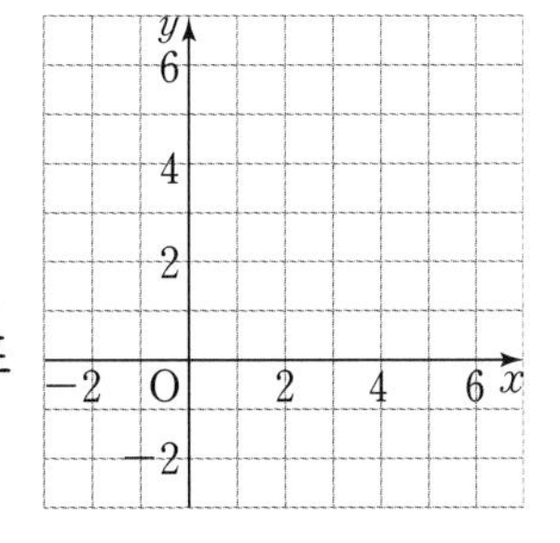

(3) $y=-\frac{1}{2}(x-2)^2-1$

① 축의 방정식

② 꼭짓점의 좌표

③ y축과의 교점의 좌표

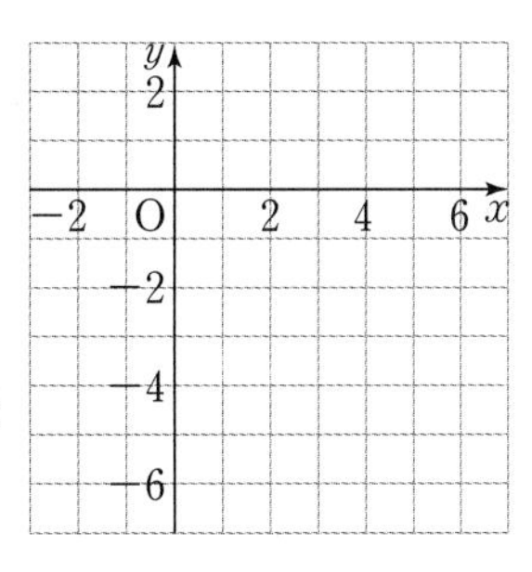

2. 이차함수 $y=a(x-p)^2+q$의 그래프가 다음 그림과 같을 때, 상수 a, p, q의 부호를 정하시오.

(1)

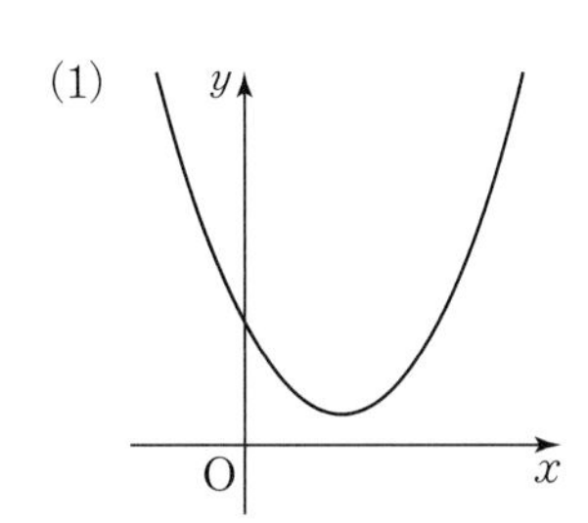

(2)

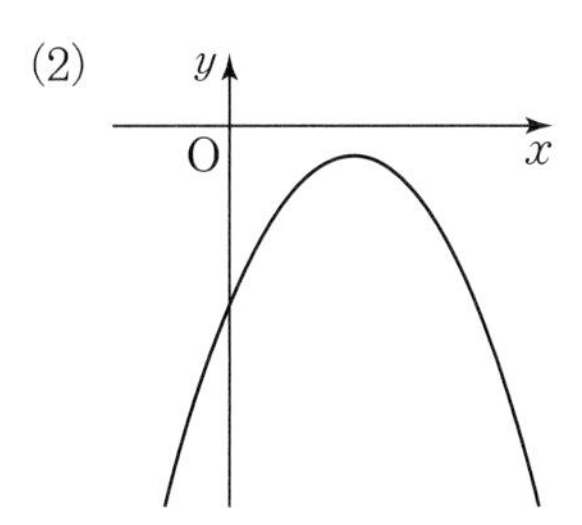

(3)

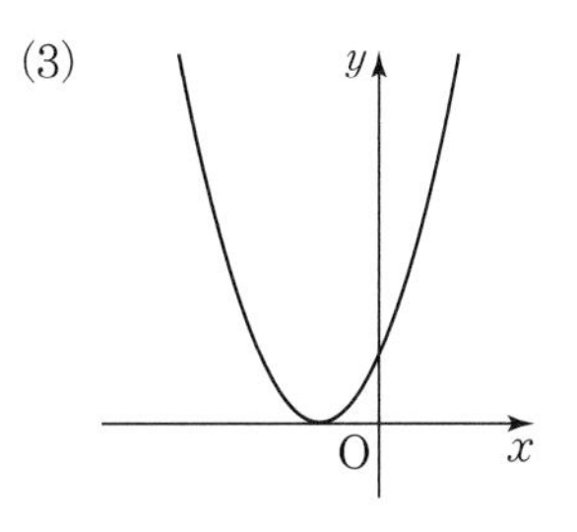

(4)

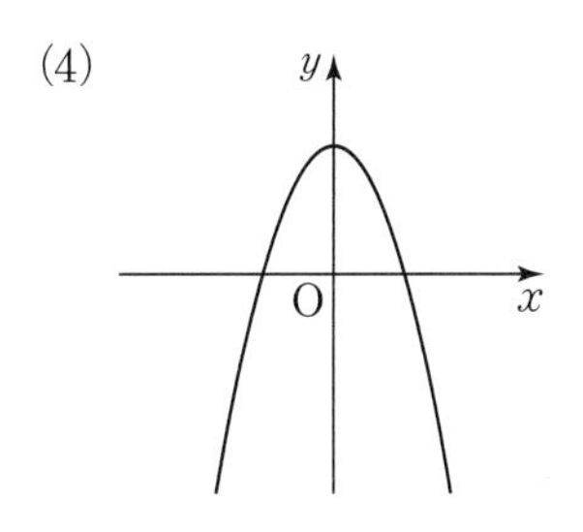

기출 기초 테스트

10종 교과서 공통 문제

유형 01 이차함수 $y=a(x-p)^2+q$의 그래프 위의 점

10종 교과서 공통

1-1 이차함수 $y=3x^2$의 그래프를 x축의 방향으로 2만큼, y축의 방향으로 5만큼 평행이동하면 점 $(3,\ k)$를 지난다. 이때 k의 값을 구하시오.

1-2 이차함수 $y=-x^2$의 그래프를 x축의 방향으로 1만큼, y축의 방향으로 -2만큼 평행이동하면 두 점 $(2,\ a)$, $(b,\ -3)$을 지난다. 이때 ab의 값을 구하시오. (단, $b>0$)

유형 02 이차함수 $y=a(x-p)^2+q$의 그래프 그리기

10종 교과서 공통

2-1 이차함수 $y=-2(x+2)^2+6$의 그래프가 지나지 않는 사분면은?

① 제1사분면 ② 제2사분면
③ 제3사분면 ④ 제4사분면
⑤ 제1, 2사분면

2-2 다음 이차함수의 그래프 중 제1, 2사분면만을 지나는 것은?

① $y=-x^2$ ② $y=-(x-3)^2$
③ $y=x^2-2$ ④ $y=(x+2)^2+1$
⑤ $y=(x-1)^2-5$

유형 03 이차함수 $y=a(x-p)^2+q$의 그래프의 성질

10종 교과서 공통

3-1 다음 중 이차함수 $y=-(x-3)^2+5$의 그래프에 대한 설명으로 옳지 않은 것은?

① 위로 볼록한 포물선이다.
② 꼭짓점의 좌표는 $(3,\ 5)$이다.
③ $y=-2x^2$의 그래프보다 폭이 넓다.
④ $x>3$일 때, x의 값이 증가하면 y의 값은 감소한다.
⑤ $y=-x^2$의 그래프를 x축의 방향으로 -3만큼, y축의 방향으로 5만큼 평행이동한 것이다.

3-2 다음 중 이차함수 $y=\frac{2}{5}(x-4)^2+3$의 그래프에 대한 설명으로 옳지 않은 것은?

① 제1, 2사분면을 지난다.
② 꼭짓점의 좌표는 $(4,\ 3)$이다.
③ $y=-\frac{2}{5}x^2$의 그래프와 폭이 같다.
④ y축과 만나는 점의 좌표는 $(0,\ 3)$이다.
⑤ $x<4$일 때, x의 값이 증가하면 y의 값은 감소한다.

정답과 해설 55쪽

유형 04 이차함수 $y=a(x-p)^2+q$의 그래프의 식 구하기

10종 교과서 공통

4-1 이차함수 $y=a(x-p)^2+q$의 그래프가 오른쪽 그림과 같을 때, 상수 a, p, q의 값을 각각 구하시오.

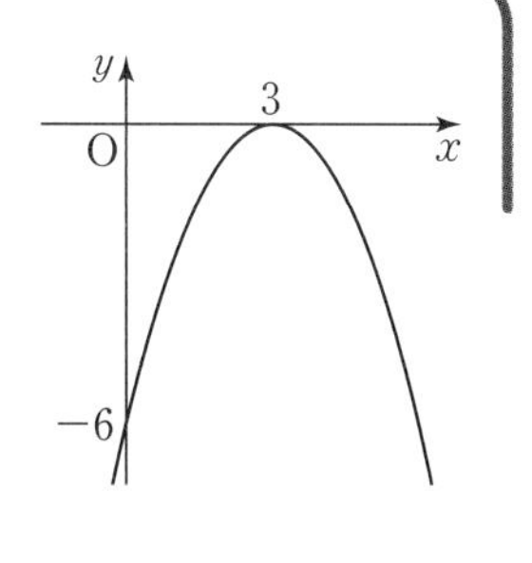

4-2 이차함수 $y=a(x-p)^2+q$의 그래프가 오른쪽 그림과 같을 때, 상수 a, p, q의 값을 각각 구하시오.

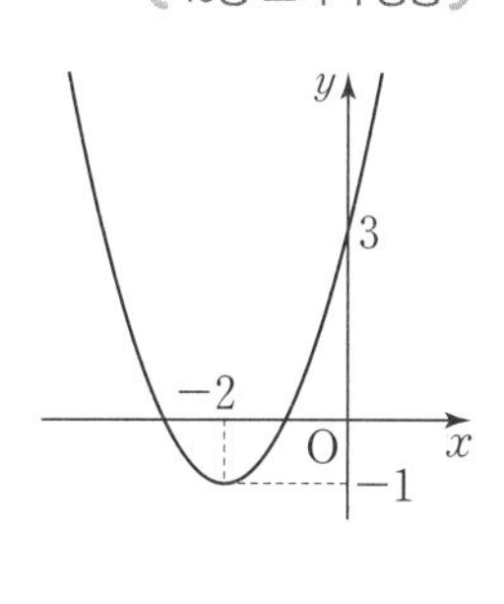

유형 05 이차함수 $y=a(x-p)^2+q$의 그래프에서 a, p, q의 부호

10종 교과서 공통

5-1 이차함수 $y=a(x-p)^2+q$의 그래프가 오른쪽 그림과 같을 때, □ 안에 >, < 중 알맞은 것을 써넣으시오. (단, a, p, q는 상수)

(1) a□0 (2) p□0 (3) q□0

5-2 이차함수 $y=a(x-p)^2+q$의 그래프가 오른쪽 그림과 같을 때, □ 안에 >, < 중 알맞은 것을 써넣으시오. (단, a, p, q는 상수)

(1) a□0 (2) p□0 (3) q□0

유형 06 이차함수 $y=a(x-p)^2+q$의 그래프의 평행이동

천재(류) 유사

6-1 이차함수 $y=(x+2)^2+4$의 그래프를 x축의 방향으로 3만큼, y축의 방향으로 -2만큼 평행이동하였더니 이차함수 $y=(x+p)^2+q$의 그래프와 일치하였다. 이때 $q-p$의 값을 구하시오. (단, p, q는 상수)

✓ $y=a(x-p)^2+q$의 그래프를 x축의 방향으로 m만큼, y축의 방향으로 n만큼 평행이동한 그래프를 나타내는 이차함수의 식 ➡ $y=a(x-m-p)^2+q+n$

6-2 이차함수 $y=a(x-2)^2+1$의 그래프를 x축의 방향으로 -3만큼, y축의 방향으로 2만큼 평행이동하였더니 이차함수 $y=-4(x+b)^2+c$의 그래프와 일치하였다. 이때 상수 a, b, c의 값을 각각 구하시오.

✓ 이차함수의 그래프를 평행이동하면 그래프의 모양과 폭은 변하지 않는다.

교과서 기본 테스트

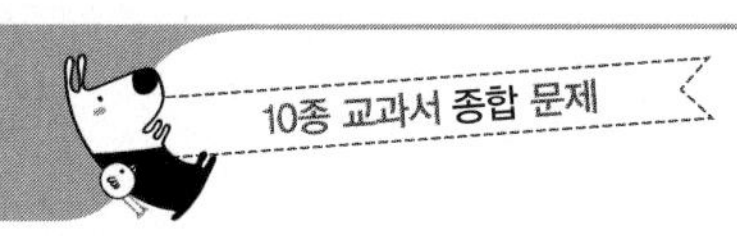

중하

01 출제 예상 90%

다음 이차함수의 그래프 중 꼭짓점이 제3사분면에 있는 것은?

① $y=2(x-5)^2$ ② $y=(x+1)^2-6$
③ $y=3(x-2)^2-4$ ④ $y=-2(x+7)^2+1$
⑤ $y=-\frac{1}{2}(x-5)^2+3$

중하

02 출제 예상 95%

이차함수 $y=4(x+2)^2+3$의 그래프는 $y=4x^2$의 그래프를 x축의 방향으로 p만큼, y축의 방향으로 q만큼 평행이동한 것이다. 이때 $p+q$의 값은?

① -3 ② -1 ③ 1
④ 3 ⑤ 5

중하

03 출제 예상 90%

이차함수 $y=2x^2$의 그래프를 x축의 방향으로 3만큼, y축의 방향으로 5만큼 평행이동하면 이차함수 $y=a(x-p)^2+q$의 그래프와 일치한다. 이때 $a+p+q$의 값을 구하시오. (단, a, p, q는 상수)

중

04 출제 예상 90%

이차함수 $y=-x^2$의 그래프를 x축의 방향으로 -2만큼, y축의 방향으로 -3만큼 평행이동하면 점 $(1, k)$를 지난다. 이때 k의 값을 구하시오.

중

05 출제 예상 85%

다음 이차함수의 그래프 중 $x>-1$일 때, x의 값이 증가하면 y의 값도 증가하는 것은?

① $y=-x^2+1$ ② $y=x^2-1$
③ $y=-\frac{1}{2}(x-1)^2$ ④ $y=\frac{1}{2}(x+1)^2$
⑤ $y=2(x-2)^2+1$

중

06 출제 예상 85%

다음 보기의 이차함수 중 그 그래프의 폭이 넓은 것부터 차례로 나열하시오.

보기

ㄱ $y=5x^2$ ㄴ $y=-3x^2-4$
ㄷ $y=2(x-4)^2$ ㄹ $y=-\frac{1}{4}(x-3)^2+1$

중

07

출제 예상 90%

다음 중 이차함수 $y=-2(x+1)^2+3$의 그래프에 대한 설명으로 옳지 않은 것은?

① 위로 볼록한 포물선이다.

② 축의 방정식은 $x=1$이다.

③ 꼭짓점의 좌표는 $(-1,\ 3)$이다.

④ $x<-1$일 때, x의 값이 증가하면 y의 값도 증가한다.

⑤ $y=-2x^2$의 그래프를 x축의 방향으로 -1만큼, y축의 방향으로 3만큼 평행이동한 것이다.

중

08

출제 예상 95%

다음 중 이차함수 $y=\frac{1}{3}(x-4)^2-2$의 그래프에 대한 설명으로 옳은 것을 모두 고르면? (정답 2개)

① 축의 방정식은 $x=-4$이다.

② 꼭짓점의 좌표는 $(-4,\ -2)$이다.

③ $y=-\frac{1}{5}x^2$의 그래프보다 폭이 좁다.

④ 제1, 2, 4사분면을 지난다.

⑤ $x<4$일 때, x의 값이 증가하면 y의 값도 증가한다.

중

09

출제 예상 85%

이차함수 $y=\frac{1}{4}x^2$의 그래프와 모양과 폭이 같고 꼭짓점의 좌표가 $(-2,\ 6)$인 포물선을 그래프로 하는 이차함수의 식을 $y=a(x+p)^2+q$라고 할 때, apq의 값을 구하시오. (단, a, p, q는 상수)

중

10

출제 예상 85%

이차함수 $y=a(x-p)^2+q$의 그래프가 오른쪽 그림과 같을 때, 상수 a, p, q의 값을 각각 구하시오.

중

11

출제 예상 95%

이차함수 $y=a(x-p)^2+q$의 그래프가 오른쪽 그림과 같을 때, 상수 a, p, q의 부호는?

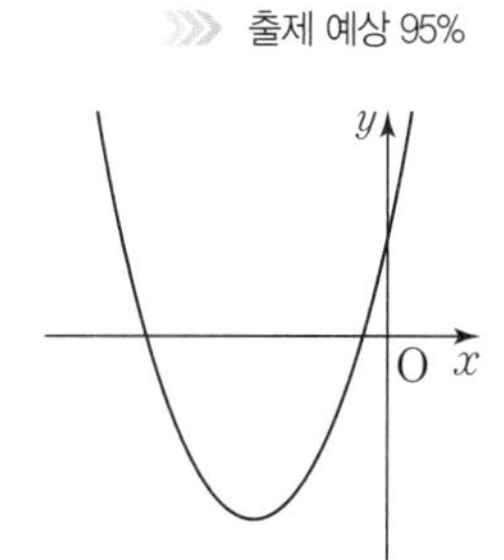

① $a>0,\ p>0,\ q>0$

② $a>0,\ p>0,\ q<0$

③ $a>0,\ p<0,\ q<0$

④ $a<0,\ p>0,\ q>0$

⑤ $a<0,\ p<0,\ q>0$

중

12

출제 예상 85%

이차함수 $y=-3(x+2)^2-6$의 그래프를 x축의 방향으로 3만큼, y축의 방향으로 -3만큼 평행이동한 그래프를 나타내는 이차함수의 식은?

① $y=-3x^2-6$ ② $y=-3(x-1)^2-9$

③ $y=-3(x-1)^2-3$ ④ $y=-3(x+3)^2-3$

⑤ $y=-3(x+5)^2-9$

정답과 해설 57쪽

중
13
출제 예상 85%

이차함수 $y=4(x+1)^2-2$의 그래프를 x축의 방향으로 2만큼, y축의 방향으로 n만큼 평행이동하면 점 $(-1,\ 8)$을 지난다. 이때 n의 값을 구하시오.

상중
14
출제 예상 85%

두 이차함수 $y=-x^2+2$, $y=a(x+2)^2+b$의 그래프가 서로의 꼭짓점을 지날 때, 상수 a, b의 값을 각각 구하시오.

상중
15
까다로운 문제

출제 예상 80%

이차함수 $y=2(x-p)^2+q$의 그래프는 점 $(1,\ 5)$를 지나고, 그 꼭짓점은 직선 $y=-x$ 위에 있을 때, 꼭짓점의 좌표를 구하시오. (단, p, q는 상수, $p>0$)

과정을 평가하는 서술형입니다.

중
16
출제 예상 90%

다음 보기의 이차함수에 대하여 물음에 답하시오.

보기

ㄱ $y=\frac{1}{3}x^2$ ㄴ $y=-2x^2$

ㄷ $y=-3x^2-2$ ㄹ $y=(x-5)^2$

ㅁ $y=\frac{1}{3}(x+1)^2+2$ ㅂ $y=-\frac{1}{5}(x+2)^2$

(1) 그래프가 위로 볼록한 것을 모두 고르시오.

(2) 그래프의 폭이 가장 넓은 것과 가장 좁은 것을 차례로 고르시오.

(3) 그래프를 평행이동하여 겹쳐지게 할 수 있는 것끼리 짝 지으시오.

중
17
출제 예상 90%

이차함수 $y=a(x-p)^2+q$의 그래프는 꼭짓점의 좌표가 $(-1,\ 2)$이고, 점 $(-2,\ 5)$를 지난다. 이때 $a+p+q$의 값을 구하시오. (단, a, p, q는 상수)

중
18
출제 예상 85%

오른쪽 그림과 같이 이차함수 $y=-(x+1)^2+4$의 그래프와 x축과의 두 교점을 각각 A, B라 하고 꼭짓점을 C라고 할 때, △ABC의 넓이를 구하시오.

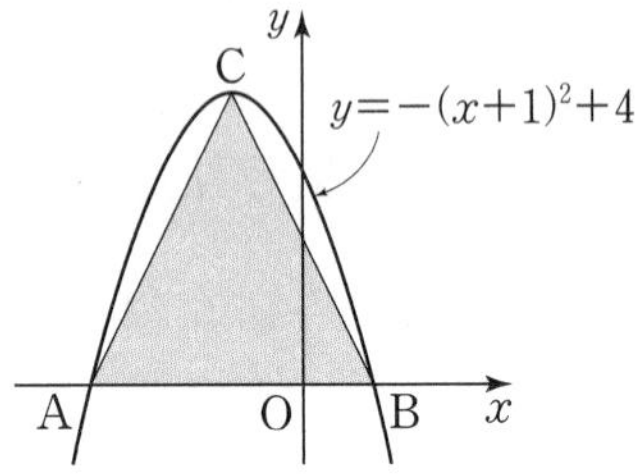

1

이차함수 $y=2x^2$의 그래프를 다음 규칙에 따라 평행이동하려고 한다.

> 규칙
>
> 주사위를 한 번 던져서 나온 눈의 수가 홀수이면 x축의 방향으로 1만큼, 짝수이면 y축의 방향으로 -2만큼 평행이동한다. 주사위를 두 번 던지는 경우에는 연속하여 평행이동한다.

한 개의 주사위를 두 번 던져서 나온 눈의 모양이 다음 그림과 같을 때, $y=2x^2$의 그래프를 평행이동한 그래프를 나타내는 이차함수의 식을 구하시오.

(1) 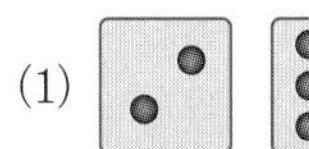

(2) 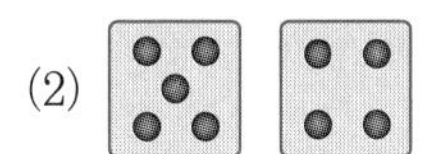

(3) 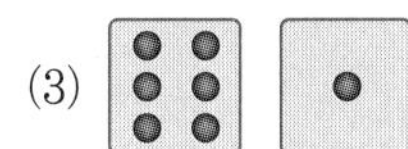

(4) 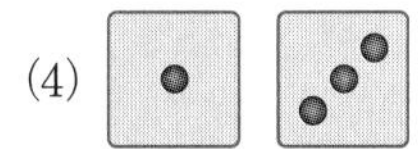

2

이차함수 $y=a(x-p)^2+q$의 그래프가 다음 조건을 모두 만족할 때, 이 이차함수의 그래프를 좌표평면 위에 그리시오.

> 조건
>
> (가) 위로 볼록한 포물선이다.
> (나) 직선 $x=-2$에 대칭이다.
> (다) 점 $(-2, 5)$를 지난다.
> (라) 이차함수 $y=x^2+2$의 그래프와 폭이 같다.

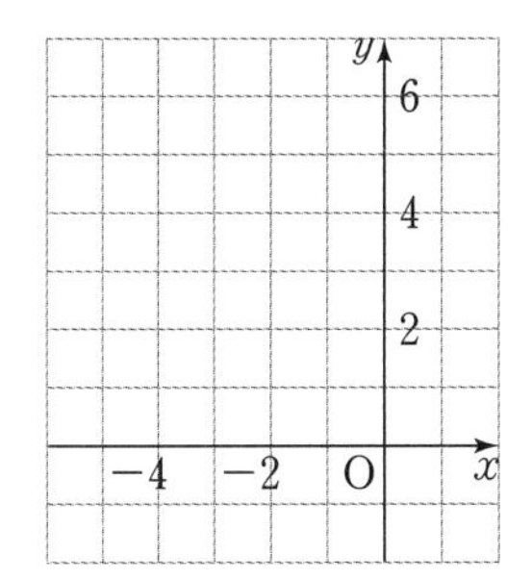

3

아래 그림에서 두 점 A, B는 각각 두 이차함수 $y=-x^2+3$, $y=-(x-4)^2+3$의 그래프의 꼭짓점이다. 다음 물음에 답하시오.

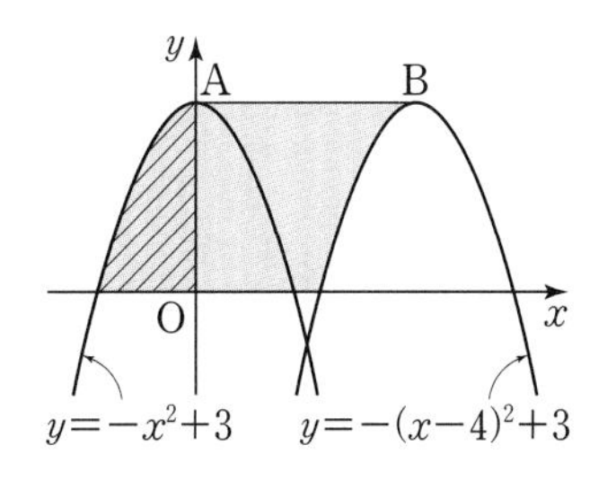

(1) 두 점 A, B의 좌표를 각각 구하시오.

(2) 위의 그림에서 빗금친 부분과 넓이가 같은 부분을 빗금으로 나타내시오.

(3) 색칠한 부분의 넓이를 구하시오.

4

이차함수 $y=a(x-p)^2-q$의 그래프가 오른쪽 그림과 같을 때, 다음 물음에 답하시오.

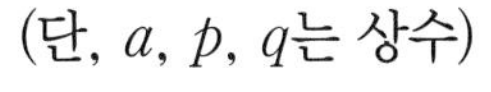
(단, a, p, q는 상수)

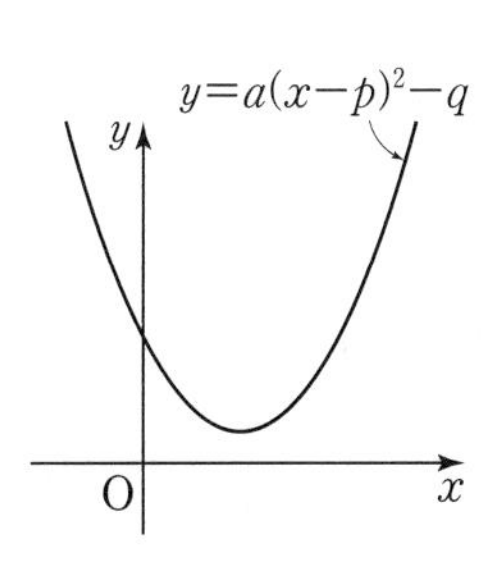

(1) a, p, q의 부호를 각각 구하시오.

(2) $y=p(x-q)^2+a$의 그래프가 지나는 사분면을 모두 구하시오.

13 이차함수 $y=ax^2+bx+c$의 그래프

개념 01 이차함수 $y=ax^2+bx+c$의 그래프

이차함수 $y=ax^2+bx+c$의 그래프는 $y=a(x-p)^2+q$의 꼴로 고쳐서 그릴 수 있다.

① $y=a(x-p)^2+q$의 꼴로 고치면 꼭짓점의 좌표는 (p, q)이다.

② y축 위의 점 $(0,$ ❶ $)$를 지난다.

③ $a>0$이면 아래로 볼록하고, $a<0$이면 ❷ 로 볼록하다.

예 이차함수 $y=-x^2+6x-5$의 그래프는

$y=-x^2+6x-5$

$=-(x^2-6x)-5$

$=-(x^2-6x+9-9)-5$

$=-(x-3)^2+4$

이므로 꼭짓점의 좌표는 $(3, 4)$이고 y축 위의 점 $(0, -5)$를 지난다.

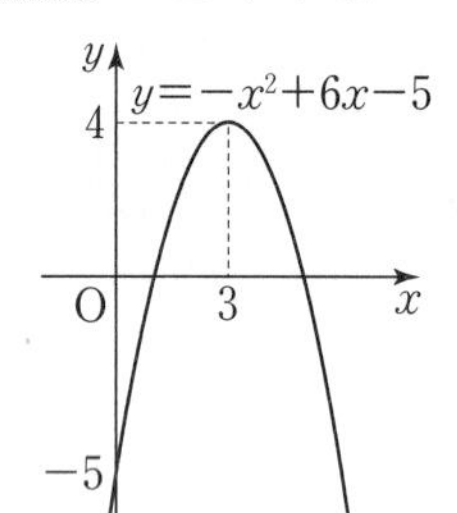

참고 이차함수 $y=a(x-p)^2+q$의 그래프는 축 $x=p$에 대칭이므로 대칭축에서 x축과 만나는 두 점까지의 거리는 같다.

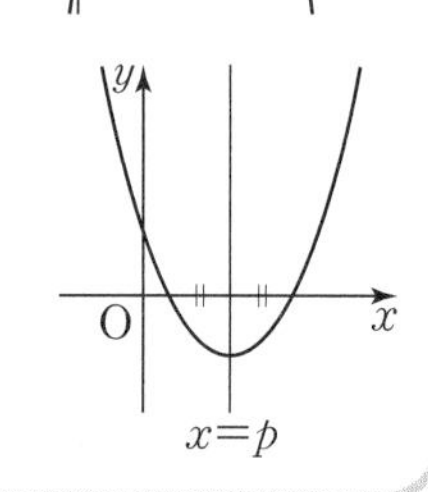

답 | ❶ c ❷ 위

QUIZ

다음은 주어진 이차함수를 $y=a(x-p)^2+q$의 꼴로 나타내는 과정이다. □ 안에 알맞은 수를 써넣으시오. (단, a, p, q는 상수)

(1) $y=x^2-6x+1$
$=(x^2-6x+□-□)+1$
$=(x-□)^2-□$

(2) $y=2x^2-4x+5$
$=2(x^2-2x+1-□)+5$
$=2(x^2-2x+1)-□+5$
$=2(x-□)^2+□$

정답 |
(1) 9, 9, 3, 8 (2) 1, 2, 1, 3

개념 02 이차함수 $y=ax^2+bx+c$의 그래프에서 a, b, c의 부호

(1) **a의 부호** 그래프의 모양으로 결정한다.

① 아래로 볼록 ➡ $a>0$

② 위로 볼록 ➡ a ❶ 0

(2) **b의 부호** 축의 위치로 결정한다.

① 축이 y축의 왼쪽 ➡ a, b는 같은 부호

② 축이 y축 ➡ $b=0$

③ 축이 y축의 오른쪽 ➡ a, b는 다른 부호

$ab>0$ $b=0$ $ab<0$

(3) **c의 부호** y축과의 교점의 위치로 결정한다.

① x축보다 위쪽 ➡ c ❷ 0

② 원점 ➡ $c=0$

③ x축보다 아래쪽 ➡ $c<0$

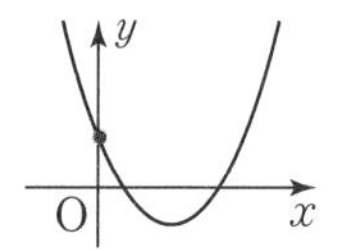

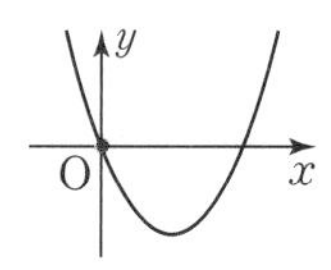

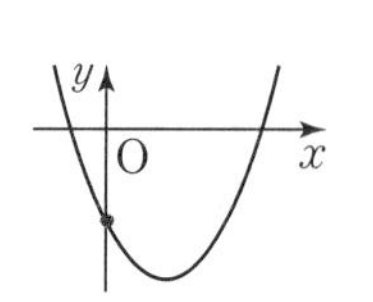

답 | ❶ < ❷ >

QUIZ

다음은 이차함수 $y=ax^2+bx+c$의 그래프에 대한 설명이다. □ 안에 알맞은 것을 써넣으시오. (단, a, b, c는 상수)

(1) 그래프의 모양이 아래로 볼록 ➡ a □ 0
그래프의 모양이 위로 볼록 ➡ a □ 0

(2) 축이 y축의 왼쪽 ➡ a, b는 □ 부호
축이 y축의 오른쪽 ➡ a, b는 □ 부호

(3) y축과의 교점이 x축보다 위쪽 ➡ c □ 0
y축과의 교점이 x축보다 아래쪽 ➡ c □ 0

정답 |
(1) >, < (2) 같은, 다른 (3) >, <

개념 03 이차함수의 식 구하기

(1) 꼭짓점과 다른 한 점이 주어질 때

꼭짓점의 좌표 (p, q)와 그래프 위의 한 점 (x_1, y_1)이 주어질 때

① 구하는 이차함수의 식을 $y=a(x-p)^2+q$로 놓는다.

② ①의 식에 점 (x_1, y_1)의 좌표를 대입하여 상수 a의 값을 구한다.

참고 꼭짓점의 좌표에 따른 이차함수의 식의 꼴

꼭짓점의 좌표	이차함수의 식
$(0, 0)$	$y=ax^2$
$(0, q)$	$y=ax^2+$ ❶
$(p, 0)$	$y=a(x-$ ❷ $)^2$
(p, q)	$y=a(x-p)^2+q$

(2) 축의 방정식과 두 점이 주어질 때

축의 방정식 $x=p$와 그래프 위의 두 점 (x_1, y_1), (x_2, y_2)가 주어질 때

① 구하는 이차함수의 식을 $y=a(x-p)^2+q$로 놓는다.

② ①의 식에 두 점 (x_1, y_1), (x_2, y_2)의 좌표를 각각 대입하여 상수 a, q의 값을 구한다.

참고 축의 방정식이 $x=p$이다. ➡ 꼭짓점의 x좌표가 p이다.

(3) 서로 다른 세 점이 주어질 때

그래프 위의 세 점 (x_1, y_1), (x_2, y_2), (x_3, y_3)이 주어질 때

① 구하는 이차함수의 식을 $y=ax^2+bx+c$로 놓는다.

② ①의 식에 세 점 (x_1, y_1), (x_2, y_2), (x_3, y_3)의 좌표를 각각 대입하여 상수 a, b, c의 값을 구한다.

참고 이차함수 $y=ax^2+bx+c$의 그래프가 지나는 세 점의 좌표가 주어질 때, x좌표가 0인 점이 있으면 그 점의 좌표를 이용하여 먼저 c의 값을 구한다.

(4) x축과 만나는 두 점과 다른 한 점이 주어질 때

x축과 만나는 두 점 $(m, 0)$, $(n, 0)$과 그래프 위의 한 점 (x_1, y_1)이 주어질 때

① 구하는 이차함수의 식을 $y=a(x-m)(x-n)$으로 놓는다.

② ①의 식에 점 (x_1, y_1)의 좌표를 대입하여 상수 a의 값을 구한다.

참고 x축과 만나는 두 점의 좌표가 $(m, 0)$, $(n, 0)$이면 이차함수의 그래프는 축에 대칭이므로 축의 방정식은 $x=\frac{m+n}{2}$이다.

답 | ❶ q ❷ p

QUIZ

다음은 주어진 포물선을 그래프로 하는 이차함수의 식을 구하는 과정이다. □ 안에 알맞은 것을 써넣으시오.

(1) 꼭짓점의 좌표가 $(1, 2)$이고 점 $(2, 5)$를 지나는 포물선

① 이차함수의 식을 $y=a(x-□)^2+2$로 놓는다.

② ①의 식에 $x=2$, $y=5$를 대입하면 $a=□$

③ 구하는 이차함수의 식은 $y=□(x-□)^2+2$

(2) 축의 방정식이 $x=3$이고 두 점 $(1, 5)$, $(2, 2)$를 지나는 포물선

① 이차함수의 식을 $y=a(x-□)^2+q$로 놓는다.

② ①의 식에 두 점 $(1, 5)$, $(2, 2)$의 좌표를 각각 대입하면 $5=□a+q$, $2=a+q$ $\therefore a=□$, $q=□$

③ 구하는 이차함수의 식은 $y=(x-□)^2+□$

(3) 세 점 $(0, 1)$, $(-2, -1)$, $(1, 8)$을 지나는 포물선

① 이차함수의 식을 $y=ax^2+bx+c$로 놓으면 점 $(0, 1)$을 지나므로 $c=□$

② $y=ax^2+bx+□$에 두 점 $(-2, -1)$, $(1, 8)$의 좌표를 각각 대입하면 $-1=4a-2b+1$, $8=a+b+□$ $\therefore a=□$, $b=□$

③ 구하는 이차함수의 식은 $y=□$

(4) x축과 만나는 두 점의 좌표가 $(2, 0)$, $(-5, 0)$이고 점 $(1, 12)$를 지나는 포물선

① 이차함수의 식을 $y=a(x-□)(x+5)$로 놓는다.

② ①의 식에 $x=1$, $y=12$를 대입하면 $a=□$

③ 구하는 이차함수의 식은 $y=□(x-□)(x+5)$ $\therefore y=□$

정답 |
(1) ① 1 ② 3 ③ 3, 1
(2) ① 3 ② 4, 1, 1 ③ 3, 1
(3) ① 1 ② 1, 1, 2, 5 ③ $2x^2+5x+1$
(4) ① 2 ② -2 ③ -2, 2, $-2x^2-6x+20$

교과서 개념 확인 테스트

01 $y=a(x-p)^2+q$의 꼴로 고치기 개념01

1-1 다음 이차함수를 $y=a(x-p)^2+q$의 꼴로 고치고, 축의 방정식과 꼭짓점의 좌표를 각각 구하시오.

(1) $y=x^2+2x+7$

(2) $y=-x^2+x+3$

(3) $y=-2x^2-16x-31$

1-2 다음 이차함수를 $y=a(x-p)^2+q$의 꼴로 고치고, 축의 방정식과 꼭짓점의 좌표를 각각 구하시오.

(1) $y=2x^2+8x-3$

(2) $y=3x^2-6x+7$

(3) $y=-3x^2+18x+1$

02 이차함수 $y=ax^2+bx+c$의 그래프 그리기 개념01

2-1 이차함수 $y=2x^2+4x+3$의 그래프에 대하여 다음 물음에 답하시오.

(1) 꼭짓점의 좌표를 구하시오.

(2) y축과의 교점의 좌표를 구하시오.

(3) 주어진 이차함수의 그래프를 그리시오.

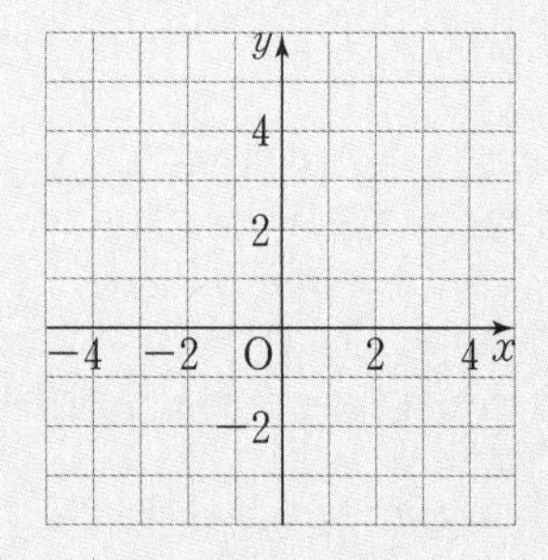

2-2 이차함수 $y=-x^2+4x-2$의 그래프에 대하여 다음 물음에 답하시오.

(1) 꼭짓점의 좌표를 구하시오.

(2) y축의 교점의 좌표를 구하시오.

(3) 주어진 이차함수의 그래프를 그리시오.

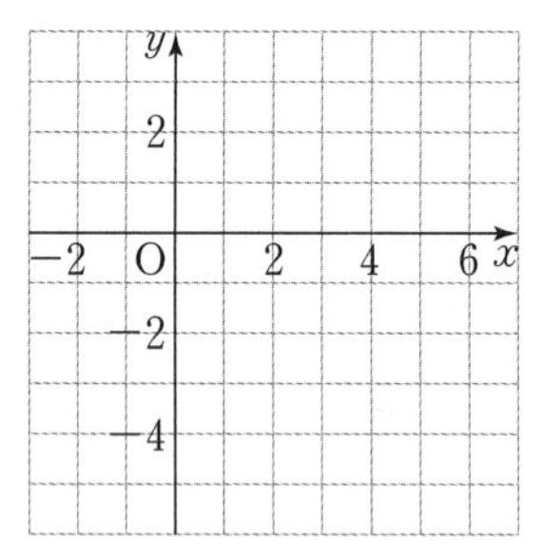

03 이차함수 $y=ax^2+bx+c$의 그래프 위의 점 개념01

3-1 이차함수 $y=ax^2+bx+2$의 그래프가 두 점 $(-2, 4)$, $(-1, 1)$을 지날 때, 상수 a, b의 값을 각각 구하시오.

3-2 이차함수 $y=ax^2+bx+6$의 그래프가 두 점 $(3, 0)$, $(-2, 0)$을 지날 때, 상수 a, b의 값을 각각 구하시오.

04 이차함수 $y=ax^2+bx+c$의 그래프에서 a, b, c의 부호 개념 02

4-1 이차함수 $y=ax^2+bx+c$의 그래프가 오른쪽 그림과 같을 때, 다음 □ 안에 $>$, $<$ 중 알맞은 것을 써넣으시오. (단, a, b, c는 상수)

(1) 그래프가 아래로 볼록 ➡ a□0

(2) 축이 y축의 오른쪽 ➡ b□0

(3) y축과의 교점이 x축보다 위쪽 ➡ c□0

4-2 이차함수 $y=ax^2+bx+c$의 그래프가 다음 그림과 같을 때, 상수 a, b, c의 부호를 각각 정하시오.

(1)

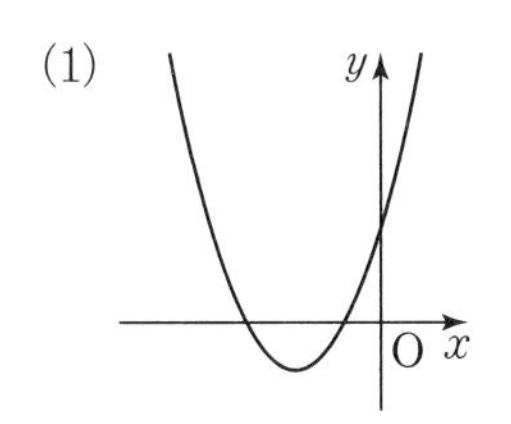

(2)

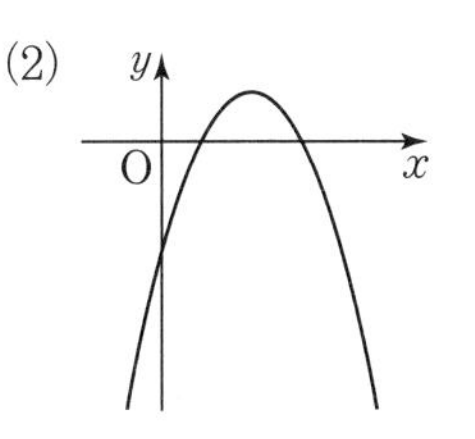

05 이차함수의 식 구하기 (1) 개념 03

5-1 꼭짓점의 좌표가 $(1, 1)$이고 점 $(2, -1)$을 지나는 포물선을 그래프로 하는 이차함수의 식을 $y=ax^2+bx+c$의 꼴로 나타내시오.

(단, a, b, c는 상수)

5-2 오른쪽 그림과 같은 포물선을 그래프로 하는 이차함수의 식을 $y=ax^2+bx+c$의 꼴로 나타내시오.

(단, a, b, c는 상수)

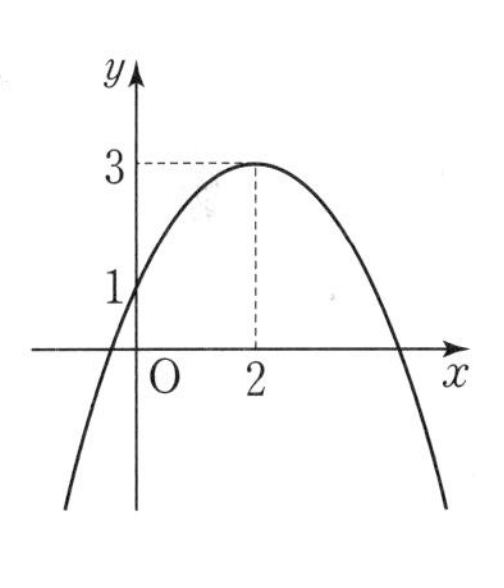

06 이차함수의 식 구하기 (2) 개념 03

6-1 두 점 $(1, 3)$, $(2, 0)$을 지나고, 축의 방정식이 $x=3$인 포물선을 그래프로 하는 이차함수의 식을 $y=ax^2+bx+c$의 꼴로 나타내시오.

(단, a, b, c는 상수)

6-2 오른쪽 그림과 같이 직선 $x=-2$를 축으로 하는 포물선을 그래프로 하는 이차함수의 식을 $y=ax^2+bx+c$의 꼴로 나타내시오. (단, a, b, c는 상수)

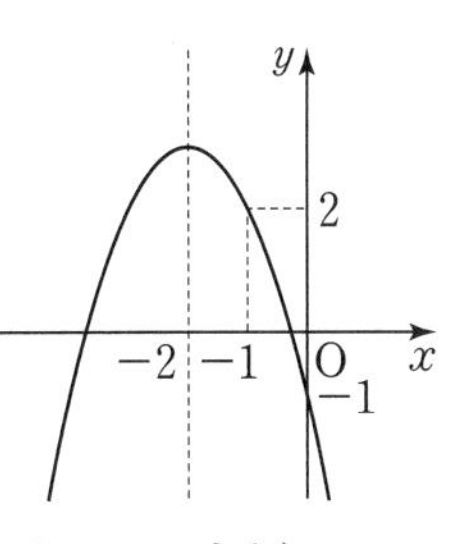

기출 기초 테스트

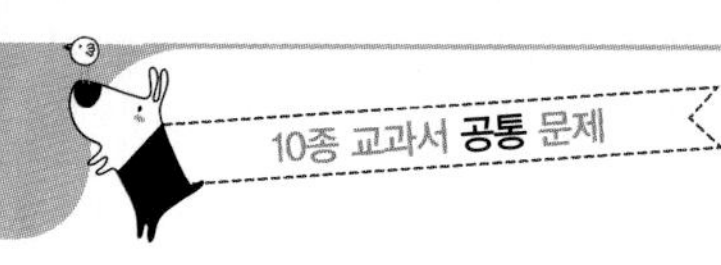

유형 01 이차함수 $y=ax^2+bx+c$의 그래프 그리기

1-1 다음 중 이차함수 $y=x^2+2x$의 그래프는?

① y, -1, O, x, -1

② y, O1, -1, x

③ y, 2, O, x

④ y, 1, -1, O, x

⑤ 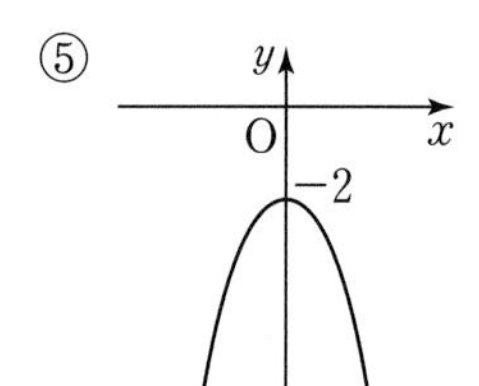

(10종 교과서 공통)

1-2 다음 중 이차함수 $y=-\frac{1}{2}x^2+2x+1$의 그래프는?

① y, 2, O, x, -3, -4

② 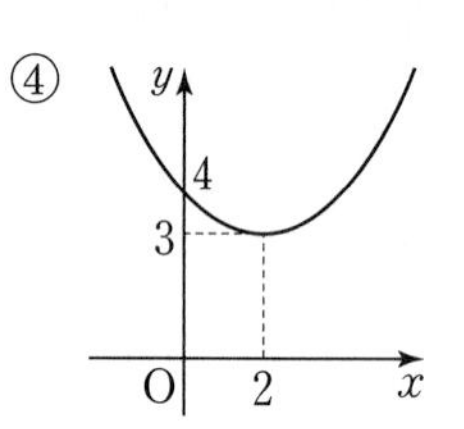

③ y, 3, 1, O, 2, x

④ y, 4, 3, O, 2, x

⑤ y, 4, 3, -2, O, x

유형 02 이차함수 $y=ax^2+bx+c$의 그래프의 꼭짓점

2-1 이차함수 $y=-\frac{1}{2}x^2+ax+b$의 그래프의 꼭짓점의 좌표가 $(3,\ 2)$일 때, $a+2b$의 값을 구하시오. (단, a, b는 상수)

(10종 교과서 공통)

2-2 이차함수 $y=x^2+2ax+1$의 그래프의 꼭짓점의 좌표가 $(6,\ b)$일 때, $a-b$의 값을 구하시오. (단, a는 상수)

정답과 해설 60쪽

유형 03 이차함수 $y=ax^2+bx+c$의 그래프 (1)

3-1 이차함수 $y=-x^2$의 그래프를 x축의 방향으로 2만큼, y축의 방향으로 -1만큼 평행이동하였더니 이차함수 $y=ax^2+bx+c$의 그래프와 겹쳐졌다. 이때 상수 a, b, c의 값을 각각 구하시오.

(천재(류) 유사)

3-2 이차함수 $y=2x^2$의 그래프를 x축의 방향으로 -1만큼, y축의 방향으로 -1만큼 평행이동하였더니 이차함수 $y=ax^2+bx+c$의 그래프와 겹쳐졌다. 이때 상수 a, b, c의 값을 각각 구하시오.

유형 04 이차함수 $y=ax^2+bx+c$의 그래프 (2)

4-1 이차함수 $y=3x^2$의 그래프를 x축의 방향으로 p만큼, y축의 방향으로 q만큼 평행이동하였더니 이차함수 $y=3x^2-12x+7$의 그래프와 일치하였다. 이때 $p+q$의 값을 구하시오.

(천재(류) 유사)

4-2 이차함수 $y=-2x^2$의 그래프를 x축의 방향으로 m만큼, y축의 방향으로 n만큼 평행이동하였더니 이차함수 $y=-2x^2-4x+3$의 그래프와 일치하였다. 이때 $m-n$의 값을 구하시오.

유형 05 이차함수 $y=ax^2+bx+c$의 그래프의 성질

5-1 다음 중 이차함수 $y=-3x^2+12x-8$의 그래프에 대한 설명으로 옳지 <u>않은</u> 것은?

① 꼭짓점의 좌표는 $(2,\ 4)$이다.
② 축의 방정식은 $x=2$이다.
③ x축과 서로 다른 두 점에서 만난다.
④ y축과의 교점의 좌표는 $(0,\ -8)$이다.
⑤ $x<2$일 때, x의 값이 증가하면 y의 값은 감소한다.

(10종 교과서 공통)

5-2 다음 중 이차함수 $y=\frac{1}{4}x^2+x-2$의 그래프에 대한 설명으로 옳은 것은?

① 꼭짓점의 좌표는 $(2,\ 3)$이다.
② 축은 직선 $x=2$이다.
③ 제4사분면을 지나지 않는다.
④ y축과의 교점의 좌표는 $(0,\ -2)$이다.
⑤ $x<-2$일 때, x의 값이 증가하면 y의 값도 증가한다.

유형 06 이차함수 $y=ax^2+bx+c$의 그래프의 평행이동

(10종 교과서 공통)

6-1 이차함수 $y=3x^2-6x-1$의 그래프를 x축의 방향으로 1만큼, y축의 방향으로 -2만큼 평행이동한 그래프의 꼭짓점의 좌표를 구하시오.

6-2 이차함수 $y=x^2-8x+12$의 그래프를 x축의 방향으로 -2만큼, y축의 방향으로 5만큼 평행이동한 그래프의 식을 $y=ax^2+bx+c$의 꼴로 나타내시오. (단, a, b, c는 상수)

유형 07 이차함수 $y=ax^2+bx+c$의 그래프에서 a, b, c의 부호

(10종 교과서 공통)

7-1 이차함수 $y=ax^2+bx+c$의 그래프가 오른쪽 그림과 같을 때, 다음 □ 안에 >, < 중 알맞은 것을 써넣으시오. (단, a, b, c는 상수)

(1) a□0

(2) b□0

(3) c□0

(4) $x=1$일 때, 함숫값은 음수이므로 $a+b+c$□0

7-2 이차함수 $y=ax^2+bx+c$의 그래프가 오른쪽 그림과 같을 때, 다음 중 옳은 것은? (단, a, b, c는 상수)

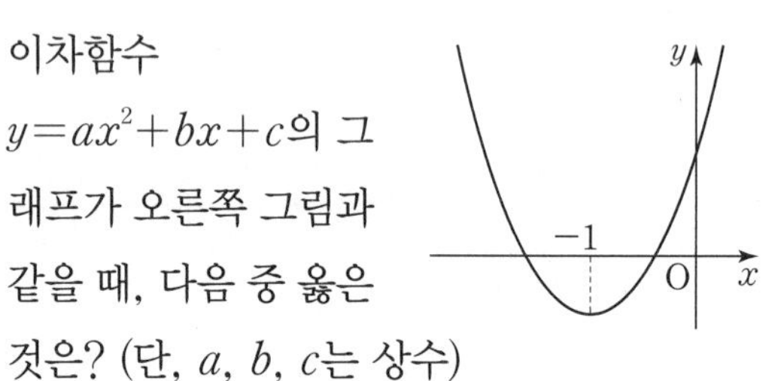

① $a<0$ ② $c<0$

③ $abc>0$ ④ $a+b+c<0$

⑤ $a-b+c>0$

유형 08 이차함수의 그래프와 삼각형의 넓이

(10종 교과서 공통)

8-1 오른쪽 그림과 같이 이차함수 $y=-x^2-6x+4$의 그래프의 꼭짓점을 A, y축과의 교점을 B라고 할 때, △AOB의 넓이를 구하시오.

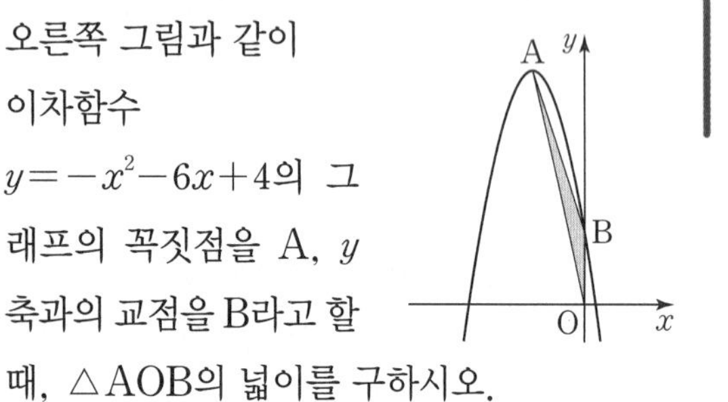

8-2 오른쪽 그림은 이차함수 $y=\frac{1}{2}x^2-2x-2$의 그래프이다. y축과의 교점을 A, 꼭짓점을 B라 하고, 점 B에서 x축에 내린 수선의 발을 C라고 할 때, □OABC의 넓이를 구하시오.

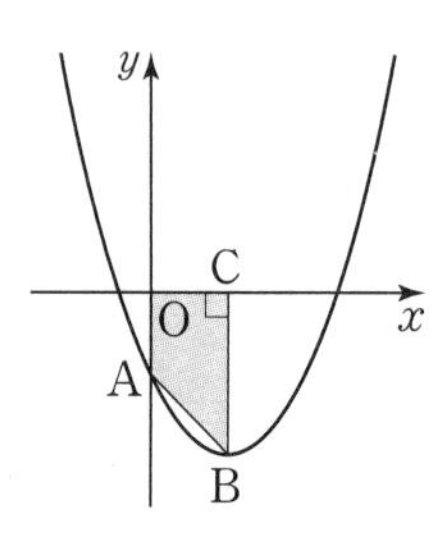

STEP 3 교과서 기본 테스트

10종 교과서 종합 문제

정답과 해설 61쪽

중하

01 출제 예상 95%

이차함수 $y=2x^2+16x+17$을 $y=a(x-p)^2+q$의 꼴로 나타낼 때, $a+p+q$의 값을 구하시오.

중하

02 출제 예상 95%

이차함수 $y=2x^2$의 그래프를 x축의 방향으로 2만큼, y축의 방향으로 1만큼 평행이동한 그래프의 식은?

① $y=2x^2-8x+9$ ② $y=2x^2-4x+5$
③ $y=2x^2+4x+5$ ④ $y=2x^2+8x+5$
⑤ $y=2x^2+8x+9$

중하

03 출제 예상 90%

다음 이차함수의 그래프 중 이차함수 $y=-3x^2$의 그래프를 평행이동하여 완전히 포갤 수 있는 것은?

① $y=3x^2+4$ ② $y=3(x+2)^2$
③ $y=\frac{1}{3}x^2+6x+1$ ④ $y=-\frac{1}{3}(x-1)^2+3$
⑤ $y=-3x^2-6x-5$

중

04 출제 예상 85%

이차함수 $y=-2x^2$의 그래프를 x축의 방향으로 p만큼, y축의 방향으로 q만큼 평행이동하였더니 이차함수 $y=-2x^2-12x-16$의 그래프와 일치하였다. 이때 $p+q$의 값을 구하시오.

중

05 출제 예상 90%

이차함수 $y=-x^2+6x-2$의 그래프가 지나지 않는 사분면은?

① 제1사분면 ② 제2사분면
③ 제3사분면 ④ 제4사분면
⑤ 제1, 4사분면

중

06 출제 예상 95%

다음 중 이차함수 $y=-2x^2+4x-4$의 그래프에 대한 설명으로 옳지 않은 것은?

① 위로 볼록한 포물선이다.
② 꼭짓점은 점 $(1, -2)$이다.
③ y축과 점 $(0, -4)$에서 만난다.
④ 제1, 3, 4사분면을 지난다.
⑤ 이차함수 $y=-2x^2$의 그래프를 평행이동한 것이다.

중

07

출제 예상 85%

이차함수 $y=ax^2+x+1$의 그래프가 두 점 $(-1, -2)$, $(2, b)$를 지날 때, $a-b$의 값을 구하시오. (단, a는 상수)

중

08

출제 예상 85%

이차함수 $y=x^2+ax+1$의 그래프가 점 $(1, -2)$를 지날 때, 꼭짓점의 좌표를 구하시오.

중

09

출제 예상 85%

이차함수 $y=-x^2+10x+a$의 그래프의 꼭짓점이 x축 위에 있을 때, 상수 a의 값은?

① -25 ② -20 ③ -15

④ -10 ⑤ -5

중

10

출제 예상 85%

두 이차함수 $y=x^2-2ax+b$와 $y=\frac{1}{2}x^2+4x+1$의 그래프의 꼭짓점이 서로 일치할 때, $a+b$의 값은?

(단, a, b는 상수)

① -5 ② -3 ③ -1

④ 3 ⑤ 5

상 중

11

까다로운 문제

출제 예상 80%

이차함수 $y=2x^2-4x+1$의 그래프를 x축의 방향으로 m만큼, y축의 방향으로 n만큼 평행이동한 그래프를 나타내는 이차함수의 식이 $y=ax^2-12x+5$일 때, $a+m+n$의 값을 구하시오. (단, a는 상수)

상 중

12

출제 예상 90%

이차함수 $y=ax^2+bx+c$의 그래프가 오른쪽 그림과 같을 때, 다음 중 옳지 않은 것은?

(단, a, b, c는 상수)

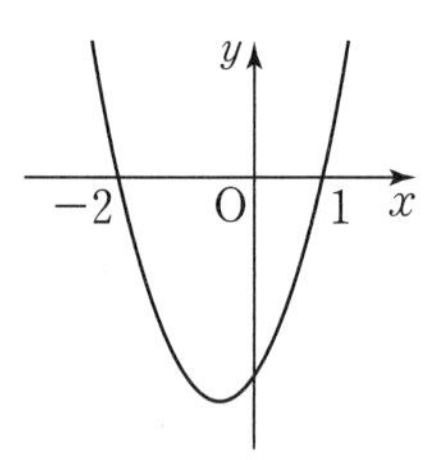

① $a>0$ ② $ab>0$

③ $bc<0$ ④ $a-b+c<0$

⑤ $a+b+c<0$

중

13

출제 예상 90%

직선 $x=-1$을 축으로 하고, 두 점 $(1, -8)$, $(-2, 1)$을 지나는 포물선을 그래프로 하는 이차함수의 식은?

① $y=-3x^2-6x-5$ ② $y=-3x^2-6x+1$

③ $y=-x^2-2x-3$ ④ $y=-x^2-2x+2$

⑤ $y=x^2+2x+4$

상 중

14

출제 예상 80%

이차함수 $y=x^2-2ax-a+1$의 그래프는 $x<2$일 때 x의 값이 증가하면 y의 값은 감소하고, $x>2$일 때 x의 값이 증가하면 y의 값도 증가한다. 이때 이 그래프의 꼭짓점의 좌표를 구하시오. (단, a는 상수)

상 중

15

까다로운 문제

출제 예상 80%

이차함수 $y=ax^2+bx+c$의 그래프는 꼭짓점의 좌표가 $(2, -3)$이고, 제3사분면을 지나지 않을 때, a의 값의 범위를 구하시오. (단, a, b, c는 상수)

중

16

출제 예상 85%

오른쪽 그림과 같이 이차함수 $y=-\frac{1}{2}x^2-2x+k$의 그래프의 꼭짓점을 A, y축과의 교점을 B라고 하면 △AOB의 넓이는 3일 때, 상수 k의 값을 구하시오.

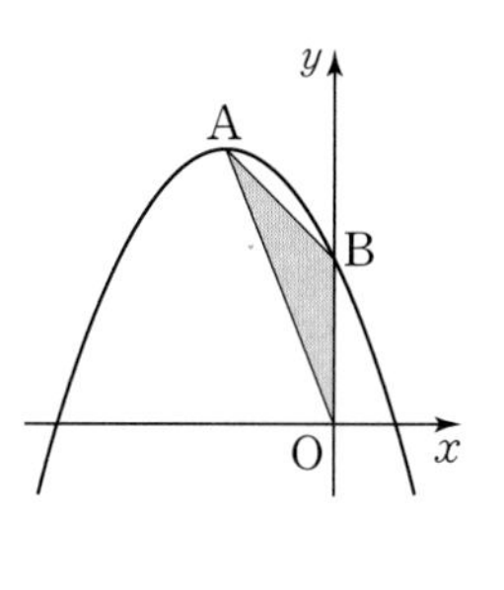

과정을 평가하는 서술형입니다.

중

17

출제 예상 95%

이차함수 $y=-x^2-4x-1$의 그래프에 대하여 다음 물음에 답하시오.

(1) 축의 방정식, 꼭짓점의 좌표, y축과의 교점의 좌표를 차례로 구하시오.

(2) (1)에서 구한 것을 이용하여 오른쪽 좌표평면 위에 그래프를 그리시오.

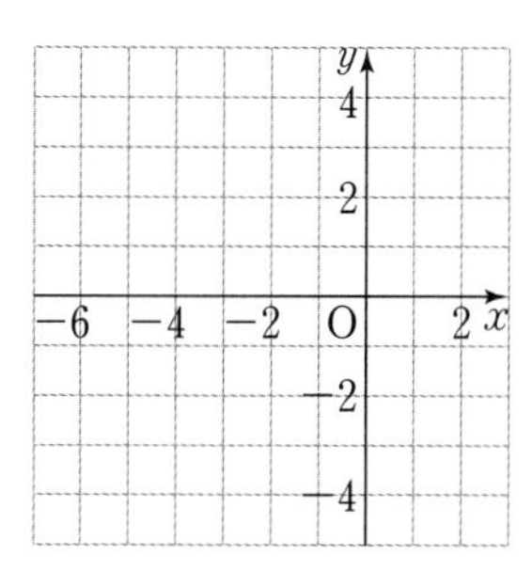

중

18

출제 예상 85%

이차함수 $y=3x^2+ax+b$의 그래프의 꼭짓점의 좌표가 $(2, -1)$일 때, 상수 a, b의 값과 그래프가 y축과 만나는 점의 좌표를 차례로 구하시오.

중

19

출제 예상 90%

오른쪽 그림과 같은 그래프가 나타내는 이차함수의 식을 $y=ax^2+bx+c$의 꼴로 나타내시오. (단, a, b, c는 상수)

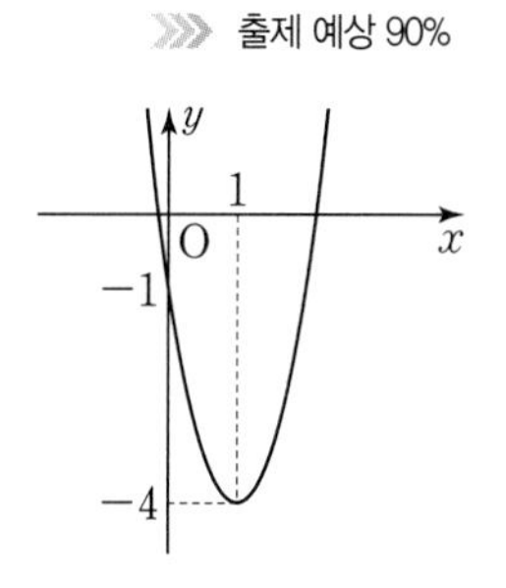

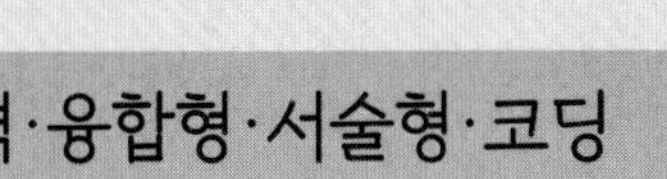

정답과 해설 64쪽

1

두 이차함수 $y=x^2-2x-3$, $y=x^2-8x+12$의 그래프가 아래 그림과 같을 때, 다음 물음에 답하시오. (단, 두 점 P, Q는 각 그래프의 꼭짓점이다.)

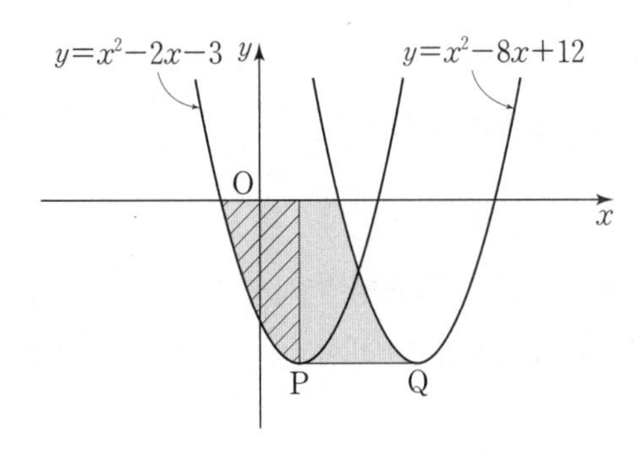

(1) 점 P의 좌표를 구하시오.

(2) 점 Q의 좌표를 구하시오.

(3) 위의 그림에서 빗금친 부분과 넓이가 같은 부분을 빗금으로 나타내시오.

(4) 색칠한 부분의 넓이를 구하시오.

2

일차함수 $y=ax+b$의 그래프가 오른쪽 그림과 같을 때, 다음 물음에 답하시오. (단, a, b는 상수)

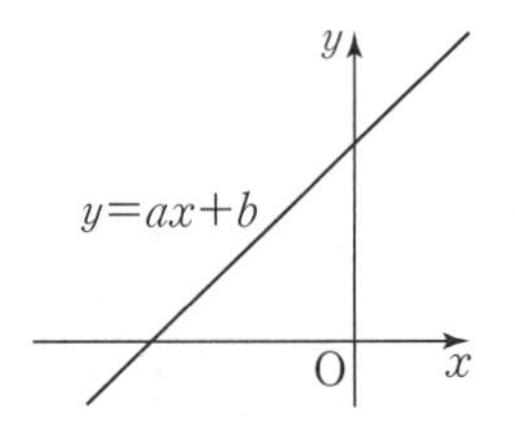

(1) □ 안에 >, < 중 알맞은 것을 써넣으시오.

① $y=ax+b$의 그래프가 오른쪽 위로 향하므로 a□0

② $y=ax+b$의 그래프가 y축과 만나는 점이 x축보다 위쪽에 있으므로 b□0

(2) 괄호 안의 알맞은 것에 ○표 하시오.

① $y=x^2+ax-b$에서 x^2의 계수가 (양수 , 음수)이므로 그래프는 (위 , 아래)로 볼록한 포물선이다.

② (1)에서 a(> , <)0이므로 $y=x^2+ax-b$의 그래프의 축은 y축의 (왼쪽 , 오른쪽)에 있다.

③ (2)에서 b(> , <)0이므로 $y=x^2+ax-b$의 그래프가 y축과 만나는 점은 x축보다 (위쪽 , 아래쪽)에 있다.

(3) 이차함수 $y=x^2+ax-b$의 그래프로 알맞은 것은?

① 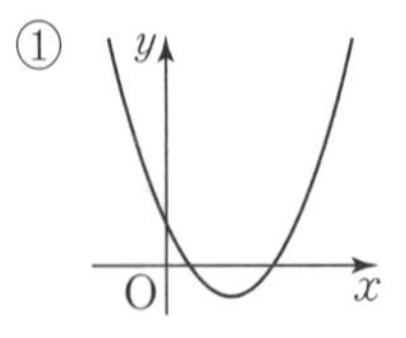

② 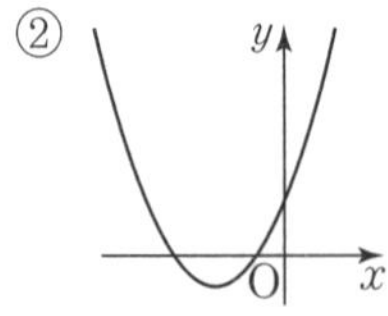

③ 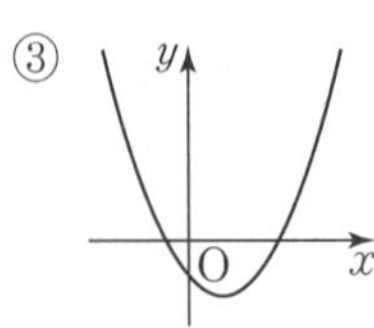

④ 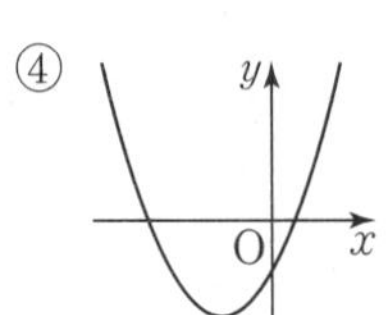

⑤ 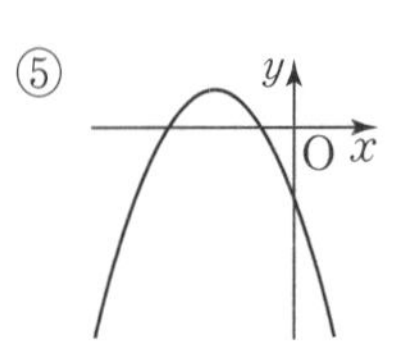

교과서

다품

천재교육

교과서

다품

정답과 해설

너 잘할거야

중학 수학 3-1

지친 다리를 시원하게!
다리 스트레칭

오래 앉아 있다가 다리가 뻐근하고
붓는 듯한 느낌이 든 적 있나요?
의자에 앉아서 할 수 있는 다리 스트레칭을 통해
다리 건강을 지켜 주세요.

① 의자에 한쪽 다리를 접어서 올리고 두 손으로 정강이 부분을 잡은 후 고개를 자연스럽게 숙이며 가슴 쪽으로 당겨 주세요.

② 같은 자세에서 허리를 쭉 펴고 고개와 등을 뒤로 젖혀 줍니다. 넘어지지 않게 조심!

③ 다시 앞을 보고 의자에 바른 자세로 앉은 다음 한쪽 다리를 접어 반대쪽 다리 위에 올리고, 발목을 돌려 주세요.

④ 두 발을 앞으로 쭉 뻗어 발목을 내 몸 쪽으로 꺾어 줍니다. 10초 정도 유지 후 반대쪽으로 발목을 펴 주면 피곤한 다리는 안녕~

정답과 해설

I. 실수와 그 계산

01 제곱근의 뜻과 성질

STEP 1 교과서 개념 확인 테스트 | 본문 8~9쪽

1-1 (1) $5,\ -5$ (2) $9,\ -9$ (3) $\frac{3}{8},\ -\frac{3}{8}$ (4) $0.4,\ -0.4$

1-2 (1) $6,\ -6$ (2) $11,\ -11$ (3) $\frac{4}{5},\ -\frac{4}{5}$ (4) $0.7,\ -0.7$

2-1 (1) $\pm\sqrt{13}$ (2) $\sqrt{19}$ (3) $\pm\sqrt{\frac{3}{5}}$ (4) $-\sqrt{0.7}$

2-2 (1) $\pm\sqrt{3}$ (2) $-\sqrt{7}$ (3) $\sqrt{\frac{2}{3}}$ (4) $\pm\sqrt{0.1}$

3-1 (1) 7 (2) -10 (3) $\frac{1}{3}$ (4) -0.4

3-2 (1) 2 (2) -8 (3) 0.3 (4) $-\frac{2}{5}$

4-1 (1) 7 (2) 9 (3) $\frac{2}{5}$ (4) 0.2

4-2 (1) 5 (2) 11 (3) 0.1 (4) 15

5-1 (1) 9 (2) 2 (3) 20 (4) $\frac{1}{4}$

5-2 (1) 15 (2) -0.6 (3) 30 (4) 3

6-1 (1) $<$ (2) $>$ (3) $<$ (4) $<$

6-2 (1) $>$ (2) $>$ (3) $>$ (4) $<$

1-1 (1) $5^2=25,\ (-5)^2=25$이므로 25의 제곱근은 $5,\ -5$이다.

(2) $9^2=81,\ (-9)^2=81$이므로 81의 제곱근은 $9,\ -9$이다.

(3) $\left(\frac{3}{8}\right)^2=\frac{9}{64},\ \left(-\frac{3}{8}\right)^2=\frac{9}{64}$이므로 $\frac{9}{64}$의 제곱근은 $\frac{3}{8},\ -\frac{3}{8}$이다.

(4) $(0.4)^2=0.16,\ (-0.4)^2=0.16$이므로 0.16의 제곱근은 $0.4,\ -0.4$이다.

1-2 (1) $6^2=36,\ (-6)^2=36$이므로 36의 제곱근은 $6,\ -6$이다.

(2) $11^2=121,\ (-11)^2=121$이므로 121의 제곱근은 $11,\ -11$이다.

(3) $\left(\frac{4}{5}\right)^2=\frac{16}{25},\ \left(-\frac{4}{5}\right)^2=\frac{16}{25}$이므로 $\frac{16}{25}$의 제곱근은 $\frac{4}{5},\ -\frac{4}{5}$이다.

(4) $(0.7)^2=0.49,\ (-0.7)^2=0.49$이므로 0.49의 제곱근은 $0.7,\ -0.7$이다.

3-1 (1) $\sqrt{49}=\sqrt{7^2}=7$

(2) $-\sqrt{100}=-\sqrt{10^2}=-10$

(3) $\sqrt{\frac{1}{9}}=\sqrt{\left(\frac{1}{3}\right)^2}=\frac{1}{3}$

(4) $-\sqrt{0.16}=-\sqrt{(0.4)^2}=-0.4$

3-2 (1) $\sqrt{4}=\sqrt{2^2}=2$

(2) $-\sqrt{64}=-\sqrt{8^2}=-8$

(3) $\sqrt{0.09}=\sqrt{(0.3)^2}=0.3$

(4) $-\sqrt{\frac{4}{25}}=-\sqrt{\left(\frac{2}{5}\right)^2}=-\frac{2}{5}$

5-1 (1) $(\sqrt{6})^2+(-\sqrt{3})^2=6+3=9$

(2) $(-\sqrt{7})^2-(-\sqrt{5})^2=7-5=2$

(3) $\sqrt{4^2}\times\sqrt{(-5)^2}=4\times5=20$

(4) $\sqrt{\left(\frac{1}{3}\right)^2}\div\sqrt{\left(-\frac{4}{3}\right)^2}=\frac{1}{3}\div\frac{4}{3}=\frac{1}{3}\times\frac{3}{4}=\frac{1}{4}$

5-2 (1) $(\sqrt{2})^2+\sqrt{(-13)^2}=2+13=15$

(2) $(\sqrt{0.6})^2-\sqrt{1.44}=(\sqrt{0.6})^2-\sqrt{(1.2)^2}$
$=0.6-1.2=-0.6$

(3) $\sqrt{5^2}\times\sqrt{(-6)^2}=5\times6=30$

(4) $(-\sqrt{24})^2\div\sqrt{(-8)^2}=24\div8=3$

6-1 (1) $\frac{1}{2}=\frac{4}{8}$이고 $\frac{3}{8}<\frac{4}{8}$이므로 $\sqrt{\frac{3}{8}}<\sqrt{\frac{1}{2}}$

(2) $5=\sqrt{25}$이고 $26>25$이므로 $\sqrt{26}>5$

(3) $0.1=\sqrt{0.01}$이고 $0.01<0.1$이므로
$0.1<\sqrt{0.1}$

(4) $0.4=\sqrt{0.16}=\sqrt{\frac{16}{100}}=\sqrt{\frac{4}{25}}$이고 $\frac{4}{25}=\frac{12}{75},\ \frac{1}{3}=\frac{25}{75}$이므로 $\sqrt{\frac{1}{3}}>0.4$ $\quad\therefore -\sqrt{\frac{1}{3}}<-0.4$

다른 풀이

(1) $\sqrt{\frac{3}{8}}$과 $\sqrt{\frac{1}{2}}$은 모두 양수이므로
$\left(\sqrt{\frac{3}{8}}\right)^2=\frac{3}{8},\ \left(\sqrt{\frac{1}{2}}\right)^2=\frac{1}{2}=\frac{4}{8}$에서
$\frac{3}{8}<\frac{4}{8}$ $\quad\therefore \sqrt{\frac{3}{8}}<\sqrt{\frac{1}{2}}$

(2) $\sqrt{26}$과 5는 모두 양수이므로 $(\sqrt{26})^2=26,\ 5^2=25$에서
$26>25$ $\quad\therefore \sqrt{26}>5$

(3) 0.1과 $\sqrt{0.1}$은 모두 양수이므로 $(0.1)^2=0.01$,
$(\sqrt{0.1})^2=0.1$에서 $0.01<0.1$ $\quad\therefore 0.1<\sqrt{0.1}$

6-2 (1) $5=\sqrt{25}$이고 $25>20$이므로 $5>\sqrt{20}$

(2) $\frac{3}{5}=\frac{6}{10}$이고 $\frac{6}{10}>\frac{3}{10}$이므로 $\sqrt{\frac{3}{5}}>\sqrt{\frac{3}{10}}$

(3) $\frac{5}{2}=\sqrt{\frac{25}{4}}$이고 $\frac{25}{4}>6$이므로 $\frac{5}{2}>\sqrt{6}$

(4) $0.5=\sqrt{0.25}$이고 $0.25>0.2$이므로
$0.5>\sqrt{0.2}$ $\quad\therefore -0.5<-\sqrt{0.2}$

다른 풀이

(1) 5와 $\sqrt{20}$은 모두 양수이므로

$5^2=25$, $(\sqrt{20})^2=20$에서 $25>20$ $\quad\therefore 5>\sqrt{20}$

(2) $\sqrt{\frac{3}{5}}$과 $\sqrt{\frac{3}{10}}$은 모두 양수이므로

$\left(\sqrt{\frac{3}{5}}\right)^2=\frac{3}{5}$, $\left(\sqrt{\frac{3}{10}}\right)^2=\frac{3}{10}$에서

$\frac{3}{5}>\frac{3}{10}$ $\quad\therefore \sqrt{\frac{3}{5}}>\sqrt{\frac{3}{10}}$

(3) $\frac{5}{2}$와 $\sqrt{6}$은 모두 양수이므로 $\left(\frac{5}{2}\right)^2=\frac{25}{4}$, $(\sqrt{6})^2=6$에서

$\frac{25}{4}>6$ $\quad\therefore \frac{5}{2}>\sqrt{6}$

STEP 2 기출 기초 테스트

본문 10~11쪽

1-1 ③	**1-2** ①, ④
2-1 -1	**2-2** -5
3-1 (1) $\sqrt{41}$ (2) $\sqrt{11}$	**3-2** (1) 8 (2) $\sqrt{30}$
4-1 $-a$	**4-2** $-2a$
5-1 5	**5-2** 0
6-1 (1) 7 (2) 5	**6-2** (1) 21 (2) 6
7-1 1, 2, 3	**7-2** 12

1-1 ① 0의 제곱근은 0의 1개이다.

② 3의 제곱근은 $\pm\sqrt{3}$이다.

④ 넓이가 5인 정사각형의 한 변의 길이는 $\sqrt{5}$이다.

⑤ $\sqrt{49}=7$이므로 $\sqrt{49}$의 제곱근은 $\pm\sqrt{7}$이다.

1-2 ② 제곱근 10은 $\sqrt{10}$이다.

③ $\sqrt{81}=\sqrt{9^2}=9$

⑤ $\frac{1}{3}$의 음의 제곱근은 $-\sqrt{\frac{1}{3}}$이다.

2-1 $\sqrt{256}=\sqrt{16^2}=16$이므로 $\sqrt{256}$의 양의 제곱근 $a=4$

25의 음의 제곱근 $b=-5$

$\therefore a+b=4+(-5)=-1$

2-2 $\sqrt{81}=\sqrt{9^2}=9$이므로 $\sqrt{81}$의 양의 제곱근 $a=3$

$\frac{9}{25}$의 음의 제곱근 $b=-\frac{3}{5}$

$\therefore a\div b=3\div\left(-\frac{3}{5}\right)=3\times\left(-\frac{5}{3}\right)=-5$

3-1 (1) $x^2=4^2+5^2=41$

이때 $x>0$이므로 $x=\sqrt{41}$

(2) $6^2=5^2+x^2$에서 $x^2=6^2-5^2=11$

이때 $x>0$이므로 $x=\sqrt{11}$

3-2 (1) $(\sqrt{89})^2=5^2+x^2$에서

$x^2=(\sqrt{89})^2-5^2=64$

이때 $x>0$이므로 $x=\sqrt{64}=8$

(2) $x^2=3^2+(\sqrt{21})^2=30$

이때 $x>0$이므로 $x=\sqrt{30}$

4-1 $a>0$이므로 $-a<0$, $3a>0$

$\therefore \sqrt{(-a)^2}+(-\sqrt{a})^2-\sqrt{(3a)^2}=-(-a)+a-3a$

$=-a$

4-2 $a<0$이므로 $5a<0$, $3a<0$

$\therefore \sqrt{25a^2}-\sqrt{9a^2}=\sqrt{(5a)^2}-\sqrt{(3a)^2}$

$=-5a-(-3a)$

$=-5a+3a=-2a$

5-1 $-3<x<2$이므로 $x+3>0$, $x-2<0$

$\therefore \sqrt{(x+3)^2}+\sqrt{(x-2)^2}=(x+3)-(x-2)$

$=x+3-x+2=5$

5-2 $0<x<2$이므로 $x-2<0$, $2-x>0$

$\therefore \sqrt{(x-2)^2}-\sqrt{(2-x)^2}=-(x-2)-(2-x)$

$=-x+2-2+x=0$

6-1 (1) $\sqrt{9+x}$가 자연수가 되려면 $9+x$는 9보다 크고

(자연수)^{2}의 꼴이어야 하므로

$9+x=16, 25, 36, \cdots$ $\quad\therefore x=7, 16, 27, \cdots$

따라서 구하는 가장 작은 자연수는 7이다.

(2) $\sqrt{80n}$이 자연수가 되려면 $80n=$(자연수)^{2}의 꼴이어야 한다.

이때 $80=2^4\times5$이므로

$n=5\times1^2, 5\times2^2, 5\times3^2, \cdots$

따라서 구하는 가장 작은 자연수는 $5\times1^2=5$이다.

6-2 (1) $\sqrt{22-x}$가 자연수가 되려면 $22-x$는 22보다 작고

(자연수)^{2}의 꼴이어야 하므로

$22-x=1, 4, 9, 16$ $\quad\therefore x=21, 18, 13, 6$

따라서 구하는 가장 큰 자연수는 21이다.

(2) $\sqrt{24n}$이 자연수가 되려면 $24n=$(자연수)^{2}의 꼴이어야 한다.

이때 $24=2^3\times3$이므로

$n=2\times3\times1^2, 2\times3\times2^2, 2\times3\times3^2, \cdots$

따라서 구하는 가장 작은 자연수는 $2\times3\times1^2=6$이다.

7-1 $\sqrt{5x}<4$의 양변을 제곱하면

$5x<16$ $\quad\therefore x<\frac{16}{5}$

따라서 구하는 자연수 x의 값은 1, 2, 3이다.

7-2 $\sqrt{3x}<6$의 양변을 제곱하면

$3x<36$ $\quad\therefore x<12$

따라서 $x<12$를 만족하는 자연수 x의 값 중에서 가장 큰 수는 11, 가장 작은 수는 1이므로 $M=11$, $m=1$

$\therefore M+m=11+1=12$

STEP 3 교과서 기본 테스트

본문 12~14쪽

01 ③	**02** ③	**03** $\sqrt{35}$ m	**04** ①, ④
05 -10	**06** ③	**07** ④	**08** ④
09 ①	**10** ③	**11** ①	**12** ⑤
13 31	**14** ③	**15** $7<\sqrt{50}<\sqrt{51}$	
16 ④	**17** ⑤	**18** $3a-2b$	
19 $\sqrt{0.5}$, $\sqrt{\frac{1}{5}}$, $\frac{1}{3}$, -3, $-\sqrt{10}$		**20** 3	

01 ③ (제곱근 16)$=\sqrt{16}=\sqrt{4^2}=4$

02 각 수의 제곱근은 다음과 같다.

① 0 ② ±1

③ $\pm\sqrt{0.004}$ ④ $\pm\sqrt{12^2}=\pm12$

⑤ $\pm\sqrt{\frac{3}{12}}=\pm\sqrt{\frac{1}{4}}=\pm\sqrt{\left(\frac{1}{2}\right)^2}=\pm\frac{1}{2}$

따라서 제곱근을 구했을 때, 근호를 반드시 사용해야 하는 것은 ③이다.

03 가로의 길이가 7 m, 세로의 길이가 5 m인 직사각형의 넓이는 $7\times5=35\ (\text{m}^2)$

따라서 이 직사각형과 넓이가 같은 정사각형의 한 변의 길이는 $\sqrt{35}$ m이다.

04 ② 17의 제곱근은 $\pm\sqrt{17}$이다.

③ $a>0$이면 $-\sqrt{a^2}=-a$이다.

⑤ 제곱하여 9가 되는 수는 3, -3이다.

05 $(-5)^2=25$이므로 $(-5)^2$의 양의 제곱근 $a=5$

$\sqrt{16}=4$이므로 $\sqrt{16}$의 음의 제곱근 $b=-2$

$\therefore ab=5\times(-2)=-10$

06 ①, ②, ④, ⑤ -5 ③ 5

07 ① $\sqrt{9}+\sqrt{144}=3+12=15$

② $\sqrt{0.81}\times\sqrt{4}=0.9\times2=1.8$

③ $\sqrt{(-15)^2}\div\sqrt{5^2}=15\div5=3$

④ $\sqrt{(-2)^2}-\sqrt{5^2}=2-5=-3$

⑤ $(-\sqrt{3})^2\times(\sqrt{7})^2=3\times7=21$

따라서 계산이 옳지 않은 것은 ④이다.

08 $a<0$이므로 $-a>0$, $2a<0$

$\therefore \sqrt{(-a)^2}-\sqrt{4a^2}=\sqrt{(-a)^2}-\sqrt{(2a)^2}$

$=-a-(-2a)$

$=-a+2a=a$

09 $-3<a<2$이므로 $a-2<0$, $a+3>0$

$\therefore \sqrt{(a-2)^2}-\sqrt{(a+3)^2}=-(a-2)-(a+3)$

$=-a+2-a-3=-2a-1$

10 $a-b>0$, $ab<0$이므로 $a>0$, $b<0$, $b-a<0$

$\therefore \sqrt{a^2}+\sqrt{(b-a)^2}-\sqrt{b^2}$

$=a-(b-a)-(-b)$

$=a-b+a+b=2a$

11 $\sqrt{175a}$의 값이 자연수가 되려면 $175a=$(자연수)^{2}의 꼴이어야 한다. 이때 $175=5^2\times7$이므로

$a=7\times1^2, 7\times2^2, 7\times3^2, 7\times4^2, \cdots$

따라서 구하는 두 자리의 자연수 a의 값 중 가장 큰 수는 $7\times3^2=63$이다.

12 $\sqrt{\frac{540}{A}}$이 자연수가 되려면 $540=2^2\times3^3\times5$이므로

$A=3\times5$, $2^2\times3\times5$, $3^3\times5$, $2^2\times3^3\times5$

따라서 구하는 가장 작은 자연수 A의 값은 $3\times5=15$이다.

13 $\sqrt{15-n}$이 자연수가 되려면 $15-n$은 15보다 작고 (자연수)^{2}의 꼴이어야 하므로

$15-n=1, 4, 9$ $\quad\therefore n=14, 11, 6$

따라서 모든 자연수 n의 값의 합은 $6+11+14=31$

14 ① $5<7$이므로 $\sqrt{5}<\sqrt{7}$

② $2=\sqrt{4}$이고 $4<5$이므로 $2<\sqrt{5}$

③ $3=\sqrt{9}$이고 $9>8$이므로 $3>\sqrt{8}$

④ $6>3$이므로 $\sqrt{6}>\sqrt{3}$ $\quad\therefore -\sqrt{6}<-\sqrt{3}$

⑤ $4=\sqrt{16}$이고 $16>15$이므로 $4>\sqrt{15}$

$\therefore -4<-\sqrt{15}$

따라서 대소 관계가 옳지 않은 것은 ③이다.

15 $7=\sqrt{49}$이고 $49<50<51$이므로 $7<\sqrt{50}<\sqrt{51}$

16 $2=\sqrt{4}$이고 $4>3$이므로 $2>\sqrt{3}$ $\quad\therefore 2-\sqrt{3}>0$

$1=\sqrt{1}$이고 $1<3$이므로 $1<\sqrt{3}$ $\quad\therefore 1-\sqrt{3}<0$

$\therefore \sqrt{(2-\sqrt{3})^2}+\sqrt{(1-\sqrt{3})^2}=(2-\sqrt{3})-(1-\sqrt{3})$

$=2-\sqrt{3}-1+\sqrt{3}=1$

17 각 변을 제곱하면

$25<3x<36$ $\quad\therefore \frac{25}{3}<x<12$

따라서 주어진 부등식을 만족하는 자연수 x의 값은 9, 10, 11이므로 그 합은

$9+10+11=30$

18 $a>b>0$이므로 $-2a<0$, $a-b>0$ …… ㉮

$\sqrt{(-2a)^2}-(\sqrt{b})^2+\sqrt{(a-b)^2}$

$=-(-2a)-b+(a-b)$

$=2a-b+a-b=3a-2b$ …… ㉯

채점 기준	비율
㉮ $-2a$, $a-b$의 부호를 제대로 파악한 경우	50 %
㉯ 주어진 식을 제대로 간단히 한 경우	50 %

19 $\frac{1}{3}=\sqrt{\frac{1}{9}}$, $\sqrt{0.5}=\sqrt{\frac{1}{2}}$이고

$\frac{1}{5}=\frac{18}{90}$, $\frac{1}{9}=\frac{10}{90}$, $\frac{1}{2}=\frac{45}{90}$이므로

$\sqrt{0.5}>\sqrt{\frac{1}{5}}>\frac{1}{3}$ …… ㉮

또, $3=\sqrt{9}$이고 $9<10$이므로 $3<\sqrt{10}$

$\therefore -3>-\sqrt{10}$ …… ㉯

따라서 주어진 수를 큰 것부터 차례대로 나열하면

$\sqrt{0.5}$, $\sqrt{\frac{1}{5}}$, $\frac{1}{3}$, -3, $-\sqrt{10}$ …… ㉰

채점 기준	비율
㉮ 양의 제곱근끼리 대소 관계를 제대로 비교한 경우	40 %
㉯ 음의 제곱근끼리 대소 관계를 제대로 비교한 경우	40 %
㉰ 주어진 수를 큰 것부터 차례대로 제대로 나열한 경우	20 %

20 $11^2<132<12^2$이므로 $11<\sqrt{132}<12$

즉 $\sqrt{132}$ 이하의 자연수는 1, 2, 3, …, 11의 11개이므로

$a=11$ …… ㉮

$8^2<\sqrt{70}<9^2$이므로 $8<\sqrt{70}<9$

즉 $\sqrt{70}$ 이하의 자연수는 1, 2, 3, …, 8의 8개이므로

$b=8$ …… ㉯

$\therefore a-b=11-8=3$ …… ㉰

채점 기준	비율
㉮ a의 값을 제대로 구한 경우	40 %
㉯ b의 값을 제대로 구한 경우	40 %
㉰ $a-b$의 값을 제대로 구한 경우	20 %

창의력 · 융합형 · 서술형 · 코딩

본문 15쪽

1 (1) 2 (2) 7 (3) ±4 **2** 0.9초
3 10 **4** (1) $\sqrt{a}<a<a^2$ (2) $a^2<a<\sqrt{a}$

1 (1) $\sqrt{(-2)^2}=\sqrt{4}=\sqrt{2^2}=2$

(2) $\sqrt{49}=\sqrt{7^2}=7$

(3) 4를 제곱한 수는 $4^2=16$

이때 $4^2=16$, $(-4)^2=16$이므로 16의 제곱근은 ±4이다.

2 $t=2\times3.14\times\sqrt{\frac{l}{9.8}}$에 $l=0.2$를 대입하면

$t=2\times3.14\times\sqrt{\frac{0.2}{9.8}}=2\times3.14\times\sqrt{\frac{1}{49}}$

$=2\times3.14\times\frac{1}{7}=0.89\cdots$

따라서 구하는 시간은 0.9초이다.

3 $v=\sqrt{2\times9.8\times h}$가 자연수가 되려면

$2\times9.8\times h=(\text{자연수})^2$의 꼴이어야 한다. 이때

$2\times9.8\times h=2\times\left(2\times49\times\frac{1}{10}\right)\times h$

$=2^2\times7^2\times\frac{1}{10}\times h$

이므로 $h=10\times n^2$(단, n은 자연수)의 꼴이어야 한다.

$h=10\times1^2$, 10×2^2, 10×3^2, …

따라서 구하는 h의 값 중 가장 작은 자연수는 $10\times1^2=10$이다.

4 (1) $a>1$일 때, $a=\sqrt{a^2}$이고 $a<a^2$이므로

$\sqrt{a}<\sqrt{a^2}=a$

$\therefore \sqrt{a}<a<a^2$

(2) $0<a<1$일 때, $a=\sqrt{a^2}$이고 $a>a^2$이므로

$\sqrt{a}>\sqrt{a^2}=a$

$\therefore \sqrt{a}>a>a^2$, 즉 $a^2<a<\sqrt{a}$

다른 풀이

(1) $a=2$라고 생각하면

$2=\sqrt{4}$이고 $2<4$이므로 $\sqrt{2}<2$

$\therefore \sqrt{2}<2<4$

따라서 $\sqrt{a}<a<a^2$이다.

(2) $a=\frac{1}{2}$이라고 생각하면

$\frac{1}{2}=\sqrt{\frac{1}{4}}$이고 $\frac{1}{2}>\frac{1}{4}$이므로 $\sqrt{\frac{1}{2}}>\frac{1}{2}$

$\therefore \sqrt{\frac{1}{2}}>\frac{1}{2}>\frac{1}{4}$

따라서 $\sqrt{a}>a>a^2$, 즉 $a^2<a<\sqrt{a}$이다.

02 무리수와 실수

STEP 1 교과서 개념 확인 테스트 | 본문 18쪽

1-1 (1) ㉢, ㉣, ㉤ (2) ㉠, ㉡, ㉥ (3) ㉠, ㉡, ㉢, ㉣, ㉤, ㉥
1-2 ㉠, ㉢, ㉥
2-1 (1) $\sqrt{5}$ (2) $\mathrm{P} : 1-\sqrt{5}$, $\mathrm{Q} : 1+\sqrt{5}$
2-2 $\mathrm{A} : 3-\sqrt{10}$, $\mathrm{B} : 3+\sqrt{10}$
3-1 (1) $<$ (2) $>$ (3) $>$
3-2 (1) $<$ (2) $>$ (3) $<$

1-1 (1) ㉣ $-\sqrt{3^2}+1=-3+1=-2$ ➡ 유리수
㉤ $\sqrt{\frac{1}{4}}=\sqrt{\left(\frac{1}{2}\right)^2}=\frac{1}{2}$ ➡ 유리수
따라서 유리수는 ㉢, ㉣, ㉤이다.
(3) 유리수와 무리수를 통틀어 실수라고 하므로 실수는 ㉠, ㉡, ㉢, ㉣, ㉤, ㉥이다.

1-2 ㉡ $-\sqrt{49}=-\sqrt{7^2}=-7$ ➡ 유리수
㉣ $\sqrt{\frac{1}{9}}-2=\sqrt{\left(\frac{1}{3}\right)^2}-2=\frac{1}{3}-2=-\frac{5}{3}$ ➡ 유리수
㉤ $\sqrt{0.09}=\sqrt{(0.3)^2}=0.3$ ➡ 유리수
따라서 무리수는 ㉠, ㉢, ㉥이다.

2-1 (1) △ABC에서 피타고라스 정리에 의하여
$\overline{\mathrm{AC}}=\sqrt{1^2+2^2}=\sqrt{5}$
(2) 점 A에 대응하는 수가 1이고 $\overline{\mathrm{AP}}=\overline{\mathrm{AQ}}=\sqrt{5}$이므로 점 P에 대응하는 수는 $1-\sqrt{5}$, 점 Q에 대응하는 수는 $1+\sqrt{5}$이다.

2-2 피타고라스 정리에 의하여 $\overline{\mathrm{PQ}}=\sqrt{1^2+3^2}=\sqrt{10}$
이때 점 P에 대응하는 수가 3이고 $\overline{\mathrm{PA}}=\overline{\mathrm{PB}}=\sqrt{10}$이므로 점 A에 대응하는 수는 $3-\sqrt{10}$, 점 B에 대응하는 수는 $3+\sqrt{10}$이다.

3-1 (1) $5-(\sqrt{5}+3)=5-\sqrt{5}-3$
$=2-\sqrt{5}$
이때 $2=\sqrt{4}$이고 $4<5$이므로 $2-\sqrt{5}<0$
$\therefore 5<\sqrt{5}+3$
(2) $6-\sqrt{2}-(6-\sqrt{3})=6-\sqrt{2}-6+\sqrt{3}$
$=-\sqrt{2}+\sqrt{3}$
이때 $\sqrt{2}<\sqrt{3}$이므로 $-\sqrt{2}+\sqrt{3}>0$
$\therefore 6-\sqrt{2}>6-\sqrt{3}$
(3) $\sqrt{7}+1-3=\sqrt{7}-2$
이때 $2=\sqrt{4}$이고 $7>4$이므로 $\sqrt{7}-2>0$
$\therefore \sqrt{7}+1>3$

3-2 (1) $-\sqrt{10}+6-3=-\sqrt{10}+3$
이때 $3=\sqrt{9}$이고 $10>9$이므로 $-\sqrt{10}+3<0$
$\therefore -\sqrt{10}+6<3$
(2) $\sqrt{6}+2-(\sqrt{6}+\sqrt{3})=\sqrt{6}+2-\sqrt{6}-\sqrt{3}$
$=2-\sqrt{3}$
이때 $2=\sqrt{4}$이고 $4>3$이므로 $2-\sqrt{3}>0$
$\therefore \sqrt{6}+2>\sqrt{6}+\sqrt{3}$
(3) $-1-(4-\sqrt{7})=-1-4+\sqrt{7}$
$=-5+\sqrt{7}$
이때 $5=\sqrt{25}$이고 $25>7$이므로 $-5+\sqrt{7}<0$
$\therefore -1<4-\sqrt{7}$

STEP 2 기출 기초 테스트 | 본문 19~20쪽

1-1 ②, ④	1-2 ㉠, ㉣
2-1 ㉡, ㉢	2-2 ㉡, ㉣
3-1 5.889	3-2 6.715
4-1 $\mathrm{P} : -6-\sqrt{2}$, $\mathrm{Q} : -6+\sqrt{2}$, $\mathrm{R} : -\sqrt{10}$, $\mathrm{S} : \sqrt{10}$	
4-2 풀이 참조	
5-1 1, 2, 3	5-2 ⑤
6-1 ③	6-2 ⑤

1-1 ② $0.\dot{4}=\frac{4}{9}$ ➡ 유리수
④ $\sqrt{36}=\sqrt{6^2}=6$ ➡ 유리수

1-2 ㉠ 넓이가 2인 정사각형의 한 변의 길이는 $\sqrt{2}$이다.
㉡ 넓이가 4인 정사각형의 한 변의 길이는 $\sqrt{4}=2$이다.
㉢ 넓이가 9인 정사각형의 한 변의 길이는 $\sqrt{9}=3$이다.
㉣ 넓이가 12인 정사각형의 한 변의 길이는 $\sqrt{12}$이다.
따라서 정사각형의 한 변의 길이가 무리수인 것은 ㉠, ㉣이다.

2-1 ㉠ 무한소수 중 순환소수는 유리수이다.
㉣ 실수는 모두 수직선 위에 나타낼 수 있다.

2-2 ㉠ $\sqrt{4}$, $\sqrt{9}$ 등은 근호가 있지만 유리수이다.
㉢ 1과 $\sqrt{3}$ 사이에는 무수히 많은 유리수가 있다.

3-1 $\sqrt{8.61}=2.934$이므로 $a=2.934$
$\sqrt{8.73}=2.955$이므로 $b=2.955$
$\therefore a+b=2.934+2.955=5.889$

3-2 $\sqrt{4.73}=2.175$이므로 $a=2.175$
$\sqrt{4.54}=2.131$이므로 $b=4.54$
$\therefore a+b=2.175+4.54=6.715$

4-1 △ABC에서 피타고라스 정리에 의하여

$\overline{AC}=\sqrt{1^2+1^2}=\sqrt{2}$ $\quad\therefore \overline{AP}=\overline{AQ}=\sqrt{2}$

이때 점 A에 대응하는 수는 -6이므로 점 P에 대응하는 수는 $-6-\sqrt{2}$, 점 Q에 대응하는 수는 $-6+\sqrt{2}$이다.

△DEF에서 피타고라스 정리에 의하여

$\overline{DF}=\sqrt{1^2+3^2}=\sqrt{10}$ $\quad\therefore \overline{DR}=\overline{DS}=\sqrt{10}$

이때 점 D에 대응하는 수는 0이므로 점 R에 대응하는 수는 $-\sqrt{10}$, 점 S에 대응하는 수는 $\sqrt{10}$이다.

4-2 직각을 낀 두 변의 길이가 각각 2, 2인 직각삼각형의 빗변의 길이는 $\sqrt{2^2+2^2}=\sqrt{8}$

따라서 직각삼각형을 이용하여 두 수 $-2+\sqrt{8}$, $4-\sqrt{8}$에 대응하는 점을 수직선 위에 나타내면 다음 그림과 같다.

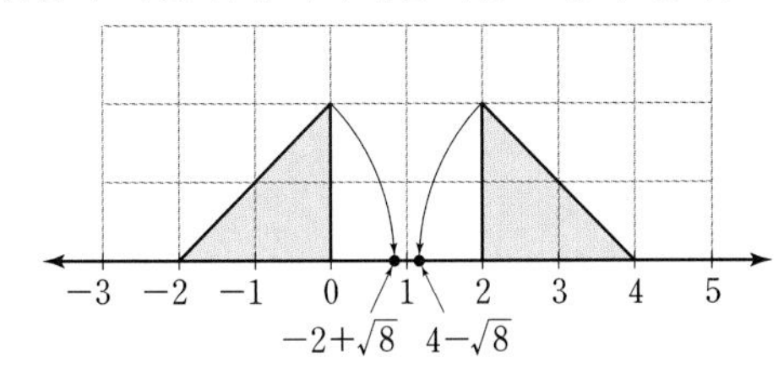

5-1 $\sqrt{4}=2$, $\sqrt{9}=3$이므로 $2<\sqrt{5}<3$에서

$-3<-\sqrt{5}<-2$

$\therefore 0<3-\sqrt{5}<1$, $3<1+\sqrt{5}<4$

따라서 $3-\sqrt{5}$와 $1+\sqrt{5}$ 사이에 있는 정수는 1, 2, 3이다.

5-2 $\sqrt{4}=2$, $\sqrt{9}=3$이므로 $2<\sqrt{7}<3$에서

$-3<-\sqrt{7}<-2$

따라서 $-\sqrt{7}$과 2 사이의 수가 아닌 것은 ⑤이다.

6-1 ① $\sqrt{3}+\sqrt{7}-(\sqrt{5}+\sqrt{3})=\sqrt{3}+\sqrt{7}-\sqrt{5}-\sqrt{3}$

$=\sqrt{7}-\sqrt{5}>0$

$\therefore \sqrt{3}+\sqrt{7}>\sqrt{5}+\sqrt{3}$

② $4-(3-\sqrt{2})=4-3+\sqrt{2}$

$=1+\sqrt{2}>0$

$\therefore 4>3-\sqrt{2}$

③ $5-(\sqrt{2}+3)=5-\sqrt{2}-3$

$=2-\sqrt{2}=\sqrt{4}-\sqrt{2}>0$

$\therefore 5>\sqrt{2}+3$

④ $\sqrt{7}-3-(-3+\sqrt{3})=\sqrt{7}-3+3-\sqrt{3}$

$=\sqrt{7}-\sqrt{3}>0$

$\therefore \sqrt{7}-3>-3+\sqrt{3}$

⑤ $1-\sqrt{5}-(-\sqrt{2}+1)=1-\sqrt{5}+\sqrt{2}-1$

$=-\sqrt{5}+\sqrt{2}<0$

$\therefore 1-\sqrt{5}<-\sqrt{2}+1$

따라서 두 실수의 대소 관계가 옳은 것은 ③이다.

6-2 ① $4-(\sqrt{10}+1)=4-\sqrt{10}-1$

$=3-\sqrt{10}=\sqrt{9}-\sqrt{10}<0$

$\therefore 4<\sqrt{10}+1$

② $4-\sqrt{19}-(-1)=4-\sqrt{19}+1$

$=5-\sqrt{19}$

$=\sqrt{25}-\sqrt{19}>0$

$\therefore 4-\sqrt{19}>-1$

③ $\sqrt{5}+1-(\sqrt{5}+\sqrt{2})=\sqrt{5}+1-\sqrt{5}-\sqrt{2}$

$=1-\sqrt{2}<0$

$\therefore \sqrt{5}+1<\sqrt{5}+\sqrt{2}$

④ $2-\sqrt{2}-(-\sqrt{2}+\sqrt{3})=2-\sqrt{2}+\sqrt{2}-\sqrt{3}$

$=2-\sqrt{3}$

$=\sqrt{4}-\sqrt{3}>0$

$\therefore 2-\sqrt{2}>-\sqrt{2}+\sqrt{3}$

⑤ $\sqrt{15}-\sqrt{17}-(-\sqrt{17}+4)=\sqrt{15}-\sqrt{17}+\sqrt{17}-4$

$=\sqrt{15}-4$

$=\sqrt{15}-\sqrt{16}<0$

$\therefore \sqrt{15}-\sqrt{17}<-\sqrt{17}+4$

따라서 두 실수의 대소 관계가 옳지 않은 것은 ⑤이다.

STEP 3 교과서 기본 테스트

본문 21~22쪽

01 ㉠, ㉢, ㉣ **02** ⑤ **03** ①, ④ **04** 16개

05 8.037 **06** 1

07 (1) P : $1-\sqrt{8}$, Q : $1+\sqrt{8}$ (2) 예 $1-\sqrt{3}$, $\sqrt{3}$, $\sqrt{5}$

08 A : ㉠, B : ㉡, C : ㉣, D : ㉢

09 $\frac{1}{4}$

10 (1) ㉠ : 정수가 아닌 유리수 / $\sqrt{\frac{4}{25}}-1$, $0.\dot{3}$

(2) ㉡ : 무리수 / $\frac{\pi}{3}$, $\sqrt{3}+2$

11 $c<a<b$ **12** 7개

01 ㉡ $\sqrt{16}=\sqrt{4^2}=4$ ➡ 유리수

㉤ $(-\sqrt{3})^2=3$ ➡ 유리수

㉥ $\sqrt{0.\dot{1}}=\sqrt{\frac{1}{9}}=\sqrt{\left(\frac{1}{3}\right)^2}=\frac{1}{3}$ ➡ 유리수

따라서 무리수인 것은 ㉠, ㉢, ㉣이다.

02 ⑤ 근호를 사용하여 나타낸 수는 유리수 또는 무리수이고, 이는 모두 실수이다.

03 ② 서로 다른 두 유리수 사이에는 무수히 많은 무리수가 존재한다.

③ 서로 다른 두 유리수 사이에는 무수히 많은 유리수와 무리수가 존재한다.

⑤ 수직선은 실수에 대응하는 점들로 완전히 메울 수 있다.

04 $\sqrt{x}$가 유리수가 되게 하는 자연수 x는

$x=1^2,\ 2^2,\ 3^2,\ \cdots$

이때 x는 20 이하의 자연수이므로 $x=1,\ 4,\ 9,\ 16$

따라서 $\sqrt{x}$가 무리수가 되게 하는 20 이하의 자연수 x는 $20-4=16$(개)이다.

05 $\sqrt{5.84}=2.417$이므로 $a=2.417$

$\sqrt{5.62}=2.371$이므로 $b=5.62$

$\therefore\ a+b=2.417+5.62=8.037$

06 $\triangle ABC$에서 피타고라스 정리에 의하여

$\overline{AC}=\sqrt{1^2+2^2}=\sqrt{5}$

이때 $\overline{AC}=\overline{PC}$이고 점 P에 대응하는 수가 $3-\sqrt{5}$이므로 점 C에 대응하는 수는 3이다.

따라서 점 B에 대응하는 수는 $3-2=1$

07 (1) 피타고라스 정리에 의하여

$\overline{AB}=\sqrt{2^2+2^2}=\sqrt{8}$

이때 $\overline{AP}=\overline{AQ}=\sqrt{8}$이고 점 A에 대응하는 수가 1이므로 점 P에 대응하는 수는 $1-\sqrt{8}$, 점 Q에 대응하는 수는 $1+\sqrt{8}$이다.

(2) $\sqrt{4}=2,\ \sqrt{9}=3$이므로 $2<\sqrt{8}<3$에서

$-3<-\sqrt{8}<-2$

$\therefore\ -2<1-\sqrt{8}<-1,\ 3<1+\sqrt{8}<4$

따라서 두 수 $1-\sqrt{8}$과 $1+\sqrt{8}$ 사이에 있는 무리수는 $1-\sqrt{3},\ \sqrt{3},\ \sqrt{5},\ 1+\sqrt{3},\ 1+\sqrt{5},\ \cdots$이다.

08 $\sqrt{4}=2,\ \sqrt{9}=3$이므로 $2<\sqrt{5}<3$

㉠ $2<\sqrt{5}<3$이므로 $-3<-\sqrt{5}<-2$ ➡ A

㉡ $-3<-\sqrt{5}<-2$이므로 $-2<1-\sqrt{5}<-1$ ➡ B

㉢ $2<\sqrt{5}<3$이므로 $1<\sqrt{5}-1<2$ ➡ D

㉣ $-3<-\sqrt{5}<-2$이므로 $-1<2-\sqrt{5}<0$ ➡ C

09 $2>\frac{1}{3}$이므로 $\sqrt{2}>\sqrt{\frac{1}{3}}$ $\quad\therefore\ -\sqrt{2}<-\sqrt{\frac{1}{3}}$

$\frac{1}{4}=\sqrt{\frac{1}{16}},\ 0.3=\sqrt{0.09}$이고 $\frac{1}{16}<0.09<7$이므로

$\frac{1}{4}<0.3<\sqrt{7}$

따라서 주어진 수를 작은 수부터 크기순으로 나열하면 $-\sqrt{2},\ -\sqrt{\frac{1}{3}},\ 0,\ \frac{1}{4},\ 0.3,\ \sqrt{7}$이므로 네 번째에 오는 수는 $\frac{1}{4}$이다.

10 $\frac{\pi}{3}$ ➡ 무리수

$\sqrt{\frac{4}{25}}-1=\sqrt{\left(\frac{2}{5}\right)^2}-1=\frac{2}{5}-1=-\frac{3}{5}$ ➡ 유리수

$\sqrt{3}+2$ ➡ 무리수

$0.\dot{3}=\frac{3}{9}=\frac{1}{3}$ ➡ 유리수

$\sqrt{64}=\sqrt{8^2}=8$ ➡ 유리수 …… ㉮

(1) ㉠에 알맞은 것은 정수가 아닌 유리수이고, 보기 중에서 ㉠에 해당하는 수는 $\sqrt{\frac{4}{25}}-1,\ 0.\dot{3}$이다. …… ㉯

(2) ㉡에 알맞은 것은 무리수이고, 보기 중에서 ㉡에 해당하는 수는 $\frac{\pi}{3},\ \sqrt{3}+2$이다. …… ㉰

채점 기준	비율
㉮ 보기의 수를 유리수와 무리수로 바르게 구분한 경우	40 %
㉯ ㉠에 알맞은 것을 써넣고, 보기 중에서 ㉠에 해당하는 수를 바르게 구한 경우	30 %
㉰ ㉡에 알맞은 것을 써넣고, 보기 중에서 ㉡에 해당하는 수를 바르게 구한 경우	30 %

11

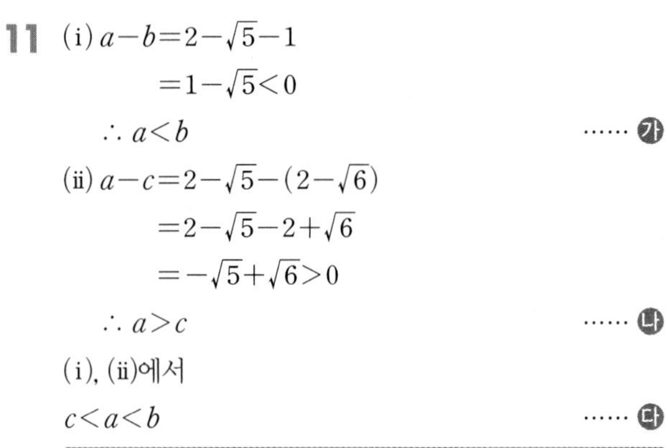

(i) $a-b=2-\sqrt{5}-1$

$=1-\sqrt{5}<0$

$\therefore\ a<b$ …… ㉮

(ii) $a-c=2-\sqrt{5}-(2-\sqrt{6})$

$=2-\sqrt{5}-2+\sqrt{6}$

$=-\sqrt{5}+\sqrt{6}>0$

$\therefore\ a>c$ …… ㉯

(i), (ii)에서

$c<a<b$ …… ㉰

채점 기준	비율
㉮ a와 b의 대소 관계를 제대로 파악한 경우	40 %
㉯ a와 c의 대소 관계를 제대로 파악한 경우	40 %
㉰ $a,\ b,\ c$의 대소 관계를 부등호를 사용하여 바르게 나타낸 경우	20 %

12 $\sqrt{9}=3,\ \sqrt{16}=4$이므로 $3<\sqrt{10}<4$에서

$-4<-\sqrt{10}<-3$

$\therefore\ -3<1-\sqrt{10}<-2$ …… ㉮

$\sqrt{4}=2,\ \sqrt{9}=3$이므로 $2<\sqrt{6}<3$에서

$4<2+\sqrt{6}<5$ …… ㉯

따라서 두 실수 $1-\sqrt{10},\ 2+\sqrt{6}$ 사이에 있는 정수는 $-2,\ -1,\ 0,\ 1,\ 2,\ 3,\ 4$의 7개이다. …… ㉰

채점 기준	비율
㉮ $1-\sqrt{10}$의 범위를 제대로 구한 경우	30 %
㉯ $2+\sqrt{6}$의 범위를 제대로 구한 경우	30 %
㉰ $1-\sqrt{10},\ 2+\sqrt{6}$ 사이에 있는 정수의 개수를 바르게 구한 경우	40 %

창의력 · 융합형 · 서술형 · 코딩

본문 23쪽

1 피자 2 $\sqrt{2}$ 3 12π 4 $a<b<c$

1 출발점에서부터 무리수를 찾아 나가면

$\sqrt{3} \Rightarrow \sqrt{0.1} \Rightarrow \frac{\pi}{2} \Rightarrow \sqrt{2.5} \Rightarrow \sqrt{6}-2$

따라서 다음 그림과 같이 수미가 받을 수 있는 선물은 피자이다.

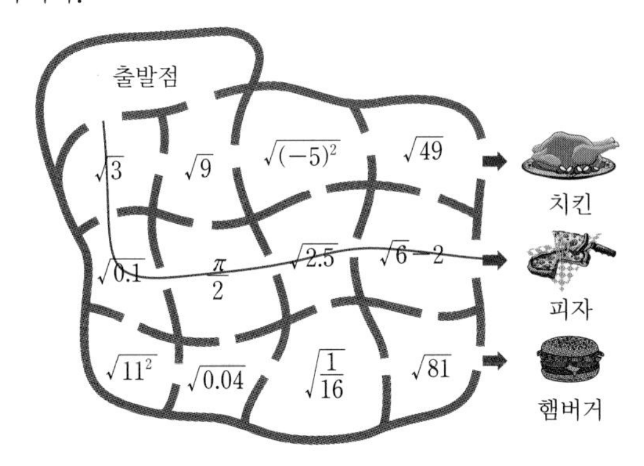

2 직사각형 ABCD에서 $\overline{EF}\perp\overline{BC}$이므로 □DEFC도 직사각형이다.

□ABCD∽□DEFC가 되려면

$\overline{AB}:\overline{DE}=\overline{AD}:\overline{DC}$이어야 하므로

$1:\frac{a}{2}=a:1$, $\frac{a^2}{2}=1$, $a^2=2$

이때 $a>0$이므로 $a=\sqrt{2}$

3 반지름의 길이가 3인 원의 둘레의 길이는 $2\pi\times3=6\pi$

이 원을 시계 방향으로 두 바퀴 굴릴 때, 이동 거리는

$6\pi\times2=12\pi$

이때 점 A는 원점에 대응해 있었으므로 점 A′에 대응하는 수는 12π이다.

4 직각을 낀 두 변의 길이가 각각 1, 1인 직각삼각형의 빗변의 길이는 $\sqrt{1^2+1^2}=\sqrt{2}$

직각을 낀 두 변의 길이가 각각 2, 2인 직각삼각형의 빗변의 길이는 $\sqrt{2^2+2^2}=\sqrt{8}$

직각을 낀 두 변의 길이가 각각 1, 2인 직각삼각형의 빗변의 길이는 $\sqrt{1^2+2^2}=\sqrt{5}$

따라서 직각삼각형을 이용하여 세 실수 $a=4-\sqrt{2}$, $b=\sqrt{8}$, $c=6-\sqrt{5}$에 대응하는 점을 수직선 위에 나타내면 다음 그림과 같으므로 $a<b<c$

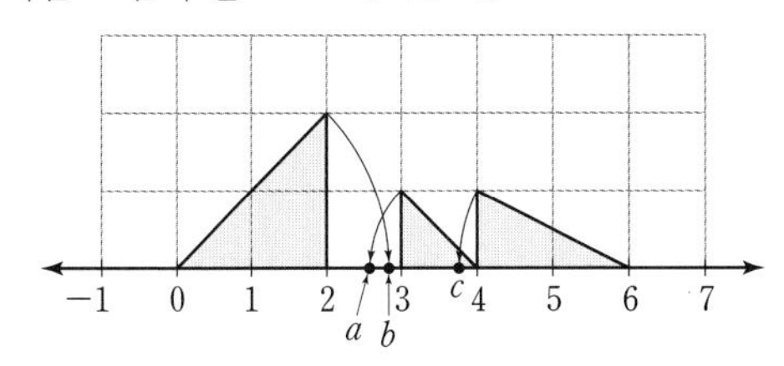

03 근호를 포함한 식의 곱셈과 나눗셈

STEP 1 교과서 개념 확인 테스트

본문 26~27쪽

1-1 (1) $4\sqrt{6}$ (2) $\sqrt{\frac{5}{7}}$ (3) $-\sqrt{5}$ (4) $3\sqrt{6}$

1-2 (1) $3\sqrt{35}$ (2) 2 (3) $-2\sqrt{6}$ (4) $4\sqrt{7}$

2-1 (1) $3\sqrt{3}$ (2) $10\sqrt{2}$ (3) $\frac{\sqrt{19}}{10}$ (4) $-\frac{\sqrt{15}}{7}$

2-2 (1) $5\sqrt{3}$ (2) $\frac{\sqrt{6}}{10}$ (3) $-10\sqrt{10}$ (4) $\frac{\sqrt{5}}{6}$

3-1 (1) $\sqrt{28}$ (2) $-\sqrt{54}$ (3) $\sqrt{10}$ (4) $\sqrt{\frac{11}{9}}$

3-2 (1) $-\sqrt{48}$ (2) $\sqrt{90}$ (3) $-\sqrt{\frac{6}{25}}$ (4) $\sqrt{\frac{63}{2}}$

4-1 (1) 17.32 (2) 54.77 (3) 0.1732 (4) 0.5477

4-2 (1) 15.49 (2) 58.31 (3) 0.4899 (4) 0.1844

5-1 (1) $\frac{\sqrt{15}}{5}$ (2) $\sqrt{6}$ (3) $-\frac{3\sqrt{5}}{10}$ (4) $\frac{\sqrt{6}}{8}$

5-2 (1) $\sqrt{3}$ (2) $\frac{5\sqrt{3}}{6}$ (3) $-\frac{\sqrt{14}}{10}$ (4) $\frac{\sqrt{3}}{4}$

6-1 (1) $\sqrt{10}$ (2) $9\sqrt{6}$ (3) $\frac{\sqrt{30}}{15}$ (4) $3\sqrt{3}$

6-2 (1) 9 (2) $3\sqrt{10}$ (3) $5\sqrt{5}$ (4) $\sqrt{15}$

1-1 (1) $4\sqrt{2}\times\sqrt{3}=4\sqrt{2\times3}=4\sqrt{6}$

(2) $\sqrt{\frac{4}{7}}\sqrt{\frac{5}{4}}=\sqrt{\frac{4}{7}\times\frac{5}{4}}=\sqrt{\frac{5}{7}}$

(3) $\sqrt{30}\div(-\sqrt{6})=-\frac{\sqrt{30}}{\sqrt{6}}=-\sqrt{\frac{30}{6}}=-\sqrt{5}$

(4) $\frac{15\sqrt{60}}{5\sqrt{10}}=\frac{15}{5}\sqrt{\frac{60}{10}}=3\sqrt{6}$

1-2 (1) $-\sqrt{5}\times(-3\sqrt{7})=(-1)\times(-3)\times\sqrt{5\times7}$
$=3\sqrt{35}$

(2) $\sqrt{\frac{1}{5}}\times\sqrt{20}=\sqrt{\frac{1}{5}\times20}=\sqrt{4}=2$

(3) $-4\sqrt{30}\div2\sqrt{5}=-\frac{4\sqrt{30}}{2\sqrt{5}}=-\frac{4}{2}\sqrt{\frac{30}{5}}=-2\sqrt{6}$

(4) $\frac{8\sqrt{21}}{2\sqrt{3}}=\frac{8}{2}\sqrt{\frac{21}{3}}=4\sqrt{7}$

2-1 (1) $\sqrt{27}=\sqrt{9\times3}=\sqrt{3^2\times3}=3\sqrt{3}$

(2) $\sqrt{200}=\sqrt{100\times2}=\sqrt{10^2\times2}=10\sqrt{2}$

(3) $\sqrt{0.19}=\sqrt{\frac{19}{100}}=\frac{\sqrt{19}}{\sqrt{100}}=\frac{\sqrt{19}}{\sqrt{10^2}}=\frac{\sqrt{19}}{10}$

(4) $-\sqrt{\frac{15}{49}}=-\frac{\sqrt{15}}{\sqrt{49}}=-\frac{\sqrt{15}}{\sqrt{7^2}}=-\frac{\sqrt{15}}{7}$

2-2 (1) $\sqrt{75}=\sqrt{25\times3}=\sqrt{5^2\times3}=5\sqrt{3}$

(2) $\sqrt{0.06}=\sqrt{\frac{6}{100}}=\frac{\sqrt{6}}{\sqrt{100}}=\frac{\sqrt{6}}{\sqrt{10^2}}=\frac{\sqrt{6}}{10}$

(3) $-\sqrt{1000}=-\sqrt{100\times10}=-\sqrt{10^2\times10}=-10\sqrt{10}$

(4) $\sqrt{\frac{10}{72}}=\sqrt{\frac{5}{36}}=\frac{\sqrt{5}}{\sqrt{36}}=\frac{\sqrt{5}}{\sqrt{6^2}}=\frac{\sqrt{5}}{6}$

3-1 (1) $2\sqrt{7}=\sqrt{2^2\times7}=\sqrt{28}$

(2) $-3\sqrt{6}=-\sqrt{3^2\times6}=-\sqrt{54}$

(3) $5\sqrt{\frac{2}{5}}=\sqrt{5^2\times\frac{2}{5}}=\sqrt{10}$

(4) $\frac{\sqrt{11}}{3}=\frac{\sqrt{11}}{\sqrt{9}}=\sqrt{\frac{11}{9}}$

3-2 (1) $-4\sqrt{3}=-\sqrt{4^2\times3}=-\sqrt{48}$

(2) $3\sqrt{10}=\sqrt{3^2\times10}=\sqrt{90}$

(3) $-\frac{\sqrt{6}}{5}=-\frac{\sqrt{6}}{\sqrt{25}}=-\sqrt{\frac{6}{25}}$

(4) $\frac{3}{2}\sqrt{14}=\sqrt{\left(\frac{3}{2}\right)^2\times14}=\sqrt{\frac{9}{4}\times14}=\sqrt{\frac{63}{2}}$

4-1 (1) $\sqrt{300}=\sqrt{100\times3}=10\sqrt{3}$

$=10\times1.732=17.32$

(2) $\sqrt{3000}=\sqrt{100\times30}=10\sqrt{30}$

$=10\times5.477=54.77$

(3) $\sqrt{0.03}=\sqrt{\frac{3}{100}}=\frac{\sqrt{3}}{10}$

$=\frac{1.732}{10}=0.1732$

(4) $\sqrt{0.3}=\sqrt{\frac{30}{100}}=\frac{\sqrt{30}}{10}$

$=\frac{5.477}{10}=0.5477$

4-2 (1) $\sqrt{240}=\sqrt{100\times2.4}=10\sqrt{2.4}$

$=10\times1.549=15.49$

(2) $\sqrt{3400}=\sqrt{100\times34}=10\sqrt{34}$

$=10\times5.831=58.31$

(3) $\sqrt{0.24}=\sqrt{\frac{24}{100}}=\frac{\sqrt{24}}{10}$

$=\frac{4.899}{10}=0.4899$

(4) $\sqrt{0.034}=\sqrt{\frac{3.4}{100}}=\frac{\sqrt{3.4}}{10}$

$=\frac{1.844}{10}=0.1844$

5-1 (1) $\frac{\sqrt{3}}{\sqrt{5}}=\frac{\sqrt{3}\times\sqrt{5}}{\sqrt{5}\times\sqrt{5}}=\frac{\sqrt{15}}{5}$

(2) $\frac{2\sqrt{3}}{\sqrt{2}}=\frac{2\sqrt{3}\times\sqrt{2}}{\sqrt{2}\times\sqrt{2}}=\frac{2\sqrt{6}}{2}=\sqrt{6}$

(3) $-\frac{3}{\sqrt{20}}=-\frac{3}{2\sqrt{5}}=-\frac{3\times\sqrt{5}}{2\sqrt{5}\times\sqrt{5}}=-\frac{3\sqrt{5}}{10}$

(4) $\frac{\sqrt{3}}{\sqrt{32}}=\frac{\sqrt{3}}{4\sqrt{2}}=\frac{\sqrt{3}\times\sqrt{2}}{4\sqrt{2}\times\sqrt{2}}=\frac{\sqrt{6}}{8}$

5-2 (1) $\frac{3}{\sqrt{3}}=\frac{3\times\sqrt{3}}{\sqrt{3}\times\sqrt{3}}=\frac{3\sqrt{3}}{3}=\sqrt{3}$

(2) $\frac{5}{\sqrt{12}}=\frac{5}{2\sqrt{3}}=\frac{5\times\sqrt{3}}{2\sqrt{3}\times\sqrt{3}}=\frac{5\sqrt{3}}{6}$

(3) $-\frac{\sqrt{7}}{\sqrt{50}}=-\frac{\sqrt{7}}{5\sqrt{2}}=-\frac{\sqrt{7}\times\sqrt{2}}{5\sqrt{2}\times\sqrt{2}}=-\frac{\sqrt{14}}{10}$

(4) $\frac{3\sqrt{2}}{4\sqrt{6}}=\frac{3\sqrt{2}\times\sqrt{6}}{4\sqrt{6}\times\sqrt{6}}=\frac{3\sqrt{12}}{24}$

$=\frac{3\times2\sqrt{3}}{24}=\frac{6\sqrt{3}}{24}=\frac{\sqrt{3}}{4}$

6-1 (1) $\sqrt{6}\times\sqrt{5}\div\sqrt{3}=\sqrt{6}\times\sqrt{5}\times\frac{1}{\sqrt{3}}$

$=\sqrt{30}\times\frac{1}{\sqrt{3}}$

$=\sqrt{10}$

(2) $\sqrt{108}\div2\sqrt{3}\times\sqrt{54}=6\sqrt{3}\times\frac{1}{2\sqrt{3}}\times3\sqrt{6}$

$=3\times3\sqrt{6}$

$=9\sqrt{6}$

(3) $\frac{1}{\sqrt{2}}\times\sqrt{\frac{2}{3}}\div\frac{\sqrt{10}}{2}=\frac{1}{\sqrt{2}}\times\frac{\sqrt{2}}{\sqrt{3}}\times\frac{2}{\sqrt{10}}$

$=\frac{1}{\sqrt{3}}\times\frac{2}{\sqrt{10}}=\frac{2}{\sqrt{30}}$

$=\frac{2\sqrt{30}}{30}=\frac{\sqrt{30}}{15}$

(4) $\frac{\sqrt{10}}{\sqrt{3}}\div\frac{\sqrt{5}}{\sqrt{6}}\times\frac{9}{\sqrt{12}}=\frac{\sqrt{10}}{\sqrt{3}}\times\frac{\sqrt{6}}{\sqrt{5}}\times\frac{9}{2\sqrt{3}}$

$=2\times\frac{9}{2\sqrt{3}}=\frac{9}{\sqrt{3}}$

$=\frac{9\sqrt{3}}{3}=3\sqrt{3}$

6-2 (1) $3\sqrt{3}\times5\sqrt{6}\div5\sqrt{2}=3\sqrt{3}\times5\sqrt{6}\times\frac{1}{5\sqrt{2}}$

$=15\sqrt{18}\times\frac{1}{5\sqrt{2}}$

$=3\sqrt{9}=9$

(2) $3\sqrt{6}\div2\sqrt{3}\times2\sqrt{5}=3\sqrt{6}\times\frac{1}{2\sqrt{3}}\times2\sqrt{5}$

$=\frac{3\sqrt{2}}{2}\times2\sqrt{5}$

$=3\sqrt{10}$

(3) $\frac{5}{\sqrt{2}}\times\frac{\sqrt{10}}{\sqrt{3}}\div\frac{1}{\sqrt{3}}=\frac{5}{\sqrt{2}}\times\frac{\sqrt{10}}{\sqrt{3}}\times\sqrt{3}$

$=\frac{5\sqrt{5}}{\sqrt{3}}\times\sqrt{3}$

$=5\sqrt{5}$

(4) $\sqrt{28}\div\sqrt{\frac{7}{3}}\times\frac{\sqrt{5}}{2}=2\sqrt{7}\times\frac{\sqrt{3}}{\sqrt{7}}\times\frac{\sqrt{5}}{2}$

$=2\sqrt{3}\times\frac{\sqrt{5}}{2}$

$=\sqrt{15}$

STEP 2 기출 기초 테스트

본문 28~29쪽

1-1 ①	1-2 21
2-1 ④	2-2 ②
3-1 ③	3-2 ④
4-1 ③	4-2 1
5-1 $\frac{16}{9}$	
5-2 (1) $\sqrt{6}$ (2) $7\sqrt{3}$ (3) -12 (4) $\sqrt{70}$	
6-1 $\frac{\sqrt{10}}{2}$ cm	6-2 $2\sqrt{7}$

1-1 ① $3\sqrt{5}=\sqrt{3^2\times5}=\sqrt{45}$

$\therefore \square=45$

② $-\sqrt{250}=-\sqrt{5^2\times10}=-5\sqrt{10}$

$\therefore \square=10$

③ $\sqrt{675}=\sqrt{15^2\times3}=15\sqrt{3}$

$\therefore \square=15$

④ $\sqrt{700}=\sqrt{10^2\times7}=10\sqrt{7}$

$\therefore \square=10$

⑤ $-6\sqrt{\frac{3}{4}}=-\sqrt{6^2\times\frac{3}{4}}=-\sqrt{27}$

$\therefore \square=27$

따라서 □ 안에 들어갈 수가 가장 큰 것은 ①이다.

1-2 $\sqrt{48}=\sqrt{4^2\times3}=4\sqrt{3}$이므로 $a=3$

$2\sqrt{6}=\sqrt{2^2\times6}=\sqrt{24}$이므로 $b=24$

$\therefore b-a=24-3=21$

2-1 $\sqrt{150}=\sqrt{5^2\times6}=5\sqrt{6}$

$=5\sqrt{2}\sqrt{3}=5ab$

2-2 $\sqrt{90}=\sqrt{3^2\times10}=3\sqrt{10}$

$=3\sqrt{2}\sqrt{5}=3ab$

3-1 ① $\sqrt{310}=\sqrt{100\times3.1}=10\sqrt{3.1}$

$=10\times1.761=17.61$

② $\sqrt{3100}=\sqrt{100\times31}=10\sqrt{31}$

$=10\times5.568=55.68$

③ $\sqrt{0.31}=\sqrt{\frac{31}{100}}=\frac{\sqrt{31}}{10}$

$=\frac{5.568}{10}=0.5568$

④ $\sqrt{0.0031}=\sqrt{\frac{31}{10000}}=\frac{\sqrt{31}}{100}$

$=\frac{5.568}{100}=0.05568$

⑤ $\sqrt{0.00031}=\sqrt{\frac{3.1}{10000}}=\frac{\sqrt{3.1}}{100}$

$=\frac{1.761}{100}=0.01761$

따라서 옳지 않은 것은 ③이다.

3-2 ① $\sqrt{1.32}=1.149$

② $\sqrt{123}=\sqrt{100\times1.23}=10\sqrt{1.23}$

$=10\times1.109=11.09$

③ $\sqrt{1.12}=1.058$이므로

$1.058^2=(\sqrt{1.12})^2=1.12$

④ 주어진 제곱근표에서는 $\sqrt{10.10}$의 값은 구할 수 없다.

⑤ $\sqrt{0.0124}=\sqrt{\frac{1.24}{100}}=\frac{\sqrt{1.24}}{10}$

$=\frac{1.114}{10}=0.1114$

따라서 옳지 않은 것은 ④이다.

4-1 ① $\frac{8}{\sqrt{3}}=\frac{8\times\sqrt{3}}{\sqrt{3}\times\sqrt{3}}=\frac{8\sqrt{3}}{3}$

② $\frac{5}{2\sqrt{5}}=\frac{5\times\sqrt{5}}{2\sqrt{5}\times\sqrt{5}}=\frac{5\sqrt{5}}{10}=\frac{\sqrt{5}}{2}$

③ $\frac{12}{\sqrt{2}}=\frac{12\times\sqrt{2}}{\sqrt{2}\times\sqrt{2}}=\frac{12\sqrt{2}}{2}=6\sqrt{2}$

④ $\frac{10\sqrt{3}}{\sqrt{2}}=\frac{10\sqrt{3}\times\sqrt{2}}{\sqrt{2}\times\sqrt{2}}=\frac{10\sqrt{6}}{2}=5\sqrt{6}$

⑤ $\frac{5\sqrt{8}}{2\sqrt{7}}=\frac{5\sqrt{8}\times\sqrt{7}}{2\sqrt{7}\times\sqrt{7}}=\frac{5\sqrt{56}}{14}=\frac{10\sqrt{14}}{14}=\frac{5\sqrt{14}}{7}$

따라서 분모를 유리화한 것으로 옳지 않은 것은 ③이다.

4-2 $\frac{7}{3\sqrt{7}}=\frac{7\times\sqrt{7}}{3\sqrt{7}\times\sqrt{7}}=\frac{7\sqrt{7}}{21}=\frac{\sqrt{7}}{3}$이므로

$a=\frac{1}{3}$

$\frac{2}{\sqrt{3}}=\frac{2\times\sqrt{3}}{\sqrt{3}\times\sqrt{3}}=\frac{2\sqrt{3}}{3}$이므로

$b=\frac{2}{3}$

$\therefore a+b=\frac{1}{3}+\frac{2}{3}=1$

5-1 $\frac{4}{\sqrt{3}}\times\frac{2}{\sqrt{2}}\div\sqrt{\frac{9}{8}}=\frac{4}{\sqrt{3}}\times\sqrt{2}\times\frac{2\sqrt{2}}{3}$

$=\frac{4\sqrt{2}}{\sqrt{3}}\times\frac{2\sqrt{2}}{3}$

$=\frac{16}{3\sqrt{3}}$

$=\frac{16\sqrt{3}}{9}$

$\therefore a=\frac{16}{9}$

5-2 (1) $\sqrt{3}\times\sqrt{10}\div\sqrt{5}=\sqrt{30}\div\sqrt{5}=\sqrt{6}$

(2) $7\sqrt{2}\div\sqrt{6}\times 3=7\sqrt{2}\times\frac{1}{\sqrt{6}}\times 3$

$=\frac{7}{\sqrt{3}}\times 3$

$=\frac{21}{\sqrt{3}}=7\sqrt{3}$

(3) $-\sqrt{39}\times 4\sqrt{3}\div\sqrt{13}=-\sqrt{39}\times 4\sqrt{3}\times\frac{1}{\sqrt{13}}$

$=-12\sqrt{13}\times\frac{1}{\sqrt{13}}=-12$

(4) $\frac{5\sqrt{5}}{3}\div\frac{\sqrt{15}}{\sqrt{7}}\times\frac{6\sqrt{3}}{\sqrt{10}}=\frac{5\sqrt{5}}{3}\times\frac{\sqrt{7}}{\sqrt{15}}\times\frac{6\sqrt{3}}{\sqrt{10}}$

$=\frac{5\sqrt{7}}{3\sqrt{3}}\times\frac{6\sqrt{3}}{\sqrt{10}}$

$=\frac{10\sqrt{7}}{\sqrt{10}}=\sqrt{70}$

6-1 (직육면체의 부피)

=(가로의 길이)×(세로의 길이)×(높이)

이므로

$2\sqrt{30}=\sqrt{6}\times 2\sqrt{2}\times$(높이)에서

$4\sqrt{3}\times$(높이)$=2\sqrt{30}$

∴ (높이)$=\frac{2\sqrt{30}}{4\sqrt{3}}=\frac{\sqrt{10}}{2}$ (cm)

6-2 (삼각형의 넓이)$=\frac{1}{2}\times 4\sqrt{3}\times\sqrt{28}$

$=2\sqrt{3}\times 2\sqrt{7}$

$=4\sqrt{21}$

(직사각형의 넓이)$=x\times\sqrt{12}=2\sqrt{3}x$

이때 삼각형과 직사각형의 넓이가 서로 같으므로

$4\sqrt{21}=2\sqrt{3}x$에서

$x=\frac{4\sqrt{21}}{2\sqrt{3}}=2\sqrt{7}$

STEP 3 교과서 기본 테스트 | 본문 30~32쪽

01 ④	02 82	03 ③	04 4
05 ②	06 ②	07 ⑤	08 ④
09 ①, ④	10 ③	11 ④	12 ⑤
13 $\frac{\sqrt{14}}{3}$	14 ④	15 $5\sqrt{2}$ cm²	16 3 cm
17 $\sqrt{10}$배	18 (1) $5\sqrt{5}$ (2) $\frac{6\sqrt{6}}{5}$		19 18
20 $2\sqrt{10}$ cm			

01 ① $\sqrt{2}\times\sqrt{7}=\sqrt{2\times 7}=\sqrt{14}$

② $2\sqrt{3}\div\sqrt{6}=\frac{2\sqrt{3}}{\sqrt{6}}=\frac{2}{\sqrt{2}}=\frac{2\times\sqrt{2}}{\sqrt{2}\times\sqrt{2}}=\sqrt{2}$

③ $-\sqrt{45}=-\sqrt{3^2\times 5}=-3\sqrt{5}$

④ $(-\sqrt{3})\times(-\sqrt{5})=\sqrt{3\times 5}=\sqrt{15}$

⑤ $4\sqrt{6}\div\sqrt{2}\times\sqrt{3}=4\sqrt{6}\times\frac{1}{\sqrt{2}}\times\sqrt{3}$

$=4\sqrt{3}\times\sqrt{3}=12$

따라서 옳지 않은 것은 ④이다.

02 $\sqrt{72}=\sqrt{6^2\times 2}=6\sqrt{2}$이므로 $a=2$

$4\sqrt{5}=\sqrt{4^2\times 5}=\sqrt{80}$이므로 $b=80$

$\therefore a+b=2+80=82$

03 $\sqrt{0.039}+\sqrt{3900}=\sqrt{\frac{3.9}{100}}+\sqrt{100\times 39}$

$=\frac{\sqrt{3.9}}{10}+10\sqrt{39}$

$=\frac{1}{10}a+10b$

따라서 $x=\frac{1}{10}$, $y=10$이므로

$xy=\frac{1}{10}\times 10=1$

04 $\sqrt{2}\times\sqrt{a}\times\sqrt{3}\times\sqrt{27}\times\sqrt{2a}$

$=\sqrt{2}\times\sqrt{a}\times\sqrt{3}\times 3\sqrt{3}\times\sqrt{2}\times\sqrt{a}$

$=18a$

따라서 $18a=72$이므로 $a=4$

05 $\sqrt{0.5}=\sqrt{\frac{50}{100}}=\frac{5\sqrt{2}}{10}=\frac{\sqrt{2}}{2}$이므로 $a=\frac{1}{2}$

$\sqrt{0.48}=\sqrt{\frac{48}{100}}=\frac{4\sqrt{3}}{10}=\frac{2\sqrt{3}}{5}$이므로 $b=\frac{2}{5}$

$\therefore ab=\frac{1}{2}\times\frac{2}{5}=\frac{1}{5}$

06 $2.4^2=5.76$이므로

$\sqrt{0.000576}=\sqrt{\frac{5.76}{10000}}=\frac{\sqrt{5.76}}{100}$

$=\frac{\sqrt{2.4^2}}{100}=\frac{2.4}{100}$

$=0.024$

07 ③ $\sqrt{484}=\sqrt{100\times 4.84}=10\sqrt{4.84}$

$=10\times 2.200=22.00$

④ $\sqrt{0.045}=\sqrt{\frac{4.5}{100}}=\frac{\sqrt{4.5}}{10}$

$=\frac{2.121}{10}=0.2121$

⑤ $\sqrt{0.046}=\sqrt{\frac{4.6}{100}}=\frac{\sqrt{4.6}}{10}$

$=\frac{2.145}{10}=0.2145$

08 $21.98=10\times2.198=10\sqrt{4.83}$
$=\sqrt{10^2\times4.83}=\sqrt{483}$
$\therefore a=483$

09 ① $\sqrt{0.005}=\sqrt{\frac{50}{10000}}=\frac{5\sqrt{2}}{100}=\frac{\sqrt{2}}{20}$이므로
$\sqrt{5}=2.236$임을 이용하여 그 값을 구할 수 없다.
② $\sqrt{\frac{5}{4}}=\frac{\sqrt{5}}{2}=\frac{2.236}{2}=1.118$
③ $\sqrt{45}=\sqrt{3^2\times5}=3\sqrt{5}$
$=3\times2.236=6.708$
④ $\sqrt{105}=\sqrt{3\times5\times7}$이므로
$\sqrt{5}=2.236$임을 이용하여 그 값을 구할 수 없다.
⑤ $\sqrt{125}=\sqrt{5^2\times5}=5\sqrt{5}$
$=5\times2.236=11.18$

10 ① $\frac{1}{\sqrt{3}}=\frac{\sqrt{3}}{\sqrt{3}\times\sqrt{3}}=\frac{\sqrt{3}}{3}$
② $\frac{\sqrt{11}}{\sqrt{3}}=\frac{\sqrt{11}\times\sqrt{3}}{\sqrt{3}\times\sqrt{3}}=\frac{\sqrt{33}}{3}$
③ $\frac{6}{\sqrt{2}}=\frac{6\times\sqrt{2}}{\sqrt{2}\times\sqrt{2}}=\frac{6\sqrt{2}}{2}=3\sqrt{2}$
④ $\frac{\sqrt{5}}{\sqrt{18}}=\frac{\sqrt{5}}{3\sqrt{2}}=\frac{\sqrt{5}\times\sqrt{2}}{3\sqrt{2}\times\sqrt{2}}=\frac{\sqrt{10}}{6}$
⑤ $\frac{3}{2\sqrt{5}}=\frac{3\times\sqrt{5}}{2\sqrt{5}\times\sqrt{5}}=\frac{3\sqrt{5}}{10}$
따라서 분모를 유리화한 것으로 옳지 않은 것은 ③이다.

11 $\sqrt{40}\div2=\frac{2\sqrt{10}}{2}=\sqrt{10}$
① $\sqrt{2}\times\sqrt{5}=\sqrt{2\times5}=\sqrt{10}$
② $\frac{2\sqrt{5}}{\sqrt{2}}=\frac{2\sqrt{5}\times\sqrt{2}}{\sqrt{2}\times\sqrt{2}}=\frac{2\sqrt{10}}{2}=\sqrt{10}$
③ $\sqrt{90}\div3=\frac{3\sqrt{10}}{3}=\sqrt{10}$
④ $\frac{2\sqrt{2}}{\sqrt{5}}=\frac{2\sqrt{2}\times\sqrt{5}}{\sqrt{5}\times\sqrt{5}}=\frac{2\sqrt{10}}{5}$
⑤ $\sqrt{50}\div\sqrt{5}=\frac{\sqrt{50}}{\sqrt{5}}=\sqrt{10}$
따라서 $\sqrt{40}\div2$와 계산 결과가 다른 하나는 ④이다.

12 ① $\sqrt{3}\times\sqrt{5}=\sqrt{15}$
② $\sqrt{42}\div\sqrt{6}=\sqrt{7}$
③ $3\sqrt{2}\times\sqrt{3}=3\sqrt{6}=\sqrt{54}$
④ $\sqrt{3}\div\frac{\sqrt{3}}{3}=\sqrt{3}\times\frac{3}{\sqrt{3}}=3=\sqrt{9}$
⑤ $\sqrt{3}\div\sqrt{6}\times\sqrt{12}=\sqrt{3}\times\frac{1}{\sqrt{6}}\times\sqrt{12}$
$=\frac{1}{\sqrt{2}}\times\sqrt{12}=\sqrt{6}$
따라서 계산 결과가 가장 작은 것은 ⑤이다.

13 $\sqrt{\frac{7}{2}}\div\sqrt{\frac{15}{2}}\div\sqrt{\frac{3}{10}}=\frac{\sqrt{7}}{\sqrt{2}}\times\frac{\sqrt{2}}{\sqrt{15}}\times\frac{\sqrt{10}}{\sqrt{3}}$
$=\frac{\sqrt{7}}{\sqrt{15}}\times\frac{\sqrt{10}}{\sqrt{3}}$
$=\frac{\sqrt{14}}{3}$

14 $\sqrt{24}\div\sqrt{27}\times\sqrt{63}=2\sqrt{6}\times\frac{1}{3\sqrt{3}}\times3\sqrt{7}$
$=\frac{2\sqrt{2}}{3}\times3\sqrt{7}$
$=2\sqrt{14}$
$\therefore a=14$

15 넓이가 5 cm^2인 정사각형의 한 변의 길이는 $\sqrt{5}$ cm이고
넓이가 10 cm^2인 정사각형의 한 변의 길이는 $\sqrt{10}$ cm이므로
(직사각형 A의 넓이)$=\sqrt{5}\times\sqrt{10}$
$=\sqrt{50}=5\sqrt{2}\ (\text{cm}^2)$

16 (직육면체의 부피)
=(가로의 길이)×(세로의 길이)×(높이)
이므로
$18\sqrt{5}=\sqrt{15}\times2\sqrt{3}\times$(높이)에서
$6\sqrt{5}\times$(높이)$=18\sqrt{5}$
∴ (높이)$=\frac{18\sqrt{5}}{6\sqrt{5}}=3$ (cm)

17 넓이가 100 cm^2인 정사각형의 한 변의 길이는
$\sqrt{100}=10$ (cm)
넓이가 10π cm^2인 원의 반지름의 길이를 r cm라고 하면
$\pi r^2=10\pi$에서 $r^2=10$ $\quad\therefore r=\sqrt{10}\ (\because r>0)$
$\therefore 10\div\sqrt{10}=\frac{10}{\sqrt{10}}=\sqrt{10}$(배)

18 (1) $\sqrt{3}\div\frac{\sqrt{2}}{5}\times\frac{\sqrt{10}}{\sqrt{3}}=\sqrt{3}\times\frac{5}{\sqrt{2}}\times\frac{\sqrt{10}}{\sqrt{3}}$ …… ㉮
$=\frac{5\sqrt{3}}{\sqrt{2}}\times\frac{\sqrt{10}}{\sqrt{3}}$
$=5\sqrt{5}$ …… ㉯

채점 기준	비율
㉮ 나눗셈을 역수의 곱셈으로 바르게 고친 경우	40 %
㉯ 앞에서부터 차례대로 곱셈을 바르게 한 경우	60 %

(2) $\sqrt{18}\times\frac{4\sqrt{3}}{\sqrt{5}}\div\sqrt{20}=3\sqrt{2}\times\frac{4\sqrt{3}}{\sqrt{5}}\div2\sqrt{5}$ …… ㉮

$=3\sqrt{2}\times\frac{4\sqrt{3}}{\sqrt{5}}\times\frac{1}{2\sqrt{5}}$ …… ㉯

$=\frac{12\sqrt{6}}{\sqrt{5}}\times\frac{1}{2\sqrt{5}}$

$=\frac{6\sqrt{6}}{5}$ …… ㉰

채점 기준	비율
㉮ $\sqrt{a^2b}$의 꼴을 $a\sqrt{b}$의 꼴로 바르게 고친 경우	35 %
㉯ 나눗셈을 역수의 곱셈으로 바르게 고친 경우	35 %
㉰ 앞에서부터 차례대로 곱셈을 바르게 한 경우	30 %

19 $a>0$, $b>0$이므로

$a\sqrt{\frac{12b}{a}}+b\sqrt{\frac{3a}{b}}=\sqrt{a^2\times\frac{12b}{a}}+\sqrt{b^2\times\frac{3a}{b}}$

$=\sqrt{12ab}+\sqrt{3ab}$ …… ㉮

$=\sqrt{12\times12}+\sqrt{3\times12}$

$=\sqrt{12^2}+\sqrt{6^2}$

$=12+6$

$=18$ …… ㉯

채점 기준	비율
㉮ $a\sqrt{b}$의 꼴을 $\sqrt{a^2b}$의 꼴로 바르게 고치고 근호 안을 간단히 한 경우	50 %
㉯ $ab=12$를 대입하여 식의 값을 바르게 계산한 경우	50 %

20 닮음비가 1 : 2이므로 넓이의 비는

$1^2:2^2=1:4$ …… ㉮

이때 작은 정사각형의 넓이를 S cm²라고 하면

큰 정사각형의 넓이는 $4S$ cm²이므로

$S+4S=200$에서 $5S=200$ $\therefore S=40$ …… ㉯

따라서 작은 정사각형의 넓이가 40 cm²이므로 작은 정사각형의 한 변의 길이는 $\sqrt{40}=2\sqrt{10}$ (cm) …… ㉰

채점 기준	비율
㉮ 닮음비를 이용하여 넓이의 비를 바르게 구한 경우	30 %
㉯ 작은 정사각형의 넓이를 바르게 구한 경우	35 %
㉰ 작은 정사각형의 한 변의 길이를 바르게 구한 경우	35 %

창의력·융합형·서술형·코딩

본문 33쪽

1 128시간
2 (1) 풀이 참조 (2) 풀이 참조
3 풀이 참조
4 $\sqrt{30}$ cm

1 $\frac{\sqrt{R^3}}{\sqrt{54}}$에 $R=96$을 대입하면

$\frac{\sqrt{R^3}}{\sqrt{54}}=\frac{\sqrt{96^3}}{\sqrt{54}}=\frac{96\sqrt{96}}{3\sqrt{6}}=32\sqrt{16}$

$=32\times4=128$(시간)

2 (1) $\frac{\sqrt{5}}{\sqrt{12}}=\frac{\sqrt{5}\times\sqrt{12}}{\sqrt{12}\times\sqrt{12}}=\frac{\sqrt{60}}{12}$

$=\frac{2\sqrt{15}}{12}=\frac{\sqrt{15}}{6}$

(2) $\frac{\sqrt{5}}{\sqrt{12}}=\frac{\sqrt{5}}{2\sqrt{3}}=\frac{\sqrt{5}\times\sqrt{3}}{2\sqrt{3}\times\sqrt{3}}=\frac{\sqrt{15}}{6}$

3

$\sqrt{2}$	㉠	$\frac{\sqrt{2}}{2}$
$\sqrt{5}$	㉣	㉢
㉡	㉤	$\sqrt{20}$

$\sqrt{2}\times㉠\times\frac{\sqrt{2}}{2}=2\sqrt{10}$에서 $㉠=2\sqrt{10}$

$\sqrt{2}\times\sqrt{5}\times㉡=2\sqrt{10}$에서 $\sqrt{10}\times㉡=2\sqrt{10}$

$\therefore ㉡=2$

$\frac{\sqrt{2}}{2}\times㉢\times\sqrt{20}=2\sqrt{10}$에서 $\frac{\sqrt{2}}{2}\times㉢\times2\sqrt{5}=2\sqrt{10}$

$\sqrt{10}\times㉢=2\sqrt{10}$ $\therefore ㉢=2$

$\sqrt{5}\times㉣\times㉢=2\sqrt{10}$에서 $\sqrt{5}\times㉣\times2=2\sqrt{10}$

$2\sqrt{5}\times㉣=2\sqrt{10}$ $\therefore ㉣=\frac{2\sqrt{10}}{2\sqrt{5}}=\sqrt{2}$

$㉡\times㉤\times\sqrt{20}=2\sqrt{10}$에서 $2\times㉤\times2\sqrt{5}=2\sqrt{10}$

$4\sqrt{5}\times㉤=2\sqrt{10}$ $\therefore ㉤=\frac{2\sqrt{10}}{4\sqrt{5}}=\frac{\sqrt{2}}{2}$

4 [1단계]의 정사각형의 넓이는 처음 정사각형의 넓이의 $\frac{1}{2}$이고, [2단계]의 정사각형의 넓이는 [1단계]의 정사각형의 넓이의 $\frac{1}{2}$이다.

따라서 [2단계]의 정사각형의 넓이는 처음 정사각형의 넓이의 $\left(\frac{1}{2}\right)^2$이다.

같은 방법으로 [4단계]에서 생기는 정사각형의 넓이는 처음 정사각형의 넓이의 $\left(\frac{1}{2}\right)^4$이므로 그 넓이는

$4\sqrt{30}\times4\sqrt{30}\times\left(\frac{1}{2}\right)^4=30$ (cm²)

따라서 [4단계]에서 생기는 정사각형의 한 변의 길이는 $\sqrt{30}$ cm이다.

04 근호를 포함한 식의 덧셈과 뺄셈

STEP 1 교과서 개념 확인 테스트 | 본문 35~36쪽

1-1 (1) $8\sqrt{2}$ (2) $\sqrt{3}$ (3) $9\sqrt{5}$ (4) $4\sqrt{5}+2\sqrt{7}$

1-2 (1) $2\sqrt{7}$ (2) $13\sqrt{3}$ (3) $\sqrt{6}$ (4) $-4\sqrt{3}+\sqrt{5}$

2-1 (1) $7\sqrt{3}$ (2) $-2\sqrt{2}$ (3) $\sqrt{2}+3\sqrt{7}$ (4) $-4\sqrt{3}$

2-2 (1) $9\sqrt{5}$ (2) $-\frac{7\sqrt{3}}{6}$ (3) $\frac{11\sqrt{2}}{2}$ (4) $2\sqrt{7}$

3-1 (1) $\sqrt{6}-\sqrt{21}$ (2) $3\sqrt{2}+6$ (3) $3-\sqrt{5}$

3-2 (1) $3+8\sqrt{3}$ (2) $3\sqrt{2}-4\sqrt{3}$ (3) 7

4-1 (1) $\frac{\sqrt{2}-2}{2}$ (2) $\frac{3\sqrt{30}-5}{10}$

4-2 (1) $2+\sqrt{2}$ (2) $\frac{2\sqrt{5}+\sqrt{10}}{15}$

5-1 (1) $\frac{4\sqrt{3}}{3}$ (2) $-5\sqrt{6}$ (3) $5\sqrt{2}-\frac{\sqrt{3}}{3}$ (4) $5\sqrt{2}-2\sqrt{5}$

5-2 (1) $-\sqrt{2}$ (2) $\sqrt{3}$ (3) $\sqrt{2}$ (4) $6\sqrt{3}+6$

6-1 (1) $>$ (2) $<$

6-2 (1) $<$ (2) $>$

1-1 (1) $5\sqrt{2}+3\sqrt{2}=(5+3)\sqrt{2}=8\sqrt{2}$

(2) $4\sqrt{3}-3\sqrt{3}=(4-3)\sqrt{3}=\sqrt{3}$

(3) $8\sqrt{5}-2\sqrt{5}+3\sqrt{5}=(8-2+3)\sqrt{5}=9\sqrt{5}$

(4) $\sqrt{5}-2\sqrt{7}+3\sqrt{5}+4\sqrt{7}=\sqrt{5}+3\sqrt{5}-2\sqrt{7}+4\sqrt{7}$
$=(1+3)\sqrt{5}+(-2+4)\sqrt{7}$
$=4\sqrt{5}+2\sqrt{7}$

1-2 (1) $3\sqrt{7}-\sqrt{7}=(3-1)\sqrt{7}=2\sqrt{7}$

(2) $8\sqrt{3}+5\sqrt{3}=(8+5)\sqrt{3}=13\sqrt{3}$

(3) $2\sqrt{6}-\frac{3\sqrt{6}}{2}+\frac{\sqrt{6}}{2}=\left(2-\frac{3}{2}+\frac{1}{2}\right)\sqrt{6}$
$=\sqrt{6}$

(4) $\sqrt{3}-2\sqrt{5}-5\sqrt{3}+3\sqrt{5}=\sqrt{3}-5\sqrt{3}-2\sqrt{5}+3\sqrt{5}$
$=(1-5)\sqrt{3}+(-2+3)\sqrt{5}$
$=-4\sqrt{3}+\sqrt{5}$

2-1 (1) $\sqrt{75}+\sqrt{12}=\sqrt{5^2\times3}+\sqrt{2^2\times3}$
$=5\sqrt{3}+2\sqrt{3}$
$=(5+2)\sqrt{3}=7\sqrt{3}$

(2) $\sqrt{50}-\sqrt{98}=\sqrt{5^2\times2}-\sqrt{7^2\times2}$
$=5\sqrt{2}-7\sqrt{2}$
$=(5-7)\sqrt{2}=-2\sqrt{2}$

(3) $\sqrt{32}-\sqrt{18}+2\sqrt{28}-\sqrt{7}$
$=\sqrt{4^2\times2}-\sqrt{3^2\times2}+2\sqrt{2^2\times7}-\sqrt{7}$
$=4\sqrt{2}-3\sqrt{2}+4\sqrt{7}-\sqrt{7}$
$=(4-3)\sqrt{2}+(4-1)\sqrt{7}$
$=\sqrt{2}+3\sqrt{7}$

(4) $\frac{3\sqrt{6}}{\sqrt{2}}-\sqrt{48}-\frac{9}{\sqrt{3}}=3\sqrt{3}-\sqrt{4^2\times3}-\frac{9\sqrt{3}}{3}$
$=3\sqrt{3}-4\sqrt{3}-3\sqrt{3}$
$=(3-4-3)\sqrt{3}=-4\sqrt{3}$

2-2 (1) $3\sqrt{20}+\sqrt{45}=3\sqrt{2^2\times5}+\sqrt{3^2\times5}=6\sqrt{5}+3\sqrt{5}$
$=(6+3)\sqrt{5}=9\sqrt{5}$

(2) $\frac{\sqrt{3}}{2}-\frac{5}{\sqrt{3}}=\frac{\sqrt{3}}{2}-\frac{5\sqrt{3}}{3}=\left(\frac{1}{2}-\frac{5}{3}\right)\sqrt{3}$
$=\left(\frac{3}{6}-\frac{10}{6}\right)\sqrt{3}=-\frac{7\sqrt{3}}{6}$

(3) $\sqrt{18}-\frac{3}{\sqrt{2}}+\sqrt{32}=\sqrt{3^2\times2}-\frac{3\sqrt{2}}{2}+\sqrt{4^2\times2}$
$=3\sqrt{2}-\frac{3\sqrt{2}}{2}+4\sqrt{2}$
$=\left(3-\frac{3}{2}+4\right)\sqrt{2}=\frac{11\sqrt{2}}{2}$

(4) $\frac{13}{\sqrt{7}}+\frac{\sqrt{21}}{\sqrt{3}}-\frac{2\sqrt{63}}{7}=\frac{13\sqrt{7}}{7}+\sqrt{7}-\frac{2\sqrt{3^2\times7}}{7}$
$=\frac{13\sqrt{7}}{7}+\sqrt{7}-\frac{6\sqrt{7}}{7}$
$=\left(\frac{13}{7}+1-\frac{6}{7}\right)\sqrt{7}=2\sqrt{7}$

3-1 (1) $\sqrt{3}(\sqrt{2}-\sqrt{7})=\sqrt{3}\times\sqrt{2}-\sqrt{3}\times\sqrt{7}=\sqrt{6}-\sqrt{21}$

(2) $\sqrt{3}(\sqrt{6}+2\sqrt{3})=\sqrt{3}\times\sqrt{6}+\sqrt{3}\times2\sqrt{3}=3\sqrt{2}+6$

(3) $(\sqrt{63}-\sqrt{35})\div\sqrt{7}=(\sqrt{63}-\sqrt{35})\times\frac{1}{\sqrt{7}}$
$=\frac{\sqrt{63}}{\sqrt{7}}-\frac{\sqrt{35}}{\sqrt{7}}$
$=\sqrt{9}-\sqrt{5}=3-\sqrt{5}$

3-2 (1) $\sqrt{3}(\sqrt{3}+8)=\sqrt{3}\times\sqrt{3}+\sqrt{3}\times8=3+8\sqrt{3}$

(2) $\sqrt{6}(\sqrt{3}-2\sqrt{2})=\sqrt{6}\times\sqrt{3}-\sqrt{6}\times2\sqrt{2}=3\sqrt{2}-4\sqrt{3}$

(3) $(\sqrt{75}+\sqrt{12})\div\sqrt{3}=(\sqrt{75}+\sqrt{12})\times\frac{1}{\sqrt{3}}$
$=\frac{\sqrt{75}}{\sqrt{3}}+\frac{\sqrt{12}}{\sqrt{3}}=\sqrt{25}+\sqrt{4}$
$=5+2=7$

4-1 (1) $\frac{1-\sqrt{2}}{\sqrt{2}}=\frac{(1-\sqrt{2})\times\sqrt{2}}{\sqrt{2}\times\sqrt{2}}=\frac{\sqrt{2}-2}{2}$

(2) $\frac{3\sqrt{6}-\sqrt{5}}{\sqrt{20}}=\frac{3\sqrt{6}-\sqrt{5}}{2\sqrt{5}}=\frac{(3\sqrt{6}-\sqrt{5})\times\sqrt{5}}{2\sqrt{5}\times\sqrt{5}}$
$=\frac{3\sqrt{30}-5}{10}$

4-2 (1) $\dfrac{\sqrt{12}+\sqrt{6}}{\sqrt{3}}=\dfrac{(\sqrt{12}+\sqrt{6})\times\sqrt{3}}{\sqrt{3}\times\sqrt{3}}=\dfrac{\sqrt{36}+\sqrt{18}}{3}$

$=\dfrac{6+3\sqrt{2}}{3}=2+\sqrt{2}$

(2) $\dfrac{2+\sqrt{2}}{\sqrt{45}}=\dfrac{2+\sqrt{2}}{3\sqrt{5}}=\dfrac{(2+\sqrt{2})\times\sqrt{5}}{3\sqrt{5}\times\sqrt{5}}$

$=\dfrac{2\sqrt{5}+\sqrt{10}}{15}$

5-1 (1) $\sqrt{2}\times\sqrt{6}-2\div\sqrt{3}=\sqrt{12}-\dfrac{2}{\sqrt{3}}$

$=2\sqrt{3}-\dfrac{2\sqrt{3}}{3}$

$=\dfrac{4\sqrt{3}}{3}$

(2) $\sqrt{72}\div2\sqrt{3}-2\sqrt{2}\times\sqrt{27}=6\sqrt{2}\times\dfrac{1}{2\sqrt{3}}-2\sqrt{2}\times3\sqrt{3}$

$=\dfrac{3\sqrt{2}}{\sqrt{3}}-6\sqrt{6}=\dfrac{3\sqrt{6}}{3}-6\sqrt{6}$

$=\sqrt{6}-6\sqrt{6}=-5\sqrt{6}$

(3) $(4\sqrt{3}-\sqrt{2})\div\sqrt{6}+3\sqrt{2}=(4\sqrt{3}-\sqrt{2})\times\dfrac{1}{\sqrt{6}}+3\sqrt{2}$

$=\dfrac{4}{\sqrt{2}}-\dfrac{1}{\sqrt{3}}+3\sqrt{2}$

$=\dfrac{4\sqrt{2}}{2}-\dfrac{\sqrt{3}}{3}+3\sqrt{2}$

$=2\sqrt{2}-\dfrac{\sqrt{3}}{3}+3\sqrt{2}$

$=5\sqrt{2}-\dfrac{\sqrt{3}}{3}$

(4) $(\sqrt{30}-2\sqrt{15})\div\sqrt{3}+\sqrt{5}(\sqrt{10}-\sqrt{2})$

$=(\sqrt{30}-2\sqrt{15})\times\dfrac{1}{\sqrt{3}}+\sqrt{5}(\sqrt{10}-\sqrt{2})$

$=\sqrt{10}-2\sqrt{5}+\sqrt{50}-\sqrt{10}$

$=\sqrt{10}-2\sqrt{5}+5\sqrt{2}-\sqrt{10}$

$=5\sqrt{2}-2\sqrt{5}$

5-2 (1) $\sqrt{10}\div\sqrt{5}-2\sqrt{2}=\dfrac{\sqrt{10}}{\sqrt{5}}-2\sqrt{2}$

$=\sqrt{2}-2\sqrt{2}$

$=-\sqrt{2}$

(2) $\sqrt{24}\times\sqrt{2}-9\sqrt{6}\div3\sqrt{2}=2\sqrt{6}\times\sqrt{2}-\dfrac{9\sqrt{6}}{3\sqrt{2}}$

$=2\sqrt{12}-3\sqrt{3}$

$=4\sqrt{3}-3\sqrt{3}=\sqrt{3}$

(3) $\sqrt{32}+4\div\sqrt{2}-5\sqrt{2}=4\sqrt{2}+\dfrac{4}{\sqrt{2}}-5\sqrt{2}$

$=4\sqrt{2}+\dfrac{4\sqrt{2}}{2}-5\sqrt{2}$

$=4\sqrt{2}+2\sqrt{2}-5\sqrt{2}$

$=\sqrt{2}$

(4) $\sqrt{18}\div\dfrac{1}{\sqrt{6}}+\sqrt{12}\times\sqrt{3}=3\sqrt{2}\times\sqrt{6}+2\sqrt{3}\times\sqrt{3}$

$=3\sqrt{12}+6=6\sqrt{3}+6$

6-1 (1) $4-2\sqrt{2}-(5-3\sqrt{2})=4-2\sqrt{2}-5+3\sqrt{2}$

$=\sqrt{2}-1>0$

$\therefore 4-2\sqrt{2}>5-3\sqrt{2}$

(2) $\sqrt{6}-1-(2\sqrt{6}-3)=\sqrt{6}-1-2\sqrt{6}+3=2-\sqrt{6}$

$=\sqrt{4}-\sqrt{6}<0$

$\therefore \sqrt{6}-1<2\sqrt{6}-3$

6-2 (1) $2\sqrt{5}+1-(3\sqrt{5}-1)=2\sqrt{5}+1-3\sqrt{5}+1$

$=2-\sqrt{5}$

$=\sqrt{4}-\sqrt{5}<0$

$\therefore 2\sqrt{5}+1<3\sqrt{5}-1$

(2) $\sqrt{2}+\sqrt{12}-(5\sqrt{3}-\sqrt{18})=\sqrt{2}+2\sqrt{3}-5\sqrt{3}+3\sqrt{2}$

$=4\sqrt{2}-3\sqrt{3}$

$=\sqrt{32}-\sqrt{27}>0$

$\therefore \sqrt{2}+\sqrt{12}>5\sqrt{3}-\sqrt{18}$

STEP 2 기출 기초 테스트

본문 37~38쪽

1-1 3	**1-2** -5
2-1 $2\sqrt{10}$	**2-2** $2\sqrt{2}-1$
3-1 (1) $10-\sqrt{3}$ (2) $\sqrt{6}+2$ (3) $\dfrac{15+5\sqrt{6}+12\sqrt{15}}{15}$	
3-2 (1) $6\sqrt{3}+6$ (2) $6+\sqrt{2}+\sqrt{5}$ (3) $\dfrac{7\sqrt{6}}{4}$	
4-1 ⑤	**4-2** $a<c<b$
5-1 (1) $\sqrt{5}-2$ (2) $2\sqrt{5}$	**5-2** $-2+\sqrt{6}$
6-1 $6\sqrt{15}$	**6-2** $\sqrt{21}$

1-1 $3\sqrt{5}-\sqrt{27}-\sqrt{20}+\sqrt{75}=3\sqrt{5}-3\sqrt{3}-2\sqrt{5}+5\sqrt{3}$

$=2\sqrt{3}+\sqrt{5}$

따라서 $2\sqrt{3}+\sqrt{5}=a\sqrt{3}+b\sqrt{5}$이므로 $a=2$, $b=1$

$\therefore a+b=2+1=3$

1-2 $\sqrt{700}+\sqrt{63}+a\sqrt{7}=10\sqrt{7}+3\sqrt{7}+a\sqrt{7}$

$=(13+a)\sqrt{7}$

따라서 $(13+a)\sqrt{7}=8\sqrt{7}$이므로 $13+a=8$

$\therefore a=-5$

2-1 피타고라스 정리에 의하여

$\overline{AB}=\sqrt{1^2+3^2}=\sqrt{10}$

점 A에 대응하는 수가 -1이고

$\overline{AP}=\overline{AQ}=\overline{AB}=\sqrt{10}$이므로

$p=-1-\sqrt{10}$, $q=-1+\sqrt{10}$

$\therefore q-p=-1+\sqrt{10}-(-1-\sqrt{10})$

$=-1+\sqrt{10}+1+\sqrt{10}=2\sqrt{10}$

2-2 정사각형 ABCD의 한 변의 길이가 1이므로

$\overline{AC}=\overline{BD}=\sqrt{1^2+1^2}=\sqrt{2}$

점 A에 대응하는 수가 0이고 $\overline{AP}=\overline{AC}=\sqrt{2}$이므로

점 P에 대응하는 수는 $\sqrt{2}$

점 B에 대응하는 수가 1이고 $\overline{BQ}=\overline{BD}=\sqrt{2}$이므로

점 Q에 대응하는 수는 $1-\sqrt{2}$

따라서 $\overline{PQ}$의 길이는

$\sqrt{2}-(1-\sqrt{2})=\sqrt{2}-1+\sqrt{2}=2\sqrt{2}-1$

3-1 (1) $\frac{5-\sqrt{15}}{\sqrt{5}}+\sqrt{5}(\sqrt{20}-1)$

$=\frac{(5-\sqrt{15})\times\sqrt{5}}{\sqrt{5}\times\sqrt{5}}+\sqrt{5}(2\sqrt{5}-1)$

$=\frac{5\sqrt{5}-5\sqrt{3}}{5}+10-\sqrt{5}$

$=\sqrt{5}-\sqrt{3}+10-\sqrt{5}$

$=10-\sqrt{3}$

(2) $\sqrt{24}-\sqrt{\frac{8}{3}}+\frac{\sqrt{27}-\sqrt{2}}{\sqrt{3}}-1$

$=2\sqrt{6}-\frac{2\sqrt{2}\times\sqrt{3}}{\sqrt{3}\times\sqrt{3}}+\frac{(3\sqrt{3}-\sqrt{2})\times\sqrt{3}}{\sqrt{3}\times\sqrt{3}}-1$

$=2\sqrt{6}-\frac{2\sqrt{6}}{3}+\frac{9-\sqrt{6}}{3}-1$

$=\frac{6\sqrt{6}-2\sqrt{6}+9-\sqrt{6}-3}{3}$

$=\frac{3\sqrt{6}+6}{3}=\sqrt{6}+2$

(3) $\frac{\sqrt{5}-\sqrt{3}}{\sqrt{5}}+\frac{\sqrt{2}+\sqrt{45}}{\sqrt{3}}$

$=\frac{(\sqrt{5}-\sqrt{3})\times\sqrt{5}}{\sqrt{5}\times\sqrt{5}}+\frac{(\sqrt{2}+3\sqrt{5})\times\sqrt{3}}{\sqrt{3}\times\sqrt{3}}$

$=\frac{5-\sqrt{15}}{5}+\frac{\sqrt{6}+3\sqrt{15}}{3}$

$=\frac{3(5-\sqrt{15})+5(\sqrt{6}+3\sqrt{15})}{15}$

$=\frac{15-3\sqrt{15}+5\sqrt{6}+15\sqrt{15}}{15}$

$=\frac{15+5\sqrt{6}+12\sqrt{15}}{15}$

3-2 (1) $\sqrt{18}\div\frac{1}{\sqrt{6}}+\sqrt{12}\times\sqrt{3}$

$=3\sqrt{2}\times\sqrt{6}+2\sqrt{3}\times\sqrt{3}$

$=3\sqrt{12}+6$

$=6\sqrt{3}+6$

(2) $\sqrt{3}(2\sqrt{3}+\sqrt{6})-(\sqrt{24}-\sqrt{15})\div\sqrt{3}$

$=6+\sqrt{18}-\sqrt{8}+\sqrt{5}$

$=6+3\sqrt{2}-2\sqrt{2}+\sqrt{5}$

$=6+\sqrt{2}+\sqrt{5}$

(3) $(\sqrt{48}-\sqrt{3})\div2\sqrt{2}+2\sqrt{3}\times\frac{1}{\sqrt{2}}$

$=(4\sqrt{3}-\sqrt{3})\times\frac{1}{2\sqrt{2}}+\frac{2\sqrt{3}}{\sqrt{2}}$

$=\frac{3\sqrt{3}}{2\sqrt{2}}+\frac{2\sqrt{3}}{\sqrt{2}}=\frac{3\sqrt{3}\times\sqrt{2}}{2\sqrt{2}\times\sqrt{2}}+\frac{2\sqrt{3}\times\sqrt{2}}{\sqrt{2}\times\sqrt{2}}$

$=\frac{3\sqrt{6}}{4}+\frac{2\sqrt{6}}{2}=\frac{3\sqrt{6}+4\sqrt{6}}{4}$

$=\frac{7\sqrt{6}}{4}$

4-1 (i) $a-b=3\sqrt{2}-1-(2+\sqrt{2})$

$=3\sqrt{2}-1-2-\sqrt{2}$

$=2\sqrt{2}-3$

이때 $2\sqrt{2}=\sqrt{8}$, $3=\sqrt{9}$이므로 $2\sqrt{2}-3<0$

즉 $a-b<0$이므로 $a<b$

(ii) $a-c=3\sqrt{2}-1-(2\sqrt{3}-1)$

$=3\sqrt{2}-1-2\sqrt{3}+1$

$=3\sqrt{2}-2\sqrt{3}$

이때 $3\sqrt{2}=\sqrt{18}$, $2\sqrt{3}=\sqrt{12}$이므로 $3\sqrt{2}-2\sqrt{3}>0$

즉 $a-c>0$이므로 $a>c$

(i), (ii)에서 $c<a<b$

4-2 (i) $a-c=3+4\sqrt{2}-(2+5\sqrt{2})$

$=3+4\sqrt{2}-2-5\sqrt{2}$

$=1-\sqrt{2}<0$

$\therefore a<c$

(ii) $b-c=3+5\sqrt{2}-(2+5\sqrt{2})$

$=3+5\sqrt{2}-2-5\sqrt{2}$

$=1>0$

$\therefore b>c$

(i), (ii)에서 $a<c<b$

5-1 (1) $2=\sqrt{4}$, $3=\sqrt{9}$이므로 $2<\sqrt{5}<3$

따라서 $\sqrt{5}$의 정수 부분은 2이므로 $\sqrt{5}$의 소수 부분은 $\sqrt{5}-2$이다. $\therefore a=\sqrt{5}-2$

(2) $2a+4=2(\sqrt{5}-2)+4$

$=2\sqrt{5}-4+4$

$=2\sqrt{5}$

5-2 $2<\sqrt{6}<3$이므로 $-3<-\sqrt{6}<-2$

$\therefore 1<4-\sqrt{6}<2$

따라서 $4-\sqrt{6}$의 정수 부분은 1이므로 $a=1$

소수 부분은 $4-\sqrt{6}-1=3-\sqrt{6}$이므로 $b=3-\sqrt{6}$

$\therefore a-b=1-(3-\sqrt{6})=1-3+\sqrt{6}=-2+\sqrt{6}$

6-1 (사다리꼴의 넓이)

$=\frac{1}{2}\times\{(\text{윗변의 길이})+(\text{아랫변의 길이})\}\times(\text{높이})$

$=\frac{1}{2}\times\{\sqrt{20}+(\sqrt{45}+\sqrt{5})\}\times\sqrt{12}$

$=\frac{1}{2}\times(2\sqrt{5}+3\sqrt{5}+\sqrt{5})\times2\sqrt{3}$

$=\frac{1}{2}\times6\sqrt{5}\times2\sqrt{3}=6\sqrt{15}$

6-2 (주어진 도형의 넓이)

$=(\text{큰 직사각형의 넓이})-(\text{작은 직사각형의 넓이})$

$=(\sqrt{3}+\sqrt{21})\times\sqrt{21}-3\times\sqrt{7}$

$=\sqrt{63}+21-3\sqrt{7}$

$=3\sqrt{7}+21-3\sqrt{7}=21$

따라서 주어진 도형과 넓이가 같은 정사각형의 한 변의 길이는 $\sqrt{21}$이다.

STEP 3 교과서 기본 테스트 | 본문 39~40쪽

01 ④	02 3	03 ③	04 ①
05 $5\sqrt{15}-2$	06 2	07 ④	08 ③
09 $3\sqrt{2}-2$	10 1	11 $18\sqrt{5}$ cm	
12 $-\sqrt{6}+3$	13 $\frac{\sqrt{3}}{2}$	14 $44+20\sqrt{5}$ cm^2	

01 ① $\sqrt{5}-4\sqrt{5}=-3\sqrt{5}$

② $2\sqrt{5}+3\sqrt{5}=5\sqrt{5}$

③ $\sqrt{9}-\sqrt{4}=3-2=1$

④ $\sqrt{24}+2\sqrt{6}=2\sqrt{6}+2\sqrt{6}=4\sqrt{6}$

⑤ $\sqrt{12}-\sqrt{27}+\sqrt{48}=2\sqrt{3}-3\sqrt{3}+4\sqrt{3}=3\sqrt{3}$

따라서 옳은 것은 ④이다.

02 $\sqrt{108}+\sqrt{45}-\sqrt{75}-\sqrt{5}=6\sqrt{3}+3\sqrt{5}-5\sqrt{3}-\sqrt{5}$

$=\sqrt{3}+2\sqrt{5}$

따라서 $a=1$, $b=2$이므로 $a+b=1+2=3$

03 $\frac{\sqrt{3}-\sqrt{2}}{\sqrt{3}}=\frac{(\sqrt{3}-\sqrt{2})\times\sqrt{3}}{\sqrt{3}\times\sqrt{3}}=\frac{3-\sqrt{6}}{3}$

04 $\sqrt{5}(3\sqrt{5}-10)-5(1-a\sqrt{5})=15-10\sqrt{5}-5+5a\sqrt{5}$

$=10+(5a-10)\sqrt{5}$

유리수가 되려면 $5a-10=0$이어야 하므로

$5a=10\quad\therefore a=2$

05 $\sqrt{5}a-\sqrt{3}b=\sqrt{5}(2\sqrt{3}-\sqrt{5})-\sqrt{3}(-\sqrt{3}-3\sqrt{5})$

$=2\sqrt{15}-5+3+3\sqrt{15}=5\sqrt{15}-2$

06 $A=\sqrt{18}-\sqrt{2}=3\sqrt{2}-\sqrt{2}=2\sqrt{2}$

$B=\sqrt{3}A+2\sqrt{2}=\sqrt{3}\times2\sqrt{2}+2\sqrt{2}=2\sqrt{6}+2\sqrt{2}$

$C=-2\sqrt{3}+\frac{B}{\sqrt{2}}=-2\sqrt{3}+\frac{2\sqrt{6}+2\sqrt{2}}{\sqrt{2}}$

$=-2\sqrt{3}+(2\sqrt{3}+2)=2$

07 $\frac{6}{\sqrt{3}}+\sqrt{3}(2-\sqrt{3})-2\sqrt{12}$

$=\frac{6\sqrt{3}}{3}+2\sqrt{3}-3-4\sqrt{3}$

$=2\sqrt{3}+2\sqrt{3}-3-4\sqrt{3}$

$=-3$

08 ① $\sqrt{7}-2\sqrt{2}=\sqrt{7}-\sqrt{8}<0$

$\therefore \sqrt{7}<2\sqrt{2}$

② $3\sqrt{2}+2-(4\sqrt{2}+1)=3\sqrt{2}+2-4\sqrt{2}-1$

$=1-\sqrt{2}<0$

$\therefore 3\sqrt{2}+2<4\sqrt{2}+1$

③ $3\sqrt{3}-(8-2\sqrt{3})=3\sqrt{3}-8+2\sqrt{3}$

$=5\sqrt{3}-8$

$=\sqrt{75}-\sqrt{64}>0$

$\therefore 3\sqrt{3}>8-2\sqrt{3}$

④ $-3+\sqrt{5}-(\sqrt{7}-3)=-3+\sqrt{5}-\sqrt{7}+3$

$=\sqrt{5}-\sqrt{7}<0$

$\therefore -3+\sqrt{5}<\sqrt{7}-3$

⑤ $3\sqrt{6}-(2\sqrt{6}+1)=3\sqrt{6}-2\sqrt{6}-1$

$=\sqrt{6}-1>0$

$\therefore 3\sqrt{6}>2\sqrt{6}+1$

따라서 두 실수의 대소 관계가 옳은 것은 ③이다.

09 (i) $\sqrt{32}-1-(3\sqrt{2}+1)=4\sqrt{2}-1-3\sqrt{2}-1$

$=\sqrt{2}-2<0$

$\therefore \sqrt{32}-1<3\sqrt{2}+1$

(ii) $\sqrt{32}-1-(2\sqrt{7}-1)=4\sqrt{2}-1-2\sqrt{7}+1$

$=4\sqrt{2}-2\sqrt{7}=\sqrt{32}-\sqrt{28}>0$

$\therefore \sqrt{32}-1>2\sqrt{7}-1$

(iii) $2\sqrt{7}-1-3=2\sqrt{7}-4=\sqrt{28}-\sqrt{16}>0$

$\therefore 2\sqrt{7}-1>3$

(i)~(iii)에서 $3<2\sqrt{7}-1<\sqrt{32}-1<3\sqrt{2}+1$이므로

$a=3\sqrt{2}+1$, $b=3$

$\therefore a-b=3\sqrt{2}+1-3=3\sqrt{2}-2$

10 $1=\sqrt{1}$, $2=\sqrt{4}$이므로 $1<\sqrt{3}<2$

$\therefore 2<1+\sqrt{3}<3$

따라서 $1+\sqrt{3}$의 정수 부분은 2이므로 소수 부분은

$1+\sqrt{3}-2=\sqrt{3}-1$

$\therefore a=\sqrt{3}-1$

$1<\sqrt{3}<2$이므로 $-2<-\sqrt{3}<-1$

$\therefore 1<3-\sqrt{3}<2$

따라서 $3-\sqrt{3}$의 정수 부분은 1이므로 소수 부분은

$3-\sqrt{3}-1=2-\sqrt{3}$

$\therefore b=2-\sqrt{3}$

$\therefore a+b=\sqrt{3}-1+2-\sqrt{3}=1$

11 넓이가 5 cm², 20 cm², 45 cm²인 정사각형의 한 변의 길이는 각각 $\sqrt{5}$ cm, $\sqrt{20}=2\sqrt{5}$ (cm), $\sqrt{45}=3\sqrt{5}$ (cm)이다.

$\therefore$ (주어진 도형의 둘레의 길이)

$=(\sqrt{5}+2\sqrt{5}+3\sqrt{5})\times 2+3\sqrt{5}\times 2$

$=6\sqrt{5}\times 2+6\sqrt{5}=12\sqrt{5}+6\sqrt{5}$

$=18\sqrt{5}$ (cm)

12 $\sqrt{3}\left(\frac{1}{\sqrt{2}}-\frac{2}{\sqrt{3}}\right)-\sqrt{2}\left(\frac{3\sqrt{3}}{2}-\frac{5}{\sqrt{2}}\right)$

$=\frac{\sqrt{3}}{\sqrt{2}}-2-\frac{3\sqrt{6}}{2}+5$ …… ㉮

$=\frac{\sqrt{6}}{2}-2-\frac{3\sqrt{6}}{2}+5$ …… ㉯

$=-\sqrt{6}+3$ …… ㉰

채점 기준	비율
㉮ 분배법칙을 이용하여 괄호를 바르게 푼 경우	35 %
㉯ 분모의 유리화를 바르게 한 경우	35 %
㉰ 근호를 포함한 식의 덧셈과 뺄셈을 바르게 한 경우	30 %

13 $3=\sqrt{9}$, $4=\sqrt{16}$이므로 $3<\sqrt{12}<4$

따라서 $\sqrt{12}$의 정수 부분은 3, 소수 부분은 $\sqrt{12}-3$이므로 $a=3$, $b=\sqrt{12}-3$ …… ㉮

$\therefore \frac{a}{b+3}=\frac{3}{\sqrt{12}-3+3}=\frac{3}{\sqrt{12}}$

$=\frac{3}{2\sqrt{3}}=\frac{3\sqrt{3}}{6}=\frac{\sqrt{3}}{2}$ …… ㉯

채점 기준	비율
㉮ a, b의 값을 각각 제대로 구한 경우	60 %
㉯ $\frac{a}{b+3}$의 값을 제대로 구한 경우	40 %

14 (직육면체의 겉넓이)

$=2\times\{(2\sqrt{3}+\sqrt{5})\times 2\sqrt{3}+(2\sqrt{3}+\sqrt{5})\times 2\sqrt{5}$

$+2\sqrt{3}\times 2\sqrt{5}\}$ …… ㉮

$=2\times(12+2\sqrt{15}+4\sqrt{15}+10+4\sqrt{15})$

$=2\times(22+10\sqrt{5})$

$=44+20\sqrt{5}$ (cm²) …… ㉯

채점 기준	비율
㉮ 직육면체의 겉넓이를 구하는 공식을 바르게 적용한 경우	40 %
㉯ 근호를 포함한 식의 덧셈과 뺄셈을 바르게 한 경우	60 %

창의력 · 융합형 · 서술형 · 코딩

본문 41쪽

1 $16+16\sqrt{2}$ **2** $\sqrt{5}$ **3** $16+6\sqrt{2}$

1 오른쪽 그림의 $\triangle ABC$에서 피타고라스 정리에 의하여

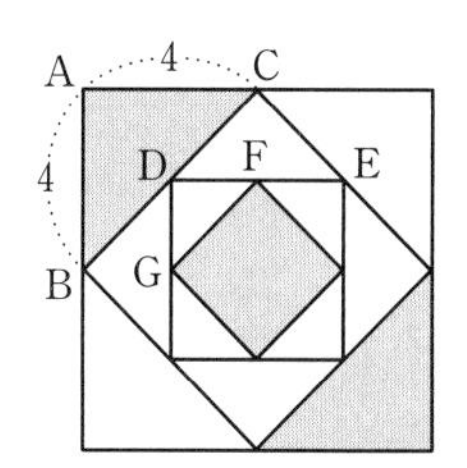

$\overline{BC}=\sqrt{4^2+4^2}=\sqrt{32}=4\sqrt{2}$

이므로

$\overline{CD}=\frac{1}{2}\overline{BC}=\frac{1}{2}\times 4\sqrt{2}=2\sqrt{2}$

$\triangle CDE$에서 피타고라스 정리에 의하여

$\overline{DE}=\sqrt{(2\sqrt{2})^2+(2\sqrt{2})^2}=\sqrt{16}=4$이므로

$\overline{DF}=\frac{1}{2}\overline{DE}=\frac{1}{2}\times 4=2$

$\triangle DGF$에서 피타고라스 정리에 의하여

$\overline{GF}=\sqrt{2^2+2^2}=\sqrt{8}=2\sqrt{2}$

따라서 색칠한 도형의 둘레의 길이의 합은

$(4+4+4\sqrt{2})\times 2+4\times 2\sqrt{2}=16+8\sqrt{2}+8\sqrt{2}$

$=16+16\sqrt{2}$

2 전체 평면도는 넓이가 80인 정사각형 모양이므로 전체 평면도의 한 변의 길이는 $\sqrt{80}=4\sqrt{5}$

방 A는 넓이가 20인 정사각형 모양이므로 방 A의 한 변의 길이는 $\sqrt{20}=2\sqrt{5}$

또, 방 B의 가로의 길이는 주방의 가로의 길이와 같으므로 $\frac{4\sqrt{5}}{2}=2\sqrt{5}$

이때 방 B의 넓이는 10이므로

$2\sqrt{5}\times$(방 B의 세로의 길이)$=10$에서

(방 B의 세로의 길이)$=\frac{10}{2\sqrt{5}}=\frac{10\sqrt{5}}{10}=\sqrt{5}$

따라서 욕실의 세로의 길이는

$4\sqrt{5}-2\sqrt{5}-\sqrt{5}=\sqrt{5}$

3

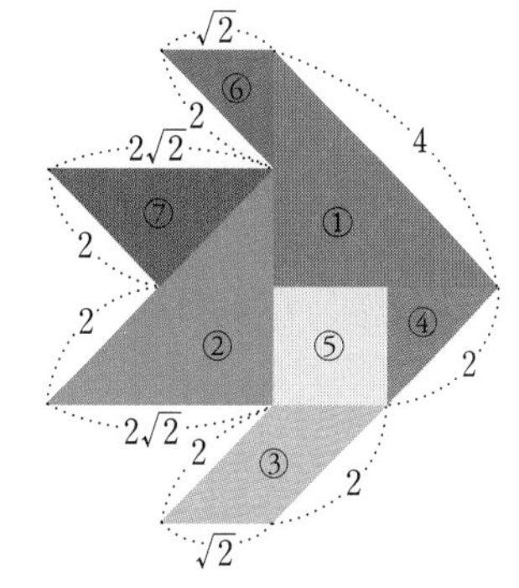

위의 그림의 둘레의 길이는

$4+\sqrt{2}+2+2\sqrt{2}+2+2+2\sqrt{2}+2+\sqrt{2}+2+2$

$=16+6\sqrt{2}$

Ⅱ. 다항식의 곱셈과 인수분해

05 다항식의 곱셈

STEP 1 교과서 개념 확인 테스트 | 본문 46~47쪽

1-1 (1) $a^2+10a+25$ (2) $x^2-12x+36$
(3) $4a^2-4ab+b^2$ (4) $4x^2-28xy+49y^2$

1-2 (1) $a^2+8a+16$ (2) $x^2-18x+81$
(3) $25a^2+40ab+16b^2$ (4) $9x^2+12xy+4y^2$

2-1 (1) a^2-16 (2) a^2-4b^2 (3) $1-b^2$
(4) $9x^2-y^2$ (5) $36-y^2$ (6) $4-x^2$

2-2 (1) a^2-9 (2) $4-y^2$ (3) x^2-16y^2
(4) $1-4x^2$ (5) x^2-64 (6) $25a^2-b^2$

3-1 (1) $x^2+7x+12$ (2) $y^2+2y-15$
(3) $x^2+4xy-12y^2$ (4) $x^2-\frac{9}{20}xy+\frac{1}{20}y^2$

3-2 (1) $x^2+2x-24$ (2) $x^2-15x+56$
(3) $a^2+9ab+18b^2$ (4) $x^2-\frac{1}{6}xy-\frac{1}{6}y^2$

4-1 (1) $-2x^2+15x-28$ (2) $40x^2+x-6$
(3) $6a^2-5ab-6b^2$ (4) $10x^2-\frac{8}{3}xy+\frac{1}{6}y^2$

4-2 (1) $8x^2+10x+3$ (2) $-21a^2+29a-10$
(3) $30x^2-17xy+2y^2$ (4) $-\frac{1}{9}x^2-\frac{10}{3}xy-9y^2$

5-1 (1) 10404 (2) 2401 (3) 4899
(4) 10403 (5) $27-10\sqrt{2}$ (6) 1

5-2 (1) 102.01 (2) 9604 (3) 9964
(4) 6630 (5) $8+4\sqrt{3}$ (6) 3

6-1 (1) $2-\sqrt{3}$ (2) $\sqrt{6}+\sqrt{2}$
(3) $3+2\sqrt{2}$ (4) $17-12\sqrt{2}$

6-2 (1) $-\frac{1+\sqrt{5}}{4}$ (2) $-\frac{2\sqrt{7}+7}{3}$
(3) $5-2\sqrt{6}$ (4) $\frac{7+2\sqrt{10}}{3}$

1-1 (1) $(a+5)^2=a^2+2\times a\times 5+5^2=a^2+10a+25$
(2) $(x-6)^2=x^2-2\times x\times 6+6^2=x^2-12x+36$
(3) $(-2a+b)^2=(-2a)^2+2\times(-2a)\times b+b^2$
$=4a^2-4ab+b^2$
(4) $(2x-7y)^2=(2x)^2-2\times 2x\times 7y+(7y)^2$
$=4x^2-28xy+49y^2$

1-2 (1) $(a+4)^2=a^2+2\times a\times 4+4^2=a^2+8a+16$
(2) $(x-9)^2=x^2-2\times x\times 9+9^2=x^2-18x+81$
(3) $(5a+4b)^2=(5a)^2+2\times 5a\times 4b+(4b)^2$
$=25a^2+40ab+16b^2$
(4) $(-3x-2y)^2=(-3x)^2-2\times(-3x)\times 2y+(2y)^2$
$=9x^2+12xy+4y^2$

2-1 (1) $(a+4)(a-4)=a^2-4^2=a^2-16$
(2) $(a+2b)(a-2b)=a^2-(2b)^2=a^2-4b^2$
(3) $(1-b)(1+b)=1^2-b^2=1-b^2$
(4) $(3x+y)(3x-y)=(3x)^2-y^2=9x^2-y^2$
(5) $(-y+6)(y+6)=(6-y)(6+y)$
$=6^2-y^2=36-y^2$
(6) $(-2+x)(-2-x)=(-2)^2-x^2=4-x^2$

2-2 (1) $(a+3)(a-3)=a^2-3^2=a^2-9$
(2) $(2-y)(2+y)=2^2-y^2=4-y^2$
(3) $(x-4y)(x+4y)=x^2-(4y)^2=x^2-16y^2$
(4) $(-2x+1)(2x+1)=(1-2x)(1+2x)$
$=1^2-(2x)^2=1-4x^2$
(5) $(-x-8)(-x+8)=(-x)^2-8^2=x^2-64$
(6) $(-5a+b)(-5a-b)=(-5a)^2-b^2=25a^2-b^2$

3-1 (1) $(x+4)(x+3)=x^2+(4+3)x+4\times 3$
$=x^2+7x+12$
(2) $(y-3)(y+5)=y^2+(-3+5)y+(-3)\times 5$
$=y^2+2y-15$
(3) $(x+6y)(x-2y)=x^2+(6y-2y)x+6y\times(-2y)$
$=x^2+4xy-12y^2$
(4) $\left(x-\frac{1}{4}y\right)\left(x-\frac{1}{5}y\right)$
$=x^2+\left(-\frac{1}{4}y-\frac{1}{5}y\right)x+\left(-\frac{1}{4}y\right)\times\left(-\frac{1}{5}y\right)$
$=x^2-\frac{9}{20}xy+\frac{1}{20}y^2$

3-2 (1) $(x+6)(x-4)=x^2+(6-4)x+6\times(-4)$
$=x^2+2x-24$
(2) $(x-7)(x-8)=x^2+(-7-8)x+(-7)\times(-8)$
$=x^2-15x+56$
(3) $(a+3b)(a+6b)=a^2+(3b+6b)a+3b\times 6b$
$=a^2+9ab+18b^2$
(4) $\left(x-\frac{1}{2}y\right)\left(x+\frac{1}{3}y\right)$
$=x^2+\left(-\frac{1}{2}y+\frac{1}{3}y\right)x+\left(-\frac{1}{2}y\right)\times\frac{1}{3}y$
$=x^2-\frac{1}{6}xy-\frac{1}{6}y^2$

4-1 (1) $(-x+4)(2x-7)$

$=\{(-1)\times2\}x^2+\{(-1)\times(-7)+4\times2\}x+4\times(-7)$

$=-2x^2+15x-28$

(2) $(8x-3)(5x+2)$

$=(8\times5)x^2+\{8\times2+(-3)\times5\}x+(-3)\times2$

$=40x^2+x-6$

(3) $(2a-3b)(3a+2b)$

$=(2\times3)a^2+\{2\times2b+(-3b)\times3\}a+(-3b)\times2b$

$=6a^2-5ab-6b^2$

(4) $\left(5x-\frac{1}{2}y\right)\left(2x-\frac{1}{3}y\right)$

$=(5\times2)x^2+\left\{5\times\left(-\frac{1}{3}y\right)+\left(-\frac{1}{2}y\right)\times2\right\}x+\left(-\frac{1}{2}y\right)\times\left(-\frac{1}{3}y\right)$

$=10x^2-\frac{8}{3}xy+\frac{1}{6}y^2$

4-2 (1) $(2x+1)(4x+3)$

$=(2\times4)x^2+(2\times3+1\times4)x+1\times3$

$=8x^2+10x+3$

(2) $(3a-2)(-7a+5)$

$=\{3\times(-7)\}a^2+\{3\times5+(-2)\times(-7)\}a+(-2)\times5$

$=-21a^2+29a-10$

(3) $(6x-y)(5x-2y)$

$=(6\times5)x^2+\{6\times(-2y)+(-y)\times5\}x+(-y)\times(-2y)$

$=30x^2-17xy+2y^2$

(4) $\left(\frac{1}{3}x+9y\right)\left(-\frac{1}{3}x-y\right)$

$=\left\{\frac{1}{3}\times\left(-\frac{1}{3}\right)\right\}x^2+\left\{\frac{1}{3}\times(-y)+9y\times\left(-\frac{1}{3}\right)\right\}x+9y\times(-y)$

$=-\frac{1}{9}x^2-\frac{10}{3}xy-9y^2$

5-1 (1) $102^2=(100+2)^2$

$=100^2+2\times100\times2+2^2$

$=10000+400+4$

$=10404$

(2) $49^2=(50-1)^2$

$=50^2-2\times50\times1+1^2$

$=2500-100+1$

$=2401$

(3) $71\times69=(70+1)(70-1)$

$=70^2-1^2=4900-1$

$=4899$

(4) $101\times103=(100+1)(100+3)$

$=100^2+(1+3)\times100+1\times3$

$=10000+400+3$

$=10403$

(5) $(5-\sqrt{2})^2=5^2-2\times5\times\sqrt{2}+(\sqrt{2})^2$

$=25-10\sqrt{2}+2$

$=27-10\sqrt{2}$

(6) $(\sqrt{7}+\sqrt{6})(\sqrt{7}-\sqrt{6})=(\sqrt{7})^2-(\sqrt{6})^2$

$=7-6=1$

5-2 (1) $10.1^2=(10+0.1)^2$

$=10^2+2\times10\times0.1+0.1^2$

$=100+2+0.01$

$=102.01$

(2) $98^2=(100-2)^2$

$=100^2-2\times100\times2+2^2$

$=10000-400+4$

$=9604$

(3) $106\times94=(100+6)(100-6)$

$=100^2-6^2=10000-36$

$=9964$

(4) $85\times78=(80+5)(80-2)$

$=80^2+(5-2)\times80+5\times(-2)$

$=6400+240-10$

$=6630$

(5) $(\sqrt{6}+\sqrt{2})^2=(\sqrt{6})^2+2\times\sqrt{6}\times\sqrt{2}+(\sqrt{2})^2$

$=6+2\sqrt{12}+2$

$=8+4\sqrt{3}$

(6) $(2\sqrt{2}-\sqrt{5})(2\sqrt{2}+\sqrt{5})=(2\sqrt{2})^2-(\sqrt{5})^2$

$=8-5=3$

6-1 (1) $\frac{1}{2+\sqrt{3}}=\frac{2-\sqrt{3}}{(2+\sqrt{3})(2-\sqrt{3})}$

$=\frac{2-\sqrt{3}}{4-3}=2-\sqrt{3}$

(2) $\frac{4}{\sqrt{6}-\sqrt{2}}=\frac{4(\sqrt{6}+\sqrt{2})}{(\sqrt{6}-\sqrt{2})(\sqrt{6}+\sqrt{2})}$

$=\frac{4(\sqrt{6}+\sqrt{2})}{6-2}=\sqrt{6}+\sqrt{2}$

(3) $\frac{\sqrt{2}+1}{\sqrt{2}-1}=\frac{(\sqrt{2}+1)^2}{(\sqrt{2}-1)(\sqrt{2}+1)}$

$=\frac{2+2\sqrt{2}+1}{2-1}=3+2\sqrt{2}$

(4) $\frac{3-2\sqrt{2}}{3+2\sqrt{2}}=\frac{(3-2\sqrt{2})^2}{(3+2\sqrt{2})(3-2\sqrt{2})}$

$=\frac{9-12\sqrt{2}+8}{9-8}=17-12\sqrt{2}$

6-2 (1) $\frac{1}{1-\sqrt{5}}=\frac{1+\sqrt{5}}{(1-\sqrt{5})(1+\sqrt{5})}$

$=\frac{1+\sqrt{5}}{1-5}=-\frac{1+\sqrt{5}}{4}$

(2) $\frac{\sqrt{7}}{2-\sqrt{7}}=\frac{\sqrt{7}(2+\sqrt{7})}{(2-\sqrt{7})(2+\sqrt{7})}$

$=\frac{2\sqrt{7}+7}{4-7}=-\frac{2\sqrt{7}+7}{3}$

(3) $\frac{\sqrt{6}-2}{\sqrt{6}+2}=\frac{(\sqrt{6}-2)^2}{(\sqrt{6}+2)(\sqrt{6}-2)}$

$=\frac{6-4\sqrt{6}+4}{6-4}$

$=\frac{10-4\sqrt{6}}{2}$

$=5-2\sqrt{6}$

(4) $\frac{\sqrt{5}+\sqrt{2}}{\sqrt{5}-\sqrt{2}}=\frac{(\sqrt{5}+\sqrt{2})^2}{(\sqrt{5}-\sqrt{2})(\sqrt{5}+\sqrt{2})}$

$=\frac{5+2\sqrt{10}+2}{5-2}=\frac{7+2\sqrt{10}}{3}$

STEP 2 기출 기초 테스트

본문 48~49쪽

1-1 -17	**1-2** 15
2-1 (1) $4x^2+19$ (2) $-x^2+2x-13$	
2-2 (1) $4x^2-15x-32$ (2) $4x^2-7x+6$	
3-1 (1) $A=3$, $B=9$ (2) $A=3$, $B=4$ (3) $A=5$, $B=3$	
3-2 (1) $A=2$, $B=4$ (2) $A=-3$, $B=-8$ (3) $A=2$, $B=-7$	
4-1 3, 3, 3, 6, 6, 306	**4-2** 1, 1, 1, 2020, 2020
5-1 18	**5-2** (1) 6 (2) 1
6-1 26	**6-2** (1) 5 (2) 24

1-1 $(x-5y)(3x+4)=3x^2+4x-15xy-20y$

따라서 x^2의 계수 $A=3$, y의 계수 $B=-20$이므로

$A+B=3+(-20)=-17$

1-2 $(x-3y+1)(2x+y)=2x^2+xy-6xy-3y^2+2x+y$

$=2x^2-5xy-3y^2+2x+y$

따라서 xy의 계수는 -5, y^2의 계수는 -3이므로 그 곱은

$-5\times(-3)=15$

2-1 (1) $(-3x+1)(-3x-1)+5(x+2)(2-x)$

$=(-3x+1)(-3x-1)+5(2+x)(2-x)$

$=(-3x)^2-1^2+5(2^2-x^2)$

$=9x^2-1+5(4-x^2)$

$=9x^2-1+20-5x^2$

$=4x^2+19$

(2) $2(x+3)(x-3)-(3x-5)(x+1)$

$=2(x^2-9)-(3x^2-2x-5)$

$=2x^2-18-3x^2+2x+5$

$=-x^2+2x-13$

2-2 (1) $(3x+4)(2x-3)-2(x+2)(x+5)$

$=6x^2-x-12-2(x^2+7x+10)$

$=6x^2-x-12-2x^2-14x-20$

$=4x^2-15x-32$

(2) $(x-2)(x-4)-(3x+2)(-x+1)$

$=x^2-6x+8-(-3x^2+x+2)$

$=x^2-6x+8+3x^2-x-2$

$=4x^2-7x+6$

3-1 (1) $(x+A)^2=x^2+2\times x\times A+A^2$

$=x^2+2Ax+A^2$

즉 $x^2+2Ax+A^2=x^2+6x+B$에서

$2A=6$이므로 $A=3$

$B=A^2=3^2=9$

(2) $(Ax-2)^2=(Ax)^2-2\times Ax\times 2+2^2$

$=A^2x^2-4Ax+4$

즉 $A^2x^2-4Ax+4=9x^2-12x+B$에서

$A^2=9$, $4A=12$이므로 $A=3$

$B=4$

(3) $(2x-A)(x+4)=2x^2+(8-A)x-4A$

즉 $2x^2+(8-A)x-4A=2x^2+Bx-20$에서

$4A=20$이므로 $A=5$

$B=8-A=8-5=3$

3-2 (1) $(x+A)^2=x^2+2\times x\times A+A^2$

$=x^2+2Ax+A^2$

즉 $x^2+2Ax+A^2=x^2+4x+B$에서

$2A=4$이므로 $A=2$

$B=A^2=2^2=4$

(2) $(x+A)(x-5)=x^2+(A-5)x-5A$

즉 $x^2+(A-5)x-5A=x^2+Bx+15$에서

$-5A=15$이므로 $A=-3$

$B=A-5=-3-5=-8$

(3) $(3x+y)(Ax-3y)=3Ax^2+(-9+A)xy-3y^2$

즉 $3Ax^2+(-9+A)xy-3y^2=6x^2+Bxy-3y^2$에서

$3A=6$이므로 $A=2$

$B=-9+A=-9+2=-7$

4-1 $\frac{303^2-9}{300}=\frac{(300+3)^2-9}{300}$

$=\frac{300^2+2\times300\times3+3^2-9}{300}$

$=\frac{300^2+6\times300}{300}$

$=\frac{300^2}{300}+\frac{6\times300}{300}$

$=300+6=306$

4-2 $\frac{2021\times2019+1}{2020}=\frac{(2020+1)(2020-1)+1}{2020}$

$=\frac{2020^2-1^2+1}{2020}$

$=\frac{2020^2}{2020}=2020$

5-1 $\frac{\sqrt{5}-2}{\sqrt{5}+2}+\frac{\sqrt{5}+2}{\sqrt{5}-2}$

$=\frac{(\sqrt{5}-2)^2}{(\sqrt{5}+2)(\sqrt{5}-2)}+\frac{(\sqrt{5}+2)^2}{(\sqrt{5}-2)(\sqrt{5}+2)}$

$=\frac{5-4\sqrt{5}+4}{5-4}+\frac{5+4\sqrt{5}+4}{5-4}$

$=18$

5-2 $x=\frac{1}{3+2\sqrt{2}}=\frac{3-2\sqrt{2}}{(3+2\sqrt{2})(3-2\sqrt{2})}=3-2\sqrt{2}$

$y=\frac{1}{3-2\sqrt{2}}=\frac{3+2\sqrt{2}}{(3-2\sqrt{2})(3+2\sqrt{2})}=3+2\sqrt{2}$

(1) $x+y=3-2\sqrt{2}+3+2\sqrt{2}=6$

(2) $xy=(3-2\sqrt{2})(3+2\sqrt{2})$

$=3^2-(2\sqrt{2})^2$

$=9-8=1$

6-1 $(x+y)^2=x^2+2xy+y^2$이므로

$x^2+y^2=(x+y)^2-2xy$

$=(-4)^2-2\times(-5)$

$=16+10=26$

6-2 (1) $(x-y)^2=x^2-2xy+y^2$이므로

$x^2+y^2=(x-y)^2+2xy$

$=(-3)^2+2\times(-2)=9-4=5$

(2) $(x+y)^2=x^2+2xy+y^2$이므로

$2xy=(x+y)^2-(x^2+y^2)$

$=10^2-52=100-52=48$

$\therefore xy=24$

STEP 3 교과서 기본 테스트

본문 50~52쪽

01 ④	**02** ③	**03** ③	**04** ⑤
05 -28	**06** 30	**07** 2	**08** ②, ⑤
09 ③	**10** 10	**11** ②	**12** $2\sqrt{10}$
13 $\frac{9}{2}$	**14** ④	**15** $10x^2+28x-2$	
16 -16	**17** -8	**18** $-x^2-7xy+33y^2$	
19 2023	**20** (1) $2y-x$ (2) $-x^2+3xy-2y^2$		

01 ① $(x-1)^2=x^2-2\times x\times1+1^2$

$=x^2-2x+1$

② $(-2x+1)^2=(-2x)^2+2\times(-2x)\times1+1^2$

$=4x^2-4x+1$

③ $(x+3)(x-3)=x^2-3^2=x^2-9$

④ $(x-3)(x-4)=x^2+(-3-4)x+(-3)\times(-4)$

$=x^2-7x+12$

⑤ $(5x-2)(3x+4)$

$=(5\times3)x^2+\{5\times4+(-2)\times3\}x+(-2)\times4$

$=15x^2+14x-8$

따라서 옳은 것은 ④이다.

02 ① $(-3x+y)^2=9x^2-6xy+y^2$ $\quad\therefore \square=6$

② $(a-b)(a-6b)=a^2-7ab+6b^2$ $\quad\therefore \square=7$

③ $(-2x-3y)^2=4x^2+12xy+9y^2$ $\quad\therefore \square=12$

④ $(3a-2b)(-3a-2b)=-9a^2+4b^2$ $\quad\therefore \square=4$

⑤ $(2x+3y)(-4x+5y)=-8x^2-2xy+15y^2$

$\therefore \square=2$

따라서 □ 안에 들어갈 수가 가장 큰 것은 ③이다.

03 $(-a+b)(a-b)=-a^2+ab+ba-b^2$

$=-a^2+2ab-b^2$

① $(a+b)^2=a^2+2ab+b^2$

② $-(a+b)^2=-(a^2+2ab+b^2)$

$=-a^2-2ab-b^2$

③ $-(a-b)^2=-(a^2-2ab+b^2)$

$=-a^2+2ab-b^2$

④ $(-a-b)^2=a^2+2ab+b^2$

⑤ $-(a+b)(a-b)=-(a^2-b^2)=-a^2+b^2$

따라서 $(-a+b)(a-b)$와 전개식이 같은 것은 ③이다.

04 $\left(\frac{2}{3}a+\frac{3}{5}b\right)\left(\frac{2}{3}a-\frac{3}{5}b\right)=\left(\frac{2}{3}a\right)^2-\left(\frac{3}{5}b\right)^2$

$=\frac{4}{9}a^2-\frac{9}{25}b^2$

$=\frac{4}{9}\times45-\frac{9}{25}\times50$

$=20-18=2$

05 $(x-6)^2+(x+2)(x-3)$
$=x^2-12x+36+(x^2-x-6)$
$=2x^2-13x+30$
따라서 $A=2$, $B=30$이므로
$A-B=2-30=-28$

06 $(x-A)(x-7)=x^2+(-A-7)x+7A$
즉 $x^2+(-A-7)x+7A=x^2-Bx+21$에서
$7A=21$이므로 $A=3$
$-B=-A-7=-3-7=-10$이므로 $B=10$
$\therefore AB=3\times10=30$

07 $(2x+1)(Ax+B)=2Ax^2+(A+2B)x+B$
즉 $2Ax^2+(A+2B)x+B$의 상수항이 2이므로
$B=2$
x의 계수는 상수항보다 3만큼 크므로
$A+2B=2+3$
$A+2\times2=5 \quad \therefore A=1$
따라서 x^2의 계수는 $2A=2\times1=2$

08 $(2x+a)(3x+b)=6x^2+(3a+2b)x+ab$
즉 $6x^2+(3a+2b)x+ab=6x^2+Ax-5$에서
$A=3a+2b$, $ab=-5$
이때 $a>b$이면서 $ab=-5$를 만족하는 두 정수 a, b를 순서쌍으로 나타내면 $(1, -5)$, $(5, -1)$이다.
(i) $a=1$, $b=-5$일 때
$A=3a+2b=3\times1+2\times(-5)=-7$
(ii) $a=5$, $b=-1$일 때
$A=3a+2b=3\times5+2\times(-1)=13$
따라서 A의 값이 될 수 있는 것은 -7, 13이다.

09 $8.9\times9.1=(9-0.1)(9+0.1)$
$=9^2-0.1^2$
$=81-0.01$
$=80.99$
따라서 8.9×9.1을 계산하려고 할 때 가장 편리한 공식은 ③이다.

10 $(3\sqrt{2}-2)^2=(3\sqrt{2})^2-2\times3\sqrt{2}\times2+2^2$
$=18-12\sqrt{2}+4$
$=22-12\sqrt{2}$
따라서 $a=22$, $b=-12$이므로
$a+b=22+(-12)=10$

11 $2-1=1$이므로
$(2+1)(2^2+1)(2^4+1)-2^8$
$=(2-1)(2+1)(2^2+1)(2^4+1)-2^8$
$=(2^2-1)(2^2+1)(2^4+1)-2^8$
$=(2^4-1)(2^4+1)-2^8$
$=(2^8-1)-2^8$
$=-1$

12 $x=\dfrac{1}{\sqrt{10}+3}$
$=\dfrac{\sqrt{10}-3}{(\sqrt{10}+3)(\sqrt{10}-3)}$
$=\dfrac{\sqrt{10}-3}{10-9}=\sqrt{10}-3$
$y=\dfrac{1}{\sqrt{10}-3}$
$=\dfrac{\sqrt{10}+3}{(\sqrt{10}-3)(\sqrt{10}+3)}$
$=\dfrac{\sqrt{10}+3}{10-9}=\sqrt{10}+3$
$\therefore x+y=\sqrt{10}-3+\sqrt{10}+3=2\sqrt{10}$

13 $\dfrac{y}{x}+\dfrac{x}{y}=\dfrac{x^2+y^2}{xy}$
$=\dfrac{(x-y)^2+2xy}{xy}$
$=\dfrac{(\sqrt{5})^2+2\times2}{2}=\dfrac{9}{2}$

14 색칠한 직사각형의 가로의 길이는 $a+b$, 세로의 길이는 $a-2b$이므로 그 넓이는
$(a+b)(a-2b)=a^2-2ab+ba-2b^2$
$=a^2-ab-2b^2$

15 (직육면체의 겉넓이)
$=2\{(x+5)(x-1)+(x-1)(2x+1)+(x+5)(2x+1)\}$
$=2(x^2+4x-5+2x^2-x-1+2x^2+11x+5)$
$=2(5x^2+14x-1)$
$=10x^2+28x-2$

16 새로 만든 직사각형의 가로의 길이는 $x+2a$, 세로의 길이는 $x-a$이므로 그 넓이는
$(x+2a)(x-a)=x^2+ax-2a^2$
즉 $x^2+ax-2a^2=x^2+2x+b$에서
$a=2$, $b=-2a^2=-2\times2^2=-8$
$\therefore ab=2\times(-8)=-16$

17 효은이가 전개한 식은

$(x+5)(x+A)=x^2+(A+5)x+5A$

즉 $x^2+(A+5)x+5A=x^2+4x+B$에서

$A+5=4$이므로 $A=-1$

$B=5A=5\times(-1)=-5$

하진이가 전개한 식은

$(Cx-1)(x+3)=Cx^2+(3C-1)x-3$

즉 $Cx^2+(3C-1)x-3=Cx^2-7x-3$에서

$3C-1=-7$이므로 $3C=-6$ $\quad\therefore C=-2$

$\therefore A+B+C=-1+(-5)+(-2)=-8$

18 $(2x+3y)(x-5y)-3(x+4y)(x-4y)$

$=(2x^2-7xy-15y^2)-3(x^2-16y^2)$ …… ㉮

$=2x^2-7xy-15y^2-3x^2+48y^2$

$=-x^2-7xy+33y^2$ …… ㉯

채점 기준	비율
㉮ 곱셈 공식을 이용하여 제대로 전개한 경우	50 %
㉯ 동류항끼리 바르게 계산한 경우	50 %

19 $\dfrac{2020\times2026+9}{2023}$

$=\dfrac{(2023-3)(2023+3)+9}{2023}$ …… ㉮

$=\dfrac{2023^2-3^2+9}{2023}$ …… ㉯

$=\dfrac{2023^2}{2023}=2023$ …… ㉰

채점 기준	비율
㉮ $2020=2023-3$, $2026=2023+3$으로 나타낸 경우	35 %
㉯ 곱셈 공식을 이용하여 제대로 전개한 경우	35 %
㉰ 바르게 계산한 경우	30 %

20 (1) 두 사각형 ABCD, FCEG는 모두 정사각형이므로

$\overline{CD}=\overline{AD}=\overline{AB}=y$

$\overline{CF}=\overline{FG}=\overline{DH}=\overline{AH}-\overline{AD}=x-y$

$\therefore \overline{DF}=\overline{CD}-\overline{CF}$

$=y-(x-y)$

$=2y-x$ …… ㉮

(2) 직사각형 DFGH에서 $\overline{DH}=x-y$, $\overline{DF}=2y-x$이므로 그 넓이는

$\overline{DH}\times\overline{DF}=(x-y)(2y-x)$

$=2xy-x^2-2y^2+xy$

$=-x^2+3xy-2y^2$ …… ㉯

채점 기준	비율
㉮ $\overline{DF}$의 길이를 x, y를 사용하여 바르게 나타낸 경우	50 %
㉯ 직사각형 DFGH의 넓이를 x, y를 사용하여 바르게 나타낸 경우	50 %

창의력 · 융합형 · 서술형 · 코딩

본문 53쪽

1 $(6ab+4a+3b+2)$ m^2

2 (1) $(a+b)$ cm (2) $(a-b)$ cm (3) (a^2-b^2) cm^2

3 (1) 풀이 참조

(2) ① $10x$ ② $100x^2$ ③ 100

1 길로 나누어진 네 꽃밭을 붙이면 다음 그림과 같다.

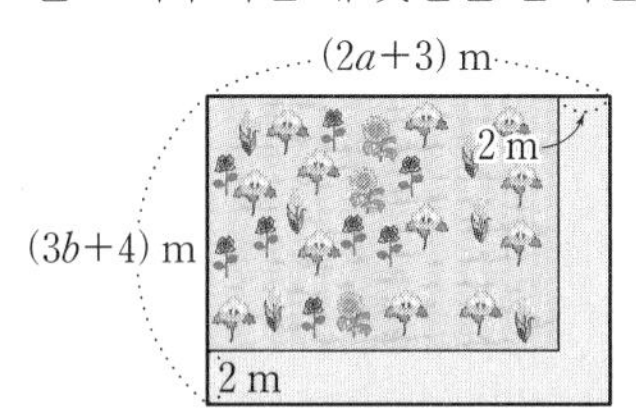

이때 길을 제외한 꽃밭은 가로의 길이가 $(2a+1)$ m, 세로의 길이가 $(3b+2)$ m인 직사각형이다.

따라서 길을 제외한 꽃밭의 넓이는

$(2a+1)(3b+2)=6ab+4a+3b+2$ (m^2)

2 (3) 새로 만든 직사각형의 가로의 길이는 $(a+b)$ cm, 세로의 길이는 $(a-b)$ cm이므로 그 넓이는

$(a+b)(a-b)=a^2-b^2$ (cm^2)

3 (1) 62와 68은 십의 자리의 숫자가 6으로 같고 일의 자리의 숫자의 합이 $2+8=10$이다.

1단계 십의 자리의 숫자 6과 그 수에 1을 더한 수인 7을 곱한다.
➡ $6\times7=42$

2단계 일의 자리의 숫자 2와 8을 곱한다. ➡ $2\times8=16$

3단계 위의 결과를 차례로 붙여서 쓴 4216이 62×68의 결과이다.

$$\begin{array}{rr} & 62 \\ \times & 68 \\ \hline 42 & 16 \\ \uparrow & \uparrow \\ 6\times7 & 2\times8 \end{array}$$

06 다항식의 인수분해

STEP 1 교과서 개념 확인 테스트 | 본문 56~58쪽

1-1 (1) $a(x+2y)$ (2) $5a(2a-1)$
(3) $xy(3x-7y)$ (4) $2y(xy-3x+4y)$

1-2 (1) $2a(a-2b^2)$ (2) $x^2(x+y)$
(3) $b(3a-5c+2d)$ (4) $ab(3a-2b-7)$

2-1 (1) $(x+2)(3x-1)$ (2) $(x-y)(m-n)$
(3) $(y+4)(2x-1)$

2-2 (1) $(x+1)(x+6)$ (2) $(x-5)(y+1)$
(3) $(x+y)(x-3y+1)$

3-1 (1) $(a+3)^2$ (2) $(5a-2)^2$ (3) $3(a+5b)^2$

3-2 (1) $\left(x-\frac{1}{4}\right)^2$ (2) $(3x-y)^2$ (3) $x(4y+1)^2$

4-1 (1) 16 (2) 36 (3) ±10

4-2 (1) ±16 (2) 9 (3) ±30

5-1 (1) $(a+2)(a-2)$ (2) $(6x+1)(6x-1)$
(3) $(3a+4b)(3a-4b)$ (4) $\left(2x+\frac{1}{5}y\right)\left(2x-\frac{1}{5}y\right)$

5-2 (1) $(x+10)(x-10)$ (2) $3(2a+b)(2a-b)$
(3) $(9x+7y)(9x-7y)$
(4) $\left(\frac{1}{3}a+\frac{1}{2}b\right)\left(\frac{1}{3}a-\frac{1}{2}b\right)$

6-1 (1) $(x+4)(x-2)$ (2) $(x-7)(x-2)$
(3) $(x+8y)(x-4y)$ (4) $3(x+5y)(x+y)$

6-2 (1) $(x-7)(x+3)$ (2) $(x+5)(x+3)$
(3) $(x-10y)(x-2y)$ (4) $2(x+6y)(x-3y)$

7-1 (1) $(3x-2)(x+3)$ (2) $(4x+1)(x-1)$
(3) $(3x+y)(2x+3y)$ (4) $(4x-5y)(3x-2y)$

7-2 (1) $(3x+2)(x+4)$ (2) $(4x+1)(3x-5)$
(3) $(2x+y)(2x-3y)$ (4) $(5x-y)(x-2y)$

8-1 (1) $(3x+2)^2$ (2) $(5x-y)^2$
(3) $-2(x+2)(x-2)$ (4) $(x+3)(x-10)$
(5) $(7x+2)(2x-3)$

8-2 (1) $(x-7)^2$ (2) $(4x+3y)^2$ (3) $\left(\frac{1}{6}x+y\right)\left(\frac{1}{6}x-y\right)$
(4) $(x+7)(x-4)$ (5) $(5x+3y)(2x-y)$

9-1 (1) 600 (2) 900 (3) 32

9-2 (1) 1250 (2) 13400 (3) 120

1-1 (1) $ax+2ay=a\times x+a\times 2y$
$=a(x+2y)$
(2) $10a^2-5a=5a\times 2a-5a\times 1$
$=5a(2a-1)$
(3) $3x^2y-7xy^2=xy\times 3x-xy\times 7y$
$=xy(3x-7y)$
(4) $2xy^2-6xy+8y^2=2y\times xy-2y\times 3x+2y\times 4y$
$=2y(xy-3x+4y)$

1-2 (1) $2a^2-4ab^2=2a\times a-2a\times 2b^2$
$=2a(a-2b^2)$
(2) $x^3+x^2y=x^2\times x+x^2\times y$
$=x^2(x+y)$
(3) $3ab-5bc+2bd=b\times 3a-b\times 5c+b\times 2d$
$=b(3a-5c+2d)$
(4) $3a^2b-2ab^2-7ab=ab\times 3a-ab\times 2b-ab\times 7$
$=ab(3a-2b-7)$

2-1 (1) $3x(x+2)-(x+2)=(x+2)(3x-1)$
(2) $m(x-y)+n(y-x)=m(x-y)-n(x-y)$
$=(x-y)(m-n)$
(3) $(2x+1)(y+4)-2(y+4)=(y+4)(2x+1-2)$
$=(y+4)(2x-1)$

2-2 (1) $x(x+1)+6(x+1)=(x+1)(x+6)$
(2) $(x-5)y-(5-x)=(x-5)y+(x-5)$
$=(x-5)(y+1)$
(3) $(x+y)+(x-3y)(x+y)=(x+y)(1+x-3y)$
$=(x+y)(x-3y+1)$

3-1 (1) $a^2+6a+9=a^2+2\times a\times 3+3^2$
$=(a+3)^2$
(2) $25a^2-20a+4=(5a)^2-2\times 5a\times 2+2^2$
$=(5a-2)^2$
(3) $3a^2+30ab+75b^2=3(a^2+10ab+25b^2)$
$=3\{a^2+2\times a\times 5b+(5b)^2\}$
$=3(a+5b)^2$

3-2 (1) $x^2-\frac{1}{2}x+\frac{1}{16}=x^2-2\times x\times\frac{1}{4}+\left(\frac{1}{4}\right)^2$
$=\left(x-\frac{1}{4}\right)^2$
(2) $9x^2-6xy+y^2=(3x)^2-2\times 3x\times y+y^2$
$=(3x-y)^2$
(3) $16xy^2+8xy+x=x(16y^2+8y+1)$
$=x\{(4y)^2+2\times 4y\times 1+1^2\}$
$=x(4y+1)^2$

4-1 (1) $a^2-8a+\square=a^2-2\times a\times 4+\square$이므로
$\square=4^2=16$
(2) $4x^2+24x+\square=(2x)^2+2\times 2x\times 6+\square$이므로
$\square=6^2=36$
(3) $x^2+\square xy+25y^2=x^2+\square xy+(\pm5y)^2$이므로
$\square=2\times(\pm5)=\pm10$

4-2 (1) $a^2+\square a+64=a^2+\square a+(\pm 8)^2$이므로

$\square=2\times(\pm 8)=\pm 16$

(2) $4x^2+12xy+\square y^2=(2x)^2+2\times 2x\times 3y+\square y^2$이므로

$\square=3^2=9$

(3) $25a^2+\square ab+9b^2=(5a)^2+\square ab+(\pm 3b)^2$이므로

$\square=2\times 5\times(\pm 3)=\pm 30$

5-1 (1) $a^2-4=a^2-2^2=(a+2)(a-2)$

(2) $36x^2-1=(6x)^2-1^2=(6x+1)(6x-1)$

(3) $9a^2-16b^2=(3a)^2-(4b)^2=(3a+4b)(3a-4b)$

(4) $4x^2-\frac{1}{25}y^2=(2x)^2-\left(\frac{1}{5}y\right)^2=\left(2x+\frac{1}{5}y\right)\left(2x-\frac{1}{5}y\right)$

5-2 (1) $x^2-100=x^2-10^2=(x+10)(x-10)$

(2) $12a^2-3b^2=3(4a^2-b^2)=3\{(2a)^2-b^2\}$

$=3(2a+b)(2a-b)$

(3) $81x^2-49y^2=(9x)^2-(7y)^2=(9x+7y)(9x-7y)$

(4) $\frac{1}{9}a^2-\frac{1}{4}b^2=\left(\frac{1}{3}a\right)^2-\left(\frac{1}{2}b\right)^2=\left(\frac{1}{3}a+\frac{1}{2}b\right)\left(\frac{1}{3}a-\frac{1}{2}b\right)$

6-1 (1) x^2+2x-8

$x \quad 4 \to 4x$
$x \quad -2 \to -2x$
$2x$

$\therefore x^2+2x-8=(x+4)(x-2)$

(2) $x^2-9x+14$

$x \quad -7 \to -7x$
$x \quad -2 \to -2x$
$-9x$

$\therefore x^2-9x+14=(x-7)(x-2)$

(3) $x^2+4xy-32y^2$

$x \quad 8y \to 8xy$
$x \quad -4y \to -4xy$
$4xy$

$\therefore x^2+4xy-32y^2=(x+8y)(x-4y)$

(4) $3x^2+18xy+15y^2$

$=3(x^2+6xy+5y^2)$

$x \quad 5y \to 5xy$
$x \quad y \to xy$
$6xy$

$\therefore 3x^2+18xy+15y^2=3(x+5y)(x+y)$

6-2 (1) $x^2-4x-21$

$x \quad -7 \to -7x$
$x \quad 3 \to 3x$
$-4x$

$\therefore x^2-4x-21=(x-7)(x+3)$

(2) $x^2+8x+15$

$x \quad 5 \to 5x$
$x \quad 3 \to 3x$
$8x$

$\therefore x^2+8x+15=(x+5)(x+3)$

(3) $x^2-12xy+20y^2$

$x \quad -10y \to -10xy$
$x \quad -2y \to -2xy$
$-12xy$

$\therefore x^2-12xy+20y^2=(x-10y)(x-2y)$

(4) $2x^2+6xy-36y^2$

$=2(x^2+3xy-18y^2)$

$x \quad 6y \to 6xy$
$x \quad -3y \to -3xy$
$3xy$

$\therefore 2x^2+6xy-36y^2=2(x+6y)(x-3y)$

7-1 (1) $3x^2+7x-6$

$3x \quad -2 \to -2x$
$x \quad 3 \to 9x$
$7x$

$\therefore 3x^2+7x-6=(3x-2)(x+3)$

(2) $4x^2-3x-1$

$4x \quad 1 \to x$
$x \quad -1 \to -4x$
$-3x$

$\therefore 4x^2-3x-1=(4x+1)(x-1)$

(3) $6x^2+11xy+3y^2$

$3x \quad y \to 2xy$
$2x \quad 3y \to 9xy$
$11xy$

$\therefore 6x^2+11xy+3y^2=(3x+y)(2x+3y)$

(4) $12x^2-23xy+10y^2$

$4x \quad -5y \to -15xy$
$3x \quad -2y \to -8xy$
$-23xy$

$\therefore 12x^2-23xy+10y^2=(4x-5y)(3x-2y)$

7-2 (1) $3x^2+14x+8$

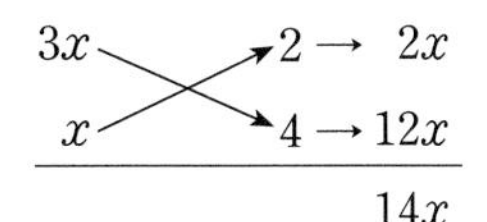

$\therefore 3x^2+14x+8=(3x+2)(x+4)$

(2) $12x^2-17x-5$

$4x \qquad 1 \to 3x$

$3x \qquad -5 \to -20x$

$\qquad\qquad -17x$

$\therefore 12x^2-17x-5=(4x+1)(3x-5)$

(3) $4x^2-4xy-3y^2$

$2x \qquad y \to 2xy$

$2x \qquad -3y \to -6xy$

$\qquad\qquad -4xy$

$\therefore 4x^2-4xy-3y^2=(2x+y)(2x-3y)$

(4) $5x^2-11xy+2y^2$

$5x \qquad -y \to -xy$

$x \qquad -2y \to -10xy$

$\qquad\qquad -11xy$

$\therefore 5x^2-11xy+2y^2=(5x-y)(x-2y)$

8-1 (1) $9x^2+12x+4=(3x)^2+2\times3x\times2+2^2$

$=(3x+2)^2$

(2) $25x^2-10xy+y^2=(5x)^2-2\times5x\times y+y^2$

$=(5x-y)^2$

(3) $-2x^2+8=-2(x^2-4)=-2(x^2-2^2)$

$=-2(x+2)(x-2)$

(4) $x^2-7x-30$

$x \qquad 3 \to 3x$

$x \qquad -10 \to -10x$

$\qquad\qquad -7x$

$\therefore x^2-7x-30=(x+3)(x-10)$

(5) $14x^2-17x-6$

$7x \qquad 2 \to 4x$

$2x \qquad -3 \to -21x$

$\qquad\qquad -17x$

$\therefore 14x^2-17x-6-(7x+2)(2x-3)$

8-2 (1) $x^2-14x+49=x^2-2\times x\times7+7^2$

$=(x-7)^2$

(2) $16x^2+24xy+9y^2=(4x)^2+2\times4x\times3y+(3y)^2$

$=(4x+3y)^2$

(3) $\frac{1}{36}x^2-y^2=\left(\frac{1}{6}x\right)^2-y^2=\left(\frac{1}{6}x+y\right)\left(\frac{1}{6}x-y\right)$

(4) $x^2+3x-28$

$x \qquad 7 \to 7x$

$x \qquad -4 \to -4x$

$\qquad\qquad 3x$

$\therefore x^2+3x-28=(x+7)(x-4)$

(5) $10x^2+xy-3y^2$

$5x \qquad 3y \to 6xy$

$2x \qquad -y \to -5xy$

$\qquad\qquad xy$

$\therefore 10x^2+xy-3y^2=(5x+3y)(2x-y)$

9-1 (1) $120\times2.2+120\times2.8=120\times(2.2+2.8)$

$=120\times5=600$

(2) $33^2-198+9=33^2-2\times33\times3+3^2$

$=(33-3)^2=30^2=900$

(3) $\sqrt{40^2-24^2}=\sqrt{(40+24)(40-24)}$

$=\sqrt{64\times16}=\sqrt{8^2\times4^2}$

$=8\times4=32$

9-2 (1) $25\times13+25\times37=25\times(13+37)$

$=25\times50=1250$

(2) $117^2-17^2=(117+17)(117-17)$

$=134\times100=13400$

(3) $\sqrt{136^2-64^2}=\sqrt{(136+64)(136-64)}$

$=\sqrt{200\times72}=\sqrt{100\times2\times2\times36}$

$=\sqrt{10^2\times2^2\times6^2}=10\times2\times6=120$

STEP 2 기출 기초 테스트

본문 59~61쪽

1-1 ④	**1-2** ①, ④
2-1 $x-2$	**2-2** $x-3$
3-1 8, -7	**3-2** 1
4-1 8	**4-2** 18
5-1 ⑤	**5-2** $8x-2$
6-1 (1) 14.2 (2) 1	**6-2** (1) 350 (2) 90000
7-1 ③	**7-2** ②
8-1 (1) 3 (2) 3	**8-2** (1) 5 (2) $4\sqrt{6}$
9-1 (1) x^2+4x+3 (2) $4x+8$	
9-2 $4x+6$	

1-1 $3x^2y-6xy^2=3xy\times x-3xy\times2y=3xy(x-2y)$

② $3x-6y=3(x-2y)$

③ $xy-2y^2=y(x-2y)$

⑤ $x^2-2xy=x(x-2y)$

따라서 $3x^2y-6xy^2$의 인수가 아닌 것은 ④이다.

2-1 $2x^2-3x-2=(2x+1)(x-2)$

$3x^2-7x+2=(3x-1)(x-2)$

따라서 주어진 두 다항식에 공통으로 들어 있는 인수는 $x-2$이다.

2-2 $x^2-x-6=(x-3)(x+2)$
$2x^2-5x-3=(2x+1)(x-3)$
따라서 주어진 두 다항식에 공통으로 들어 있는 인수는 $x-3$이다.

3-1 $9x^2+(4k-2)x+25=(3x)^2+(4k-2)x+(\pm5)^2$
이므로 $4k-2=2\times3\times(\pm5)$에서 $4k-2=\pm30$
(i) $4k-2=30$에서 $4k=32$ $\quad\therefore k=8$
(ii) $4k-2=-30$에서 $4k=-28$ $\quad\therefore k=-7$
따라서 주어진 식이 완전제곱식이 되도록 하는 상수 k의 값은 8, -7이다.

3-2 $(x+4)(x+6)+k=x^2+10x+24+k$
위의 식이 완전제곱식이 되려면
$24+k=\left(\frac{10}{2}\right)^2$, $24+k=25$ $\quad\therefore k=1$

4-1 $x^2-5x+a=(x-1)(x+b)=x^2+(b-1)x-b$
$b-1=-5$이므로 $b=-4$
$a=-b=-(-4)=4$
$\therefore a-b=4-(-4)=8$

4-2 $6x^2+ax+4=(2x+1)(bx+c)$
$=2bx^2+(2c+b)x+c$
$6=2b$이므로 $b=3$
$c=4$
$a=2c+b=2\times4+3=11$
$\therefore a+b+c=11+3+4=18$

5-1 $(2x+7)(5x-1)+16=10x^2+33x-7+16$
$=10x^2+33x+9$
이때 $10x^2+33x+9$를 인수분해하면
$10x^2+33x+9=(10x+3)(x+3)$
따라서 두 일차식의 합은
$(10x+3)+(x+3)=11x+6$

5-2 $(3x-1)(5x+1)-7=15x^2-2x-1-7$
$=15x^2-2x-8$
이때 $15x^2-2x-8$을 인수분해하면
$15x^2-2x-8=(5x-4)(3x+2)$
따라서 구하는 두 일차식의 합은
$(5x-4)+(3x+2)=8x-2$

6-1 (1) $1.42\times5.5^2-1.42\times4.5^2$
$=1.42\times(5.5^2-4.5^2)$
$=1.42\times(5.5+4.5)(5.5-4.5)$
$=1.42\times10\times1=14.2$
(2) $\frac{64\times98+36\times98}{99^2-1}=\frac{98\times(64+36)}{(99+1)(99-1)}=\frac{98\times100}{100\times98}=1$

6-2 (1) $35\times3.5^2-35\times1.5^2$
$=35\times(3.5^2-1.5^2)$
$=35\times(3.5+1.5)(3.5-1.5)$
$=35\times5\times2=350$
(2) $307^2-14\times307+49=307^2-2\times307\times7+7^2$
$=(307-7)^2$
$=300^2=90000$

7-1 $\sqrt{x^2-4x+4}-\sqrt{x^2-6x+9}=\sqrt{(x-2)^2}-\sqrt{(x-3)^2}$
이때 $2<x<3$이므로 $x-2>0$, $x-3<0$
$\therefore \sqrt{(x-2)^2}-\sqrt{(x-3)^2}=(x-2)-\{-(x-3)\}$
$=x-2+x-3$
$=2x-5$

7-2 $\sqrt{x^2-2x+1}-\sqrt{x^2+2x+1}=\sqrt{(x-1)^2}-\sqrt{(x+1)^2}$
이때 $x>1$이므로 $x-1>0$, $x+1>0$
$\therefore \sqrt{(x-1)^2}-\sqrt{(x+1)^2}=(x-1)-(x+1)$
$=x-1-x-1=-2$

8-1 (1) $x^2-2x-3=(x+1)(x-3)$
$=(\sqrt{7}+1+1)(\sqrt{7}+1-3)$
$=(\sqrt{7}+2)(\sqrt{7}-2)$
$=(\sqrt{7})^2-2^2$
$=7-4=3$
(2) $9x^2-6xy+y^2=(3x-y)^2$
$=\{3(\sqrt{3}+\sqrt{2})-(2\sqrt{3}+3\sqrt{2})\}^2$
$=(3\sqrt{3}+3\sqrt{2}-2\sqrt{3}-3\sqrt{2})^2$
$=(\sqrt{3})^2=3$

8-2 (1) $a^2-4a+4=(a-2)^2$
$=(2+\sqrt{5}-2)^2$
$=(\sqrt{5})^2=5$
(2) a^2-b^2
$=(a+b)(a-b)$
$=\{(\sqrt{2}+\sqrt{3})+(\sqrt{2}-\sqrt{3})\}\{(\sqrt{2}+\sqrt{3})-(\sqrt{2}-\sqrt{3})\}$
$=2\sqrt{2}\times2\sqrt{3}$
$=4\sqrt{6}$

9-1 (1) 넓이가 x^2인 직사각형이 1개, 넓이가 x인 직사각형이 4개, 넓이가 1인 직사각형이 3개이므로 새로 만든 직사각형의 넓이는 x^2+4x+3
(2) $x^2+4x+3=(x+1)(x+3)$이므로 새로 만든 직사각형의 가로의 길이와 세로의 길이는 각각 $x+1$, $x+3$ 또는 $x+3$, $x+1$이다. 따라서 구하는 둘레의 길이는
$2\{(x+1)+(x+3)\}=2(2x+4)=4x+8$

9-2 주어진 직사각형 모양의 막대 6개로 만들어진 새로운 직사각형의 넓이는 x^2+3x+2이다.
이때 $x^2+3x+2=(x+1)(x+2)$이므로 새로 만든 직사각형의 가로의 길이와 세로의 길이는 각각 $x+1$, $x+2$ 또는 $x+2$, $x+1$이다. 따라서 구하는 둘레의 길이는
$2\{(x+1)+(x+2)\}=2(2x+3)=4x+6$

STEP 3 교과서 기본 테스트

본문 62~64쪽

01 ⑤	**02** 6	**03** ③, ④	**04** $2x-3$
05 ④	**06** ③	**07** -3	**08** ②, ⑤
09 ⑤	**10** 36	**11** ⑤	**12** 6036
13 2	**14** 20	**15** $8a+6$	
16 1600 cm^2		**17** $2x+3y$	**18** $2x-3$
19 $(2x+7)(x-3)$		**20** $\frac{6}{11}$	

01 ⑤ x^3-xy를 인수분해하면 $x(x^2-y)$이므로 x^3-xy의 인수는 1, x, x^2-y, $x(x^2-y)$이다.

02 $x^2+5x+a=(x+2)(x+3)=x^2+5x+6$
$\therefore a=6$

03 ③ $x^2-16=(x+4)(x-4)$
④ $9a^2-b^2=(3a)^2-b^2=(3a+b)(3a-b)$

04 $x^2-3x-40=(x+5)(x-8)$이므로 두 일차식의 합은
$(x+5)+(x-8)=2x-3$

05 ① $2x^2-13x+21=(2x-7)(x-3)$
② $2x^2-7x+3=(2x-1)(x-3)$
③ $2x^2-x-15=(2x+5)(x-3)$
④ $3x^2+8x-3=(3x-1)(x+3)$
⑤ $4x^2-11x-3=(4x+1)(x-3)$
따라서 $x-3$을 인수로 갖지 않는 것은 ④이다.

06 $x^2-4x-12=(x+2)(x-6)$
$5x^2+9x-2=(x+2)(5x-1)$
따라서 두 다항식에 공통으로 들어 있는 인수는 $x+2$이다.

07 $x^2-ax+4=(x-4)(x+\square)$로 놓으면
$x^2-ax+4=x^2+(\square-4)x-4\times\square$
즉 $4=-4\times\square$에서 $\square=-1$
$-a=\square-4=-1-4=-5$ $\therefore a=5$
$3x^2-10x+b=(x-4)(3x+\blacksquare)$로 놓으면
$3x^2-10x+b=3x^2+(\blacksquare-12)x-4\times\blacksquare$
즉 $-10=\blacksquare-12$에서 $\blacksquare=2$
$b=-4\times\blacksquare=-4\times2=-8$
$\therefore a+b=5+(-8)=-3$

08 ② $4x^2+16x+16=4(x^2+4x+4)$
$=4(x+2)^2$
⑤ $x^2+x+\frac{1}{4}=\left(x+\frac{1}{2}\right)^2$

09 ① $a^2+6a+\square=a^2+2\times a\times3+\square$
$\therefore \square=3^2=9$
② $a^2+\square a+1=a^2+\square a+1^2$
$\therefore \square=2\times1\times1=2$
③ $\square x^2-16x+4=\square x^2-2\times4x\times2+2^2$
$\therefore \square=4^2=16$
④ $9y^2+\square y+\frac{1}{9}=(3y)^2+\square y+\left(\frac{1}{3}\right)^2$
$\therefore \square=2\times3\times\frac{1}{3}=2$
⑤ $4x^2+\square xy+25y^2=(2x)^2+\square xy+(5y)^2$
$\therefore \square=2\times2\times5=20$
따라서 $\square$ 안에 알맞은 양수 중에서 가장 큰 것은 ⑤이다.

10 $(x-2)(x+10)+k=x^2+8x-20+k$
위의 식이 완전제곱식이 되려면
$-20+k=\left(\frac{8}{2}\right)^2$, $-20+k=16$ $\therefore k=36$

11 $(x+1)(x-5)-16=x^2-4x-5-16$
$=x^2-4x-21$
$=(x+3)(x-7)$

12 $2012\times2.1+2012\times0.9=2012\times(2.1+0.9)$
$=2012\times3=6036$

13 $x^2-10x+25=(x-5)^2=(5+\sqrt{2}-5)^2$
$=(\sqrt{2})^2=2$

14 $x^2+2xy+y^2=(x+y)^2=(\sqrt{5}+\sqrt{2}+\sqrt{5}-\sqrt{2})^2$
$=(2\sqrt{5})^2=20$

15 주어진 직사각형 모양의 막대 12개로 만들어진 새로운 직사각형의 넓이는 $3a^2+7a+2$이다.
이때 $3a^2+7a+2=(3a+1)(a+2)$이므로 새로운 직사각형의 가로의 길이와 세로의 길이는 각각 $3a+1$, $a+2$ 또는 $a+2$, $3a+1$이다.
따라서 구하는 둘레의 길이는
$2\{(3a+1)+(a+2)\}=2(4a+3)=8a+6$

16 $104^2-96^2=(104+96)(104-96)$
$=200\times 8=1600\ (\mathrm{cm}^2)$

17 $10x^2+29xy+21y^2=(5x+7y)(2x+3y)$이고 액자의 가로의 길이가 $5x+7y$이므로 액자의 세로의 길이는 $2x+3y$이다.

18 $\sqrt{x^2-2x+1}-\sqrt{x^2-4x+4}$
$=\sqrt{(x-1)^2}-\sqrt{(x-2)^2}$ …… ㉮
이때 $1<x<2$이므로 $x-1>0$, $x-2<0$ …… ㉯
$\therefore \sqrt{(x-1)^2}-\sqrt{(x-2)^2}=(x-1)-\{-(x-2)\}$
$=x-1+x-2$
$=2x-3$ …… ㉰

채점 기준	비율
㉮ 근호 안의 이차식을 제대로 인수분해한 경우	30 %
㉯ $1<x<2$임을 이용하여 $x-1$과 $x-2$의 부호를 제대로 판단한 경우	30 %
㉰ 주어진 식을 바르게 간단히 한 경우	40 %

19 $(2x-3)(x+2)=2x^2+x-6$이므로
태호는 $2x^2$과 x를 제대로 보았다. …… ㉮
$(2x+3)(x-7)=2x^2-11x-21$이므로
윤지는 $2x^2$과 -21을 제대로 보았다. …… ㉯
따라서 처음 주어진 이차식은 $2x^2+x-21$이므로
$2x^2+x-21=(2x+7)(x-3)$ …… ㉰

채점 기준	비율
㉮ 태호가 제대로 본 항을 바르게 구한 경우	30 %
㉯ 윤지가 제대로 본 항을 바르게 구한 경우	30 %
㉰ 처음 주어진 이차식을 바르게 인수분해 한 경우	40 %

20 $a^2-b^2=(a-b)(a+b)$이므로 …… ㉮
$\left(1-\frac{1}{2^2}\right)\times\left(1-\frac{1}{3^2}\right)\times\left(1-\frac{1}{4^2}\right)\times\cdots\times\left(1-\frac{1}{11^2}\right)$
$=\left(1-\frac{1}{2}\right)\left(1+\frac{1}{2}\right)\times\left(1-\frac{1}{3}\right)\left(1+\frac{1}{3}\right)$
$\times\left(1-\frac{1}{4}\right)\left(1+\frac{1}{4}\right)\times\cdots\times\left(1-\frac{1}{11}\right)\left(1+\frac{1}{11}\right)$
…… ㉯
$=\frac{1}{2}\times\frac{3}{2}\times\frac{2}{3}\times\frac{4}{3}\times\frac{3}{4}\times\frac{5}{4}\times\cdots\times\frac{10}{11}\times\frac{12}{11}$
$=\frac{1}{2}\times\frac{12}{11}=\frac{6}{11}$ …… ㉰

채점 기준	비율
㉮ 이용할 수 있는 인수분해 공식을 제대로 찾은 경우	30 %
㉯ 인수분해 공식을 이용하여 주어진 식을 제대로 인수분해 한 경우	35 %
㉰ 바르게 계산한 경우	35 %

창의력 · 융합형 · 서술형 · 코딩

본문 65쪽

1 (1) 13, 13, 11, 11 (2) 128
2 (1) $2n+2$ (2) $4n^2+4n+1$ (3) $(2n+1)^2$, 풀이 참조
3 ㉠ 3 ㉡ 103 ㉢ 97
4 3

1 (2) $15^2-13^2+11^2-9^2+7^2-5^2+3^2-1^2$
$=(15^2-13^2)+(11^2-9^2)+(7^2-5^2)+(3^2-1^2)$
$=(15+13)(15-13)+(11+9)(11-9)$
$+(7+5)(7-5)+(3+1)(3-1)$
$=28\times 2+20\times 2+12\times 2+4\times 2$
$=2\times(28+20+12+4)$
$=2\times 64=128$

2 (1) 연속한 두 짝수 중 작은 수를 $2n$(n은 자연수)이라고 하면 큰 짝수는 $2n+2$로 나타낼 수 있다.
(2) 연속한 두 짝수는 $2n$, $2n+2$이므로 연속한 두 짝수의 곱에 1을 더한 수는
$2n(2n+2)+1=4n^2+4n+1$
(3) $4n^2+4n+1=(2n)^2+2\times 2n\times 1+1^2$
$=(2n+1)^2$
이때 두 짝수 사이에 있는 홀수는 $2n+1$이므로 연속한 두 짝수의 곱에 1을 더한 수는 그 두 짝수 사이에 있는 홀수의 제곱과 같다.

4 길의 한가운데를 지나는 원의 반지름의 길이를 r m라고 하면
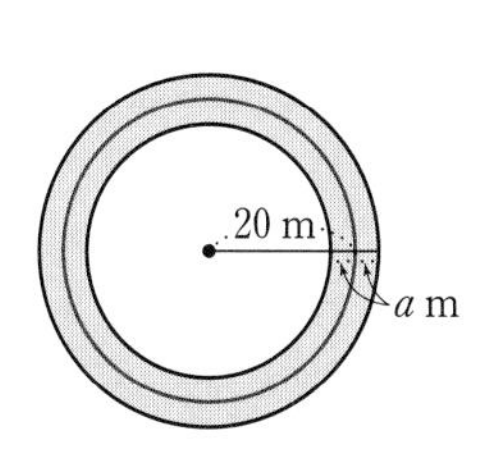

$2\pi r=40\pi$에서 $r=20$
이때 길의 넓이가 $240\pi\ \mathrm{m}^2$이므로
$\pi(20+a)^2-\pi(20-a)^2=240\pi$
$(20+a)^2-(20-a)^2=240$
$\{(20+a)+(20-a)\}\{(20+a)-(20-a)\}=240$
$80a=240 \qquad \therefore a=3$

III. 이차방정식

07 이차방정식의 뜻과 풀이

STEP 1 교과서 개념 확인 테스트 본문 70~71쪽

1-1 ㉠, ㉢

1-2 ㉢, ㉣

2-1 (1) ○ (2) × (3) ○ (4) ×

2-2 ①, ④

3-1 (1) $x=0$ 또는 $x=5$ (2) $x=2$ 또는 $x=-2$

(3) $x=-3$ 또는 $x=-4$ (4) $x=-\frac{1}{3}$ 또는 $x=\frac{5}{2}$

3-2 (1) $x=-2$ 또는 $x=5$ (2) $x=-\frac{1}{2}$ 또는 $x=-\frac{1}{3}$

(3) $x=\frac{1}{6}$ 또는 $x=-\frac{2}{5}$ (4) $x=1$ 또는 $x=4$

4-1 (1) $x=-\frac{4}{3}$ 또는 $x=\frac{4}{3}$ (2) $x=-6$ 또는 $x=3$

(3) $x=-4$ 또는 $x=-5$ (4) $x=-3$ 또는 $x=4$

4-2 (1) $x=-1$ 또는 $x=1$ (2) $x=-8$ 또는 $x=2$

(3) $x=3$ 또는 $x=8$ (4) $x=1$ 또는 $x=-\frac{3}{2}$

5-1 (1) $x=3$ 또는 $x=5$ (2) $x=-5$ 또는 $x=4$

(3) $x=-3$ 또는 $x=4$ (4) $x=-2$ 또는 $x=\frac{1}{2}$

5-2 (1) $x=-1$ 또는 $x=5$ (2) $x=-1$ 또는 $x=9$

(3) $x=2$ 또는 $x=3$ (4) $x=-2$ 또는 $x=\frac{3}{5}$

6-1 (1) $x=-3$ (2) $x=-\frac{1}{5}$ (3) $x=2$ (4) $x=-6$

6-2 ㉣

1-1 ㉠ $2x^2-1=x$에서 $2x^2-x-1=0$ ➡ 이차방정식

㉡ $x^2-4x=x^2+5$에서 $-4x-5=0$ ➡ 일차방정식

㉢ $2x^3+3x=2x^3-x^2$에서 $x^2+3x=0$ ➡ 이차방정식

㉣ $x^2=x(x-6)$에서 $x^2=x^2-6x$

$\therefore 6x=0$ ➡ 일차방정식

따라서 이차방정식인 것은 ㉠, ㉢이다.

1-2 ㉠ $x^2-3x=x^2$에서 $-3x=0$ ➡ 일차방정식

㉡ 이차식

㉢ $4x-3=x(1+x)$에서 $4x-3=x+x^2$

$\therefore -x^2+3x-3=0$ ➡ 이차방정식

㉣ $2x^2=(x+1)^2$에서 $2x^2=x^2+2x+1$

$\therefore x^2-2x-1=0$ ➡ 이차방정식

따라서 이차방정식인 것은 ㉢, ㉣이다.

2-1 (1) $x(x-6)=0$에 $x=0$을 대입하면

$0\times(0-6)=0$

(2) $x^2-3x=0$에 $x=1$을 대입하면

$1^2-3\times1\neq0$

(3) $2x^2-5x+2=0$에 $x=2$를 대입하면

$2\times2^2-5\times2+2=0$

(4) $(x+7)(x-1)=0$에 $x=-1$을 대입하면

$(-1+7)\times(-1-1)\neq0$

2-2 각 이차방정식에 $x=2$를 대입하면

① $2^2-2-2=0$

② $(2-3)\times(2+2)\neq0$

③ $2^2-6\times2\neq0$

④ $2^2+5\times2-14=0$

⑤ $2\times2^2+2-6\neq0$

따라서 $x=2$를 해로 갖는 것은 ①, ④이다.

3-1 (1) $x(x-5)=0$에서 $x=0$ 또는 $x-5=0$

$\therefore x=0$ 또는 $x=5$

(2) $(x-2)(x+2)=0$에서 $x-2=0$ 또는 $x+2=0$

$\therefore x=2$ 또는 $x=-2$

(3) $(x+3)(4+x)=0$에서 $x+3=0$ 또는 $4+x=0$

$\therefore x=-3$ 또는 $x=-4$

(4) $(3x+1)(2x-5)=0$에서 $3x+1=0$ 또는 $2x-5=0$

$\therefore x=-\frac{1}{3}$ 또는 $x=\frac{5}{2}$

3-2 (1) $(x+2)(x-5)=0$에서 $x+2=0$ 또는 $x-5=0$

$\therefore x=-2$ 또는 $x=5$

(2) $\left(x+\frac{1}{2}\right)\left(x+\frac{1}{3}\right)=0$에서 $x+\frac{1}{2}=0$ 또는 $x+\frac{1}{3}=0$

$\therefore x=-\frac{1}{2}$ 또는 $x=-\frac{1}{3}$

(3) $(6x-1)(5x+2)=0$에서 $6x-1=0$ 또는 $5x+2=0$

$\therefore x=\frac{1}{6}$ 또는 $x=-\frac{2}{5}$

(4) $5(x-1)(x-4)=0$에서 $x-1=0$ 또는 $x-4=0$

$\therefore x=1$ 또는 $x=4$

4-1 (1) $9x^2-16=0$에서 $(3x+4)(3x-4)=0$

$\therefore x=-\frac{4}{3}$ 또는 $x=\frac{4}{3}$

(2) $x^2+3x-18=0$에서 $(x+6)(x-3)=0$

$\therefore x=-6$ 또는 $x=3$

(3) $x^2+9x+20=0$에서 $(x+4)(x+5)=0$

$\therefore x=-4$ 또는 $x=-5$

(4) $x^2-x=12$에서 $x^2-x-12=0$

$(x+3)(x-4)=0$ $\therefore x=-3$ 또는 $x=4$

4-2 (1) $5x^2-4=1$에서 $5x^2-5=0$

$x^2-1=0$, $(x+1)(x-1)=0$

$\therefore x=-1$ 또는 $x=1$

(2) $x^2+6x-16=0$에서 $(x+8)(x-2)=0$

$\therefore x=-8$ 또는 $x=2$

(3) $x^2-11x+24=0$에서 $(x-3)(x-8)=0$

$\therefore x=3$ 또는 $x=8$

(4) $2x^2+x-3=0$에서 $(x-1)(2x+3)=0$

$\therefore x=1$ 또는 $x=-\frac{3}{2}$

5-1 (1) $(x-2)(x-6)=-3$에서 $x^2-8x+12=-3$

$x^2-8x+15=0$, $(x-3)(x-5)=0$

$\therefore x=3$ 또는 $x=5$

(2) $(x+2)^2=3(x+8)$에서 $x^2+4x+4=3x+24$

$x^2+x-20=0$, $(x+5)(x-4)=0$

$\therefore x=-5$ 또는 $x=4$

(3) $(x+2)(x-3)=6$에서 $x^2-x-6=6$

$x^2-x-12=0$, $(x+3)(x-4)=0$

$\therefore x=-3$ 또는 $x=4$

(4) $(2x-1)(x+1)=1-2x$에서 $2x^2+x-1=1-2x$

$2x^2+3x-2=0$, $(x+2)(2x-1)=0$

$\therefore x=-2$ 또는 $x=\frac{1}{2}$

5-2 (1) $x^2+3=4(x+2)$에서 $x^2+3=4x+8$

$x^2-4x-5=0$, $(x+1)(x-5)=0$

$\therefore x=-1$ 또는 $x=5$

(2) $(x+3)(x-3)=8x$에서 $x^2-9=8x$

$x^2-8x-9=0$, $(x+1)(x-9)=0$

$\therefore x=-1$ 또는 $x=9$

(3) $(x+1)(x-5)=x-11$에서 $x^2-4x-5=x-11$

$x^2-5x+6=0$, $(x-2)(x-3)=0$

$\therefore x=2$ 또는 $x=3$

(4) $(5x-6)(x+1)=-8x$에서 $5x^2-x-6=-8x$

$5x^2+7x-6=0$, $(x+2)(5x-3)=0$

$\therefore x=-2$ 또는 $x=\frac{3}{5}$

6-1 (1) $x^2+6x+9=0$에서 $(x+3)^2=0$ $\therefore x=-3$

(2) $25x^2+1=-10x$에서 $25x^2+10x+1=0$

$(5x+1)^2=0$ $\therefore x=-\frac{1}{5}$

(3) $2x^2-3x+8=5x$에서 $2x^2-8x+8=0$

$x^2-4x+4=0$, $(x-2)^2=0$ $\therefore x=2$

(4) $x^2+9x=-3(x+12)$에서 $x^2+9x=-3x-36$

$x^2+12x+36=0$, $(x+6)^2=0$ $\therefore x=-6$

6-2 ㉠ $x^2-25=0$에서 $(x+5)(x-5)=0$

$\therefore x=-5$ 또는 $x=5$

㉡ $x^2+x-6=0$에서 $(x+3)(x-2)=0$

$\therefore x=-3$ 또는 $x=2$

㉢ $(x-1)^2=9$에서 $x^2-2x+1=9$

$x^2-2x-8=0$, $(x+2)(x-4)=0$

$\therefore x=-2$ 또는 $x=4$

㉣ $x(x-8)=-16$에서 $x^2-8x=-16$

$x^2-8x+16=0$, $(x-4)^2=0$ $\therefore x=4$

따라서 중근을 가지는 것은 ㉣이다.

STEP 2 기출 기초 테스트

본문 72~73쪽

1-1 ⑤	**1-2** $a\neq\frac{2}{3}$
2-1 1	**2-2** $x=1$
3-1 18	**3-2** 9
4-1 $x=2$	**4-2** 5
5-1 (1) 9 (2) 49 (3) ±16 (4) ±8	
5-2 $k=-14$, $a=4$	
6-1 -7	**6-2** $x=\frac{1}{3}$ 또는 $x=\frac{1}{4}$

1-1 $2ax^2-x+3=6x^2-8x+4$에서

우변의 모든 항을 좌변으로 이항하여 정리하면

$(2a-6)x^2+7x-1=0$

이 방정식이 x에 대한 이차방정식이 되려면

$2a-6\neq0$ $\therefore a\neq3$

1-2 $3ax^2-a^2x+1=2x(x-1)$에서

$3ax^2-a^2x+1=2x^2-2x$

우변의 모든 항을 좌변으로 이항하여 정리하면

$(3a-2)x^2+(-a^2+2)x+1=0$

이 방정식이 x에 대한 이차방정식이 되려면

$3a-2\neq0$ $\therefore a\neq\frac{2}{3}$

2-1 $x=2$를 $x^2+ax-6=0$에 대입하면

$2^2+a\times2-6=0$, $2a=2$ $\therefore a=1$

2-2 $x=-4$를 $x^2+ax-4=0$에 대입하면

$(-4)^2+a\times(-4)-4=0$, $-4a=-12$ $\therefore a=3$

즉 $x^2+3x-4=0$이므로 $(x+4)(x-1)=0$

$\therefore x=-4$ 또는 $x=1$

따라서 다른 한 근은 $x=1$이다.

3-1 $x=m$을 $x^2+2x-1=0$에 대입하면

$m^2+2m-1=0$ $\quad\therefore m^2+2m=1$

$x=n$을 $3x^2-5x+1=0$에 대입하면

$3n^2-5n+1=0$ $\quad\therefore 3n^2-5n=-1$

$\therefore (m^2+2m-4)(3n^2-5n-5)=(1-4)\times(-1-5)=18$

3-2 $x=a$를 $x^2-3x-4=0$에 대입하면

$a^2-3a-4=0$ $\quad\therefore a^2-3a=4$

$x=b$를 $x^2-3x-4=0$에 대입하면

$b^2-3b-4=0$ $\quad\therefore b^2-3b=4$

$\therefore (a^2-3a+5)(b^2-3b-3)=(4+5)\times(4-3)=9$

4-1 $x^2-9x+14=0$에서 $(x-2)(x-7)=0$

$\therefore x=2$ 또는 $x=7$

$3x^2-4x-4=0$에서 $(x-2)(3x+2)=0$

$\therefore x=2$ 또는 $x=-\frac{2}{3}$

따라서 두 이차방정식의 공통인 해는 $x=2$이다.

4-2 $x^2-2x-15=0$에서 $(x+3)(x-5)=0$

$\therefore x=-3$ 또는 $x=5$

$x^2-12x+35=0$에서 $(x-5)(x-7)=0$

$\therefore x=5$ 또는 $x=7$

따라서 두 이차방정식을 동시에 만족하는 x의 값은 5이다.

5-1 (1) $x^2-6x+k=0$이 중근을 가지므로

$k=\left(-\frac{6}{2}\right)^2=9$

(2) $x^2+14x+k=0$이 중근을 가지므로

$k=\left(\frac{14}{2}\right)^2=49$

(3) $x^2+kx+64=0$이 중근을 가지므로

$64=\left(\frac{k}{2}\right)^2$, $k^2=256$ $\quad\therefore k=\pm16$

(4) $4x^2-kx+4=0$에서 $x^2-\frac{k}{4}x+1=0$

이차방정식이 중근을 가지므로

$1=\left(-\frac{k}{8}\right)^2$, $k^2=64$ $\quad\therefore k=\pm8$

5-2 $x^2-8x+2-k=0$이 중근을 가지므로

$2-k=\left(-\frac{8}{2}\right)^2$, $2-k=16$ $\quad\therefore k=-14$

$k=-14$를 $x^2-8x+2-k=0$에 대입하면

$x^2-8x+16=0$, $(x-4)^2=0$ $\quad\therefore x=4$

$\therefore a=4$

6-1 $x=-5$를 $x^2+ax+b=0$에 대입하면

$25-5a+b=0$ $\quad\therefore 5a-b=25$ …… ㉠

$x=2$를 $x^2+ax+b=0$에 대입하면

$4+2a+b=0$ $\quad\therefore 2a+b=-4$ …… ㉡

㉠+㉡을 하면 $7a=21$ $\quad\therefore a=3$

$a=3$을 ㉡에 대입하면 $6+b=-4$ $\quad\therefore b=-10$

$\therefore a+b=3+(-10)=-7$

다른 풀이

해가 $x=-5$ 또는 $x=2$이고 x^2의 계수가 1인 이차방정식은

$(x+5)(x-2)=0$ $\quad\therefore x^2+3x-10=0$

따라서 $a=3$, $b=-10$이므로

$a+b=3+(-10)=-7$

6-2 $x=3$을 $x^2+ax+b=0$에 대입하면

$9+3a+b=0$ $\quad\therefore 3a+b=-9$ …… ㉠

$x=4$를 $x^2+ax+b=0$에 대입하면

$16+4a+b=0$ $\quad\therefore 4a+b=-16$ …… ㉡

㉡−㉠을 하면 $a=-7$

$a=-7$을 ㉠에 대입하면 $-21+b=-9$ $\quad\therefore b=12$

즉 $12x^2-7x+1=0$에서

$(3x-1)(4x-1)=0$ $\quad\therefore x=\frac{1}{3}$ 또는 $x=\frac{1}{4}$

다른 풀이

해가 $x=3$ 또는 $x=4$이고 x^2의 계수가 1인 이차방정식은

$(x-3)(x-4)=0$ $\quad\therefore x^2-7x+12=0$

따라서 $a=-7$, $b=12$이므로 $12x^2-7x+1=0$에서

$(3x-1)(4x-1)=0$ $\quad\therefore x=\frac{1}{3}$ 또는 $x=\frac{1}{4}$

STEP 3 교과서 기본 테스트

본문 74~76쪽

01 ③, ⑤	**02** −4	**03** ⑤	**04** ④
05 ③	**06** ①	**07** ⑤	**08** ③
09 ①	**10** $x=3$	**11** ②	
12 $k=\frac{3}{2}$, $x=-2$		**13** 8	**14** 2
15 $p=-2$, $q=\frac{1}{4}$		**16** 6	**17** 16
18 −4	**19** −13		

01 ① 이차방정식

② $(x+2)(x-1)=1$에서 $x^2+x-2=1$

$\therefore x^2+x-3=0$ ➡ 이차방정식

③ $(x+3)(3x-2)=3x^2-2$에서

$3x^2+7x-6=3x^2-2$

$\therefore 7x-4=0$ ➡ 일차방정식

④ $x^3-2x=x^3+4x^2-1$에서 $-4x^2-2x+1=0$

➡ 이차방정식

⑤ $(x+1)(x-3)=x^2-5x+2$에서

$x^2-2x-3=x^2-5x+2$

$\therefore 3x-5=0$ ➡ 일차방정식

02 $3(x-1)(x+2)=x^2+2x$에서

$3(x^2+x-2)=x^2+2x$, $3x^2+3x-6=x^2+2x$

$\therefore 2x^2+x-6=0$

따라서 $a=2$, $b=-6$이므로

$a+b=2+(-6)=-4$

03 $2(x-2)^2+1=ax^2-3x+4$에서

$2x^2-8x+8+1=ax^2-3x+4$

우변의 모든 항을 좌변으로 이항하여 정리하면

$(2-a)x^2-5x+5=0$

이 방정식이 x에 대한 이차방정식이 되려면

$2-a\neq0$ $\quad\therefore a\neq2$

04 각 이차방정식에 $x=1$을 대입하면

① $1^2-1=0$

② $3\times1^2-4\times1+1=0$

③ $1^2-2\times1+1=0$

④ $1^2-4\times1-5\neq0$

⑤ $2\times1^2+3\times1-5=0$

따라서 $x=1$을 해로 갖지 않는 것은 ④이다.

06 $x^2+6x=0$에서 $x(x+6)=0$

$\therefore x=0$ 또는 $x=-6$

두 근 중 작은 근은 $x=-6$이므로

$x=-6$을 $x^2-ax+6a=0$에 대입하면

$36+6a+6a=0$, $12a=-36$ $\quad\therefore a=-3$

07 $x^2-10x=-24$에서 $x^2-10x+24=0$

$(x-4)(x-6)=0$ $\quad\therefore x=4$ 또는 $x=6$

08 ① $x^2-5x-14=0$에서 $(x+2)(x-7)=0$

$\therefore x=-2$ 또는 $x=7$

② $3x^2+6x-9=0$에서 $x^2+2x-3=0$

$(x+3)(x-1)=0$ $\quad\therefore x=-3$ 또는 $x=1$

③ $2x^2-8x+8=0$에서 $x^2-4x+4=0$

$(x-2)^2=0$ $\quad\therefore x=2$

④ $x^2+x-20=0$에서 $(x+5)(x-4)=0$

$\therefore x=-5$ 또는 $x=4$

⑤ $9x^2-4=0$에서 $(3x+2)(3x-2)=0$

$\therefore x=-\frac{2}{3}$ 또는 $x=\frac{2}{3}$

따라서 중근을 갖는 것은 ③이다.

09 $(x+1)(x-4)=6$에서 $x^2-3x-4=6$

$x^2-3x-10=0$, $(x+2)(x-5)=0$

$\therefore x=-2$ 또는 $x=5$

10 $x^2-4x+3=0$에서 $(x-1)(x-3)=0$

$\therefore x=1$ 또는 $x=3$

$x^2-x-6=0$에서 $(x+2)(x-3)=0$

$\therefore x=-2$ 또는 $x=3$

따라서 두 이차방정식의 공통인 해는 $x=3$이다.

11 $x^2+(k-5)x-5k=0$이 중근을 가지므로

$-5k=\left(\frac{k-5}{2}\right)^2$, $-5k=\frac{k^2-10k+25}{4}$

$k^2+10k+25=0$, $(k+5)^2=0$ $\quad\therefore k=-5$

12 $x^2+4(x-k)+10=0$에서

$x^2+4x+(-4k+10)=0$

이 이차방정식이 중근을 가지므로

$-4k+10=\left(\frac{4}{2}\right)^2$, $-4k=-6$ $\quad\therefore k=\frac{3}{2}$

$k=\frac{3}{2}$을 $x^2+4x+(-4k+10)=0$에 대입하면

$x^2+4x+4=0$, $(x+2)^2=0$ $\quad\therefore x=-2$

13 x^2의 계수가 1이고 중근 $x=-2$를 가지는 이차방정식은

$(x+2)^2=0$ $\quad\therefore x^2+4x+4=0$

따라서 $a=4$, $b=4$이므로

$a+b=4+4=8$

14 $x=p$를 $x^2-6x+1=0$에 대입하면

$p^2-6p+1=0$ $\quad\therefore p^2-6p=-1$

$\therefore p^2-6p+3=-1+3=2$

15 $x=-5$를 $x^2-2px-5=0$에 대입하면

$25+10p-5=0$, $10p=-20$ $\quad\therefore p=-2$

즉 $x^2+4x-5=0$이므로 $(x+5)(x-1)=0$

$\therefore x=-5$ 또는 $x=1$

따라서 다른 한 근이 $x=1$이므로

$x=1$을 $x^2+(q-2)x+3q=0$에 대입하면

$1+q-2+3q=0$, $4q=1$ $\quad\therefore q=\frac{1}{4}$

16 $x^2-(2+a)x+2a=0$에서

$(x-2)(x-a)=0 \quad \therefore x=2$ 또는 $x=a$

두 근의 비가 $1:3$이고 $a>2$이므로

$2:a=1:3 \quad \therefore a=6$

17 $x=m$을 $x^2-5x-10=0$에 대입하면

$m^2-5m-10=0 \quad \therefore m^2-5m=10$ …… ㉮

$x=n$을 $x^2-4x+2=0$에 대입하면

$n^2-4n+2=0 \quad \therefore n^2-4n=-2$ …… ㉯

$\therefore m^2-5m-3n^2+12n$

$=(m^2-5m)-3(n^2-4n)$

$=10-3\times(-2)$

$=16$ …… ㉰

채점 기준	비율
㉮ $x=m$을 $x^2-5x-10=0$에 바르게 대입한 경우	30 %
㉯ $x=n$을 $x^2-4x+2=0$에 바르게 대입한 경우	30 %
㉰ $m^2-5m-3n^2+12n$의 값을 제대로 구한 경우	40 %

18 $x=a$를 $x^2+4x+1=0$에 대입하면

$a^2+4a+1=0$ …… ㉮

이때 $a\neq0$이므로 양변을 a로 나누면

$a+4+\frac{1}{a}=0 \quad \therefore a+\frac{1}{a}=-4$ …… ㉯

채점 기준	비율
㉮ $x=a$를 $x^2+4x+1=0$에 바르게 대입한 경우	40 %
㉯ $a\neq0$임을 알고 $a+\frac{1}{a}$의 값을 제대로 구한 경우	60 %

19 은지는 -3, 2를 근으로 구하였으므로 은지가 푼 이차방정식은 $(x+3)(x-2)=0 \quad \therefore x^2+x-6=0$

이때 은지는 상수항은 바르게 보았으므로 원래의 이차방정식의 상수항은 -6이다. …… ㉮

종우는 -1, 8을 근으로 구하였으므로 종우가 푼 이차방정식은 $(x+1)(x-8)=0 \quad \therefore x^2-7x-8=0$

이때 종우는 x의 계수는 바르게 보았으므로 원래의 이차방정식의 x의 계수는 -7이다. …… ㉯

따라서 원래의 이차방정식은 $x^2-7x-6=0$이므로

$a=-7$, $b=-6$

$\therefore a+b=-7+(-6)=-13$ …… ㉰

채점 기준	비율
㉮ 원래의 이차방정식의 상수항을 바르게 구한 경우	40 %
㉯ 원래의 이차방정식의 x의 계수를 바르게 구한 경우	40 %
㉰ $a+b$의 값을 제대로 구한 경우	20 %

창의력 · 융합형 · 서술형 · 코딩

본문 77쪽

1 7
2 (1) 풀이 참조 (2) $x=-2$ 또는 $x=4$
3 $\frac{1}{18}$
4 1

1 $\frac{n(n-3)}{2}=14$에서 $n^2-3n=28$

$\therefore n^2-3n-28=0$

(i) $n=5$일 때, $5^2-3\times5-28\neq0$

(ii) $n=6$일 때, $6^2-3\times6-28\neq0$

(iii) $n=7$일 때, $7^2-3\times7-28=0$

(iv) $n=8$일 때, $8^2-3\times8-28\neq0$

따라서 구하는 n의 값은 7이다.

2 (1) 양변을 $x+2$로 나누는 것이 잘못되었다.

이유는 $x+2=0$이 될 수 있으므로 양변을 $x+2$로 나눌 수 없다.

(2) $(x+2)(x-3)=x+2$에서 $x^2-x-6=x+2$

$x^2-2x-8=0$, $(x+2)(x-4)=0$

$\therefore x=-2$ 또는 $x=4$

3 $x^2+2ax+b=0$의 해가 중근이므로 $b=\left(\frac{2a}{2}\right)^2=a^2$

즉 $b=a^2$을 만족하는 순서쌍 (a, b)는

$(1, 1)$, $(2, 4)$의 2가지

따라서 구하는 확률은 $\frac{2}{36}=\frac{1}{18}$

4 $y=ax+1$에 $x=a-3$, $y=2a^2-3$을 대입하면

$2a^2-3=a(a-3)+1$, $a^2+3a-4=0$

$(a+4)(a-1)=0 \quad \therefore a=-4$ 또는 $a=1$

(i) $a=-4$일 때

일차함수 $y=-4x+1$의 그래프는 오른쪽 그림과 같이 제4사분면을 지난다.

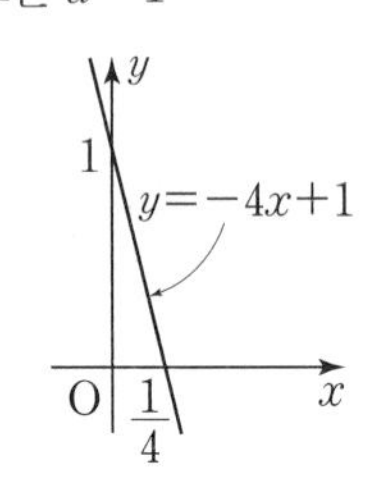

(ii) $a=1$일 때

일차함수 $y=x+1$의 그래프는 오른쪽 그림과 같이 제4사분면을 지나지 않는다.

(i), (ii)에 의하여 $a=1$

08 이차방정식의 여러 가지 풀이

STEP 1 교과서 개념 확인 테스트

본문 80~81쪽

1-1 (1) $x=\pm2$ (2) $x=\pm\sqrt{2}$
(3) $x=\pm2\sqrt{2}$ (4) $x=\pm\frac{\sqrt{7}}{2}$

1-2 (1) $x=\pm2\sqrt{3}$ (2) $x=\pm\frac{\sqrt{2}}{2}$
(3) $x=\pm2\sqrt{6}$ (4) $x=\pm\frac{3}{4}$

2-1 (1) $x=-2\pm\sqrt{6}$ (2) $x=1\pm2\sqrt{3}$
(3) $x=-5\pm2\sqrt{2}$ (4) $x=1$ 또는 $x=5$

2-2 (1) $x=-1\pm\sqrt{5}$ (2) $x=-3\pm\sqrt{2}$
(3) $x=\frac{-3\pm2\sqrt{2}}{2}$ (4) $x=0$ 또는 $x=6$

3-1 (1) $x=2\pm\sqrt{3}$ (2) $x=\frac{5\pm\sqrt{13}}{2}$
(3) $x=\frac{4\pm\sqrt{10}}{2}$

3-2 (1) $x=-3\pm\sqrt{3}$ (2) $x=\frac{-3\pm\sqrt{17}}{2}$
(3) $x=\frac{-3\pm\sqrt{15}}{3}$

4-1 (1) $x=\frac{5\pm\sqrt{21}}{2}$ (2) $x=-1\pm\sqrt{5}$

4-2 (1) $x=\frac{-3\pm\sqrt{33}}{2}$ (2) $x=\frac{-1\pm\sqrt{5}}{2}$

5-1 (1) $x=\frac{-1\pm\sqrt{6}}{2}$ (2) $x=\frac{-3\pm2\sqrt{3}}{3}$

5-2 (1) $x=\frac{2\pm\sqrt{7}}{3}$ (2) $x=\frac{1\pm\sqrt{11}}{2}$

6-1 (1) $x=-3$ 또는 $x=\frac{3}{2}$ (2) $x=\frac{5\pm\sqrt{19}}{2}$
(3) $x=-3\pm\sqrt{10}$ (4) $x=-\frac{5}{2}$ 또는 $x=1$

6-2 (1) $x=\frac{1\pm\sqrt{17}}{2}$ (2) $x=\frac{1}{2}$ 또는 $x=2$
(3) $x=\frac{9\pm\sqrt{21}}{10}$ (4) $x=\frac{5\pm\sqrt{65}}{4}$

1-1 (1) $x^2=4$에서 $x=\pm2$
(2) $3x^2=6$에서 $x^2=2$ $\therefore x=\pm\sqrt{2}$
(3) $x^2-8=0$에서 $x^2=8$ $\therefore x=\pm2\sqrt{2}$
(4) $4x^2-7=0$에서 $4x^2=7$, $x^2=\frac{7}{4}$ $\therefore x=\pm\frac{\sqrt{7}}{2}$

1-2 (1) $x^2=12$에서 $x=\pm2\sqrt{3}$
(2) $8x^2=4$에서 $x^2=\frac{1}{2}$ $\therefore x=\pm\sqrt{\frac{1}{2}}=\pm\frac{\sqrt{2}}{2}$
(3) $x^2-24=0$에서 $x^2=24$ $\therefore x=\pm2\sqrt{6}$
(4) $16x^2-9=0$에서 $16x^2=9$, $x^2=\frac{9}{16}$ $\therefore x=\pm\frac{3}{4}$

2-1 (1) $(x+2)^2=6$에서 $x+2=\pm\sqrt{6}$ $\therefore x=-2\pm\sqrt{6}$
(2) $(x-1)^2-12=0$에서 $(x-1)^2=12$
$x-1=\pm2\sqrt{3}$ $\therefore x=1\pm2\sqrt{3}$
(3) $3(x+5)^2=24$에서 $(x+5)^2=8$
$x+5=\pm2\sqrt{2}$ $\therefore x=-5\pm2\sqrt{2}$
(4) $5(x-3)^2-20=0$에서 $(x-3)^2-4=0$
$(x-3)^2=4$, $x-3=\pm2$
$\therefore x=1$ 또는 $x=5$

2-2 (1) $(x+1)^2=5$에서 $x+1=\pm\sqrt{5}$ $\therefore x=-1\pm\sqrt{5}$
(2) $(x+3)^2-2=0$에서 $(x+3)^2=2$
$x+3=\pm\sqrt{2}$ $\therefore x=-3\pm\sqrt{2}$
(3) $(2x+3)^2-8=0$에서 $(2x+3)^2=8$
$2x+3=\pm2\sqrt{2}$ $\therefore x=\frac{-3\pm2\sqrt{2}}{2}$
(4) $4(x-3)^2=36$에서 $(x-3)^2=9$
$x-3=\pm3$ $\therefore x=0$ 또는 $x=6$

3-1 (1) $x^2-4x=-1$에서 $x^2-4x+4=3$
$(x-2)^2=3$, $x-2=\pm\sqrt{3}$
$\therefore x=2\pm\sqrt{3}$
(2) $x^2-5x+3=0$에서 $x^2-5x=-3$
$x^2-5x+\frac{25}{4}=\frac{13}{4}$, $\left(x-\frac{5}{2}\right)^2=\frac{13}{4}$
$x-\frac{5}{2}=\pm\frac{\sqrt{13}}{2}$ $\therefore x=\frac{5\pm\sqrt{13}}{2}$
(3) $2x^2-8x+3=0$에서 $x^2-4x+\frac{3}{2}=0$
$x^2-4x=-\frac{3}{2}$, $x^2-4x+4=\frac{5}{2}$
$(x-2)^2=\frac{5}{2}$, $x-2=\pm\sqrt{\frac{5}{2}}$
$\therefore x=\frac{4\pm\sqrt{10}}{2}$

3-2 (1) $x^2+6=-6x$에서 $x^2+6x=-6$
$x^2+6x+9=3$, $(x+3)^2=3$
$x+3=\pm\sqrt{3}$ $\therefore x=-3\pm\sqrt{3}$
(2) $x^2+3x-2=0$에서 $x^2+3x=2$
$x^2+3x+\frac{9}{4}=\frac{17}{4}$, $\left(x+\frac{3}{2}\right)^2=\frac{17}{4}$
$x+\frac{3}{2}=\pm\frac{\sqrt{17}}{2}$ $\therefore x=\frac{-3\pm\sqrt{17}}{2}$

(3) $3x^2+6x-2=0$에서 $x^2+2x-\frac{2}{3}=0$

$x^2+2x=\frac{2}{3}$, $x^2+2x+1=\frac{5}{3}$

$(x+1)^2=\frac{5}{3}$, $x+1=\pm\sqrt{\frac{5}{3}}$　　$\therefore x=\frac{-3\pm\sqrt{15}}{3}$

4-1 (1) $x=\frac{-(-5)\pm\sqrt{(-5)^2-4\times1\times1}}{2\times1}$

$=\frac{5\pm\sqrt{21}}{2}$

(2) $x=\frac{-2\pm\sqrt{2^2-4\times1\times(-4)}}{2\times1}$

$=\frac{-2\pm2\sqrt{5}}{2}=-1\pm\sqrt{5}$

4-2 (1) $x=\frac{-3\pm\sqrt{3^2-4\times1\times(-6)}}{2\times1}$

$=\frac{-3\pm\sqrt{33}}{2}$

(2) $x=\frac{-1\pm\sqrt{1^2-4\times1\times(-1)}}{2\times1}$

$=\frac{-1\pm\sqrt{5}}{2}$

5-1 (1) $x=\frac{-2\pm\sqrt{2^2-4\times5\times(-1)}}{2\times5}$

$=\frac{-2\pm2\sqrt{6}}{10}=\frac{-1\pm\sqrt{6}}{5}$

(2) $x=\frac{-6\pm\sqrt{6^2-4\times3\times(-1)}}{2\times3}$

$=\frac{-6\pm4\sqrt{3}}{6}=\frac{-3\pm2\sqrt{3}}{3}$

5-2 (1) $x=\frac{-(-4)\pm\sqrt{(-4)^2-4\times3\times(-1)}}{2\times3}$

$=\frac{4\pm2\sqrt{7}}{6}=\frac{2\pm\sqrt{7}}{3}$

(2) $x=\frac{-(-2)\pm\sqrt{(-2)^2-4\times2\times(-5)}}{2\times2}$

$=\frac{2\pm2\sqrt{11}}{4}=\frac{1\pm\sqrt{11}}{2}$

6-1 (1) $0.2x^2+0.3x-0.9=0$의 양변에 10을 곱하면

$2x^2+3x-9=0$, $(x+3)(2x-3)=0$

$\therefore x=-3$ 또는 $x=\frac{3}{2}$

(2) $0.2x^2-x+0.3=0$의 양변에 10을 곱하면

$2x^2-10x+3=0$

$\therefore x=\frac{-(-10)\pm\sqrt{(-10)^2-4\times2\times3}}{2\times2}$

$=\frac{10\pm2\sqrt{19}}{4}=\frac{5\pm\sqrt{19}}{2}$

(3) $\frac{1}{6}x^2+x-\frac{1}{6}=0$의 양변에 6을 곱하면

$x^2+6x-1=0$

$\therefore x=\frac{-6\pm\sqrt{6^2-4\times1\times(-1)}}{2\times1}$

$=\frac{-6\pm2\sqrt{10}}{2}=-3\pm\sqrt{10}$

(4) $\frac{1}{5}x^2+\frac{3}{10}x-\frac{1}{2}=0$의 양변에 10을 곱하면

$2x^2+3x-5=0$, $(2x+5)(x-1)=0$

$\therefore x=-\frac{5}{2}$ 또는 $x=1$

6-2 (1) $0.1x^2-0.1x-0.4=0$의 양변에 10을 곱하면

$x^2-x-4=0$

$\therefore x=\frac{-(-1)\pm\sqrt{(-1)^2-4\times1\times(-4)}}{2\times1}$

$=\frac{1\pm\sqrt{17}}{2}$

(2) $0.2x^2-0.5x+0.2=0$의 양변에 10을 곱하면

$2x^2-5x+2=0$, $(2x-1)(x-2)=0$

$\therefore x=\frac{1}{2}$ 또는 $x=2$

(3) $\frac{1}{3}x^2-\frac{3}{5}x+\frac{1}{5}=0$의 양변에 15를 곱하면

$5x^2-9x+3=0$

$\therefore x=\frac{-(-9)\pm\sqrt{(-9)^2-4\times5\times3}}{2\times5}$

$=\frac{9\pm\sqrt{21}}{10}$

(4) $\frac{1}{5}x^2=\frac{1}{2}x+\frac{1}{2}$의 양변에 10을 곱하면

$2x^2=5x+5$, $2x^2-5x-5=0$

$\therefore x=\frac{-(-5)\pm\sqrt{(-5)^2-4\times2\times(-5)}}{2\times2}$

$=\frac{5\pm\sqrt{65}}{4}$

STEP 2 기출 기초 테스트

본문 82~83쪽

1-1 $a=3$, $b=2$　**1-2** -12

2-1 ㉠ 4 ㉡ 9 ㉢ 3 ㉣ 13 ㉤ $\pm\sqrt{13}$ ㉥ $3\pm\sqrt{13}$

2-2 ㉠ 25 ㉡ 5 ㉢ 21 ㉣ $-5\pm\sqrt{21}$

3-1 $A=-1$, $B=\frac{7}{4}$　**3-2** $p=-3$, $q=8$

4-1 $a=-5$, $b=2$　**4-2** $A=-3$, $k=-1$

5-1 $x=\frac{5\pm\sqrt{5}}{5}$　**5-2** $x=\frac{3\pm\sqrt{5}}{2}$

6-1 (1) $(2x-5)^2=a-3$ (2) $a\geq3$

6-2 (1) $x=5\pm\sqrt{2k}$ (2) 2, 8

1-1 $(x-2)^2=a$에서 $x-2=\pm\sqrt{a}$ $\therefore x=2\pm\sqrt{a}$
이때 해가 $x=b\pm\sqrt{3}$이므로
$a=3,\ b=2$

1-2 $2(x+3)^2=a$에서 $(x+3)^2=\frac{a}{2}$
$x+3=\pm\sqrt{\frac{a}{2}}$ $\therefore x=-3\pm\sqrt{\frac{a}{2}}$
이때 해가 $x=b\pm\sqrt{2}$이므로
$b=-3$이고 $\frac{a}{2}=2$에서 $a=4$
$\therefore ab=4\times(-3)=-12$

3-1 $4x^2-8x-3=0$에서 $x^2-2x-\frac{3}{4}=0$
$x^2-2x=\frac{3}{4},\ x^2-2x+1=\frac{7}{4}$
$\therefore (x-1)^2=\frac{7}{4}$
$\therefore A=-1,\ B=\frac{7}{4}$

3-2 $x^2-6x=1+2x^2$에서 $-x^2-6x=1$
$x^2+6x=-1,\ x^2+6x+9=8$
$\therefore (x+3)^2=8$
$\therefore p=-3,\ q=8$

4-1 $3x^2-4x+a=0$에서
$x=\frac{-(-4)\pm\sqrt{(-4)^2-4\times3\times a}}{2\times3}$
$=\frac{4\pm2\sqrt{4-3a}}{6}=\frac{2\pm\sqrt{4-3a}}{3}$
이때 해가 $x=\frac{b\pm\sqrt{19}}{3}$이므로
$b=2$이고 $4-3a=19$에서 $a=-5$

4-2 $2x^2+3x+k=0$에서
$x=\frac{-3\pm\sqrt{3^2-4\times2\times k}}{2\times2}$
$=\frac{-3\pm\sqrt{9-8k}}{4}$
이때 해가 $x=\frac{A\pm\sqrt{17}}{4}$이므로
$A=-3$이고 $9-8k=17$에서 $k=-1$

5-1 $\frac{1}{2}x^2=x-0.4$의 양변에 10을 곱하면
$5x^2=10x-4,\ 5x^2-10x+4=0$
$\therefore x=\frac{-(-10)\pm\sqrt{(-10)^2-4\times5\times4}}{2\times5}$
$=\frac{10\pm2\sqrt{5}}{10}=\frac{5\pm\sqrt{5}}{5}$

5-2 $\frac{1}{5}x^2-0.1x=\frac{x}{2}-0.2$의 양변에 10을 곱하면
$2x^2-x=5x-2,\ 2x^2-6x+2=0$
$x^2-3x+1=0$
$\therefore x=\frac{-(-3)\pm\sqrt{(-3)^2-4\times1\times1}}{2\times1}$
$=\frac{3\pm\sqrt{5}}{2}$

6-1 (1) $(2x-5)^2-a+3=0$에서 $(2x-5)^2=a-3$
(2) 해를 가지려면 $a-3\geq0$ $\therefore a\geq3$

6-2 (1) $(x-5)^2=2k$에서
$x-5=\pm\sqrt{2k}$ $\therefore x=5\pm\sqrt{2k}$
(2) $\sqrt{2k}$가 자연수가 되려면 k의 값은 $2\times1^2,\ 2\times2^2,\ 2\times3^2,\ \cdots$ 이어야 한다.
이때 $x=5\pm\sqrt{2k}$가 자연수이어야 하므로 $5-\sqrt{2k}\geq1$
$\sqrt{2k}\leq4,\ 2k\leq16$ $\therefore k\leq8$
따라서 구하는 자연수 k의 값은 2, 8이다.

STEP 3 교과서 기본 테스트

본문 84~86쪽

01 ④	02 ①	03 $\frac{9}{2}$	04 ③
05 ⑤	06 ④	07 ④	08 -7
09 $x=\frac{3\pm\sqrt{3}}{2}$		10 ⑤	11 76
12 ⑤	13 5개	14 $x=-3\pm\sqrt{14}$	
15 2	16 1		

17 (1) $(x-3)^2=3,\ x=3\pm\sqrt{3}$ (2) $x=3-\sqrt{3}$
18 $x=\frac{7\pm\sqrt{13}}{6}$

01 $9x^2-5=0$에서 $9x^2=5$
$x^2=\frac{5}{9}$ $\therefore x=\pm\frac{\sqrt{5}}{3}$

02 $2(x+3)^2-10=0$에서 $2(x+3)^2=10$
$(x+3)^2=5,\ x+3=\pm\sqrt{5}$
$\therefore x=-3\pm\sqrt{5}$

03 $2x^2+4x-5=0$에서 $x^2+2x-\frac{5}{2}=0$
$x^2+2x=\frac{5}{2},\ x^2+2x+1=\frac{7}{2}$
$\therefore (x+1)^2=\frac{7}{2}$
따라서 $p=1,\ q=\frac{7}{2}$이므로
$p+q=1+\frac{7}{2}=\frac{9}{2}$

04 ③ 3

05 $(x-4)^2-5=0$에서 $(x-4)^2=5$

$x-4=\pm\sqrt{5}\quad \therefore x=4\pm\sqrt{5}$

따라서 두 근의 합은

$(4+\sqrt{5})+(4-\sqrt{5})=8$

06 $2(x+2)^2=a$에서 $(x+2)^2=\frac{a}{2}$

$x+2=\pm\sqrt{\frac{a}{2}}\quad \therefore x=-2\pm\sqrt{\frac{a}{2}}$

이때 해가 $x=b\pm\sqrt{7}$이므로

$b=-2$이고 $\frac{a}{2}=7$에서 $a=14$

$\therefore a-b=14-(-2)=16$

07 ④ $\pm\frac{\sqrt{b^2-4ac}}{2a}$

08 $2x^2-6x+m=0$에서

$x=\frac{-(-6)\pm\sqrt{(-6)^2-4\times2\times m}}{2\times2}$

$=\frac{6\pm2\sqrt{9-2m}}{4}=\frac{3\pm\sqrt{9-2m}}{2}$

이때 해가 $x=\frac{3\pm\sqrt{23}}{2}$이므로

$9-2m=23,\ -2m=14$

$\therefore m=-7$

09 $(2x-1)(x-4)=-3x+1$에서

$2x^2-9x+4=-3x+1,\ 2x^2-6x+3=0$

$\therefore x=\frac{-(-6)\pm\sqrt{(-6)^2-4\times2\times3}}{2\times2}$

$=\frac{6\pm2\sqrt{3}}{4}=\frac{3\pm\sqrt{3}}{2}$

10 $0.2x^2+0.1x=\frac{3}{2}$의 양변에 10을 곱하면

$2x^2+x=15,\ 2x^2+x-15=0$

$(x+3)(2x-5)=0\quad \therefore x=-3$ 또는 $x=\frac{5}{2}$

따라서 $\alpha=\frac{5}{2},\ \beta=-3$이므로

$2\alpha+\beta=2\times\frac{5}{2}+(-3)=2$

11 $0.3x^2=-x-\frac{1}{4}$의 양변에 20을 곱하면

$6x^2=-20x-5,\ 6x^2+20x+5=0$

$\therefore x=\frac{-20\pm\sqrt{20^2-4\times6\times5}}{2\times6}$

$=\frac{-20\pm2\sqrt{70}}{12}=\frac{-10\pm\sqrt{70}}{6}$

따라서 $A=6,\ B=70$이므로

$A+B=6+70=76$

12 $3x-\frac{x^2-1}{2}=0.5(x-1)$의 양변에 10을 곱하면

$30x-5(x^2-1)=5(x-1)$

$30x-5x^2+5=5x-5$

$-5x^2+25x+10=0,\ x^2-5x-2=0$

$\therefore x=\frac{-(-5)\pm\sqrt{(-5)^2-4\times1\times(-2)}}{2\times1}$

$=\frac{5\pm\sqrt{33}}{2}$

13 $(x-4)(x+1)=3x-6$에서

$x^2-3x-4=3x-6,\ x^2-6x+2=0$

$\therefore x=\frac{-(-6)\pm\sqrt{(-6)^2-4\times1\times2}}{2\times1}$

$=\frac{6\pm2\sqrt{7}}{2}=3\pm\sqrt{7}$

이때 $2<\sqrt{7}<3$에서 $-3<-\sqrt{7}<-2$이므로

$0<3-\sqrt{7}<1,\ 5<3+\sqrt{7}<6$

따라서 두 근 $3-\sqrt{7}$과 $3+\sqrt{7}$ 사이에 있는 정수는 1, 2, 3, 4, 5의 5개이다.

14 $x^2-kx+(k+1)=0$에서 x의 계수와 상수항을 서로 바꾸면 $x^2+(k+1)x-k=0$

이때 $x^2+(k+1)x-k=0$의 한 근이 $x=2$이므로

$4+2(k+1)-k=0,\ 4+2k+2-k=0$

$\therefore k=-6$

즉 처음 이차방정식은 $x^2+6x-5=0$이므로

$x=\frac{-6\pm\sqrt{6^2-4\times1\times(-5)}}{2\times1}$

$=\frac{-6\pm2\sqrt{14}}{2}=-3\pm\sqrt{14}$

15 $x^2+3x+k=0$에서

$x=\frac{-3\pm\sqrt{3^2-4\times1\times k}}{2\times1}$

$=\frac{-3\pm\sqrt{9-4k}}{2}$

이때 두 근이 모두 유리수가 되려면 $9-4k$는 0 또는 (자연수)^{2}의 꼴이어야 하므로

$9-4k=0,\ 1,\ 4,\ 9,\ \cdots$

$\therefore k=\frac{9}{4},\ 2,\ \frac{5}{4},\ 0,\ \cdots$

그런데 k는 자연수이므로 $k=2$

16 $4(x-2)^2=a$에서 $(x-2)^2=\frac{a}{4}$

$x-2=\pm\frac{\sqrt{a}}{2}$ $\quad\therefore x=2\pm\frac{\sqrt{a}}{2}$ …… ㉮

이때 두 근의 차가 1이므로

$\left(2+\frac{\sqrt{a}}{2}\right)-\left(2-\frac{\sqrt{a}}{2}\right)=1$

$\sqrt{a}=1$ $\quad\therefore a=1$ …… ㉯

채점 기준	비율
㉮ 두 근을 a를 사용하여 바르게 나타낸 경우	40 %
㉯ a의 값을 제대로 구한 경우	60 %

17 (1) $\frac{1}{2}x^2-3x+3=0$의 양변에 2를 곱하면

$x^2-6x+6=0,\ x^2-6x=-6$

$x^2-6x+9=3,\ (x-3)^2=3$ …… ㉮

$x-3=\pm\sqrt{3}$ $\quad\therefore x=3\pm\sqrt{3}$ …… ㉯

(2) $x+2>3x-6$에서

$-2x>-8$ $\quad\therefore x<4$ …… ㉰

한편, $1<\sqrt{3}<2$에서 $-2<-\sqrt{3}<-1$이므로

$1<3-\sqrt{3}<2,\ 4<3+\sqrt{3}<5$

따라서 (1)에서 구한 이차방정식의 해 중 $x<4$를 만족하는 해는 $x=3-\sqrt{3}$이다. …… ㉱

채점 기준	비율
㉮ 주어진 이차방정식을 $(x+p)^2=q$의 꼴로 바르게 나타낸 경우	20 %
㉯ 제곱근을 이용하여 이차방정식의 해를 바르게 구한 경우	20 %
㉰ 일차부등식의 해를 바르게 구한 경우	30 %
㉱ 이차방정식의 두 해 중 일차부등식을 만족하는 해를 바르게 구한 경우	30 %

18 $x^2-1=\frac{7x-6}{3}$의 양변에 3을 곱하면

$3x^2-3=7x-6,\ 3x^2-7x+3=0$ …… ㉮

$\therefore x=\frac{-(-7)\pm\sqrt{(-7)^2-4\times3\times3}}{2\times3}$

$=\frac{7\pm\sqrt{13}}{6}$ …… ㉯

채점 기준	비율
㉮ 주어진 이차방정식을 $ax^2+bx+c=0$의 꼴로 바르게 정리한 경우	40 %
㉯ 이차방정식의 해를 바르게 구한 경우	60 %

창의력·융합형·서술형·코딩

본문 87쪽

1 (1) 풀이 참조 (2) 풀이 참조 (3) 풀이 참조
2 15
3 (1) 8 (2) 16, 16 (3) 4, 36, 36 (4) 6, 2

1 (1) $3x^2+x-2=0$에서

$(x+1)(3x-2)=0$

$\therefore x=-1$ 또는 $x=\frac{2}{3}$

(2) $3x^2+x-2=0$에서

$x^2+\frac{1}{3}x-\frac{2}{3}=0,\ x^2+\frac{1}{3}x=\frac{2}{3}$

$x^2+\frac{1}{3}x+\frac{1}{36}=\frac{25}{36}$

$\left(x+\frac{1}{6}\right)^2=\frac{25}{36}$

$x+\frac{1}{6}=\pm\frac{5}{6}$

$\therefore x=-1$ 또는 $x=\frac{2}{3}$

(3) $3x^2+x-2=0$에서

$x=\frac{-1\pm\sqrt{1^2-4\times3\times(-2)}}{2\times3}$

$=\frac{-1\pm5}{6}$

즉 $x=-1$ 또는 $x=\frac{2}{3}$

2 $x^2-2x-\square=0$에서 $x^2-2x=\square$

$x^2-2x+1=\square+1,\ (x-1)^2=\square+1$

$x-1=\pm\sqrt{\square+1}$ $\quad\therefore x=1\pm\sqrt{\square+1}$

이때 두 근 중 자연수인 근이 나오려면 $\square+1$은 0 또는 $(\text{자연수})^2$의 꼴이어야 한다.

그런데 $\square$는 8부터 15까지의 자연수이므로

(i) $\square=8$일 때, $(x-1)^2=9$

$\therefore x=4$ 또는 $x=-2$

(ii) $\square=15$일 때, $(x-1)^2=16$

$\therefore x=5$ 또는 $x=-3$

따라서 15가 적힌 칸을 맞혀야 가장 많은 상품을 받을 수 있다.

09 이차방정식의 활용

STEP 1 교과서 개념 확인 테스트

본문 89쪽

1-1 (1) $\frac{n(n-3)}{2}=27$ (2) 구각형

1-2 10

2-1 (1) $x-1$, $x+1$ (2) $(x+1)^2=2x(x-1)-20$
(3) 8

2-2 선형 : 16세, 동생 : 12세

1-1 (2) $\frac{n(n-3)}{2}=27$에서 $n^2-3n=54$

$n^2-3n-54=0$, $(n+6)(n-9)=0$

$\therefore n=-6$ 또는 $n=9$

이때 n은 자연수이므로 $n=9$

따라서 구하는 다각형은 구각형이다.

1-2 $\frac{n(n+1)}{2}=55$에서 $n^2+n=110$

$n^2+n-110=0$, $(n+11)(n-10)=0$

$\therefore n=-11$ 또는 $n=10$

이때 n은 자연수이므로 $n=10$

2-1 (3) $(x+1)^2=2x(x-1)-20$에서

$x^2+2x+1=2x^2-2x-20$, $x^2-4x-21=0$

$(x+3)(x-7)=0$ $\therefore x=-3$ 또는 $x=7$

이때 x는 자연수이므로 $x=7$

따라서 세 자연수는 6, 7, 8이므로 가장 큰 수는 8이다.

2-2 동생의 나이를 x세라고 하면 선형이의 나이는 $(x+4)$세이므로

$x(x+4)=192$, $x^2+4x=192$

$x^2+4x-192=0$, $(x+16)(x-12)=0$

$\therefore x=-16$ 또는 $x=12$

이때 x는 자연수이므로 $x=12$

따라서 선형이의 나이는 16세, 동생의 나이는 12세이다.

STEP 2 기출 기초 테스트

본문 90~91쪽

1-1 4초	1-2 2초
2-1 24	2-2 7, 8
3-1 9명	3-2 10명
4-1 2 m	4-2 2
5-1 15 cm	5-2 18 cm
6-1 5 cm	6-2 5 cm

1-1 쏘아 올린 지 x초 후의 폭죽의 높이가 80 m라고 하면

$40x-5x^2=80$, $-5x^2+40x-80=0$

$x^2-8x+16=0$, $(x-4)^2=0$

$\therefore x=4$

따라서 폭죽이 터진 것은 쏘아 올린 지 4초 후이다.

1-2 농구공을 던진 지 t초 후에 농구공이 땅에 떨어졌다고 하면 농구공이 땅에 떨어질 때 농구공의 높이는 0 m이므로

$2+9t-5t^2=0$, $5t^2-9t-2=0$

$(5t+1)(t-2)=0$

$\therefore t=-\frac{1}{5}$ 또는 $t=2$

이때 $t>0$이므로 농구공이 땅에 떨어지는 것은 농구공을 던진 지 2초 후이다.

2-1 연속하는 세 짝수를 $x-2$, x, $x+2$라고 하면

$(x+2)^2=(x-2)^2+x^2$

$x^2+4x+4=x^2-4x+4+x^2$

$x^2-8x=0$, $x(x-8)=0$

$\therefore x=0$ 또는 $x=8$

이때 x는 짝수이므로 $x=8$

따라서 세 짝수는 6, 8, 10이므로 그 합은

$6+8+10=24$

2-2 연속하는 두 자연수를 x, $x+1$이라고 하면

$x^2+(x+1)^2=113$, $x^2+x^2+2x+1=113$

$2x^2+2x-112=0$, $x^2+x-56=0$

$(x+8)(x-7)=0$ $\therefore x=-8$ 또는 $x=7$

이때 x는 자연수이므로 $x=7$

따라서 구하는 두 자연수는 7, 8이다.

3-1 학생 수를 x명이라고 하면

한 학생이 받는 사탕은 $(x-3)$개이므로

$x(x-3)=54$, $x^2-3x-54=0$

$(x+6)(x-9)=0$ $\therefore x=-6$ 또는 $x=9$

이때 x는 자연수이므로 $x=9$

따라서 구하는 학생 수는 9명이다.

3-2 학생 수를 x명이라고 하면

한 학생이 받는 볼펜은 $(x+3)$자루이므로

$x(x+3)=130$, $x^2+3x-130=0$

$(x+13)(x-10)=0$ $\therefore x=-13$ 또는 $x=10$

이때 x는 자연수이므로 $x=10$

따라서 구하는 학생 수는 10명이다.

4-1

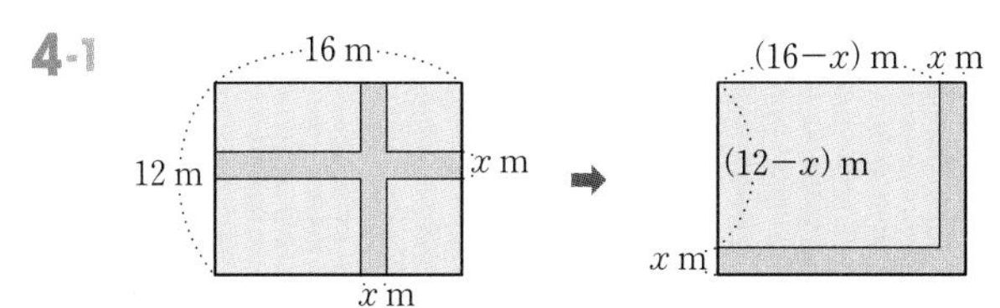

산책로의 폭을 x m라고 하면 산책로를 제외한 꽃밭의 넓이는 가로, 세로의 길이가 각각 $(16-x)$ m, $(12-x)$ m인 직사각형의 넓이와 같으므로 $(16-x)(12-x)=140$

$x^2-28x+52=0$, $(x-2)(x-26)=0$

$\therefore x=2$ 또는 $x=26$

이때 $0<x<12$이므로 $x=2$

따라서 산책로의 폭은 2 m이다.

4-2

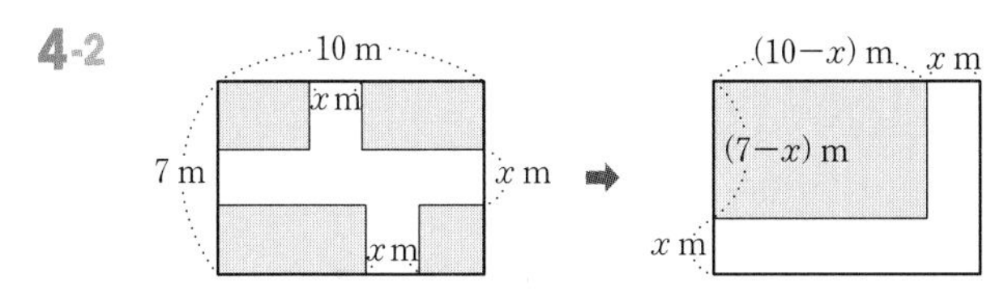

도로를 제외한 땅의 넓이는 가로, 세로의 길이가 각각 $(10-x)$ m, $(7-x)$ m인 직사각형의 넓이와 같으므로

$(10-x)(7-x)=40$, $x^2-17x+30=0$

$(x-2)(x-15)=0$ $\quad\therefore x=2$ 또는 $x=15$

이때 $0<x<7$이므로 $x=2$

5-1

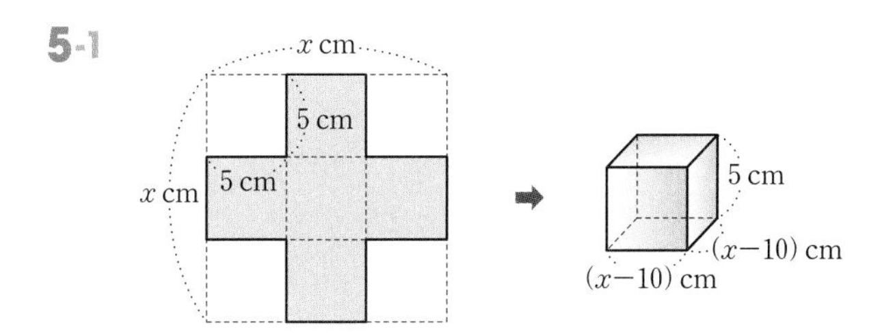

처음 정사각형 모양의 종이의 한 변의 길이를 x cm라고 하면

$5(x-10)(x-10)=125$, $(x-10)^2=25$

$x-10=\pm5$ $\quad\therefore x=5$ 또는 $x=15$

이때 $x>10$이므로 처음 정사각형 모양의 종이의 한 변의 길이는 15 cm이다.

5-2

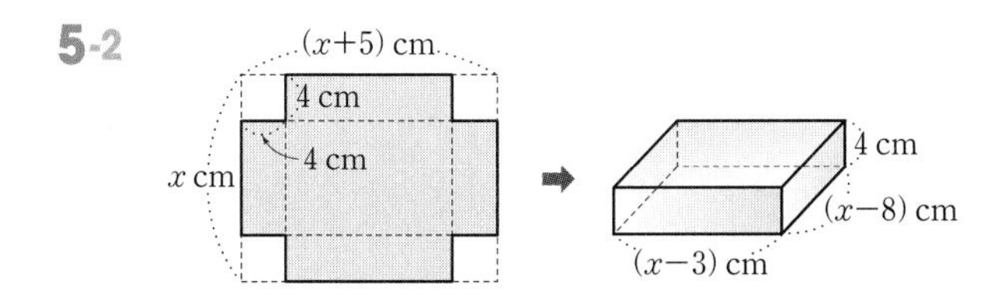

처음 직사각형 모양의 종이의 세로의 길이를 x cm라고 하면 가로의 길이는 $(x+5)$ cm이므로

$4(x-3)(x-8)=600$, $(x-3)(x-8)=150$

$x^2-11x-126=0$, $(x+7)(x-18)=0$

$\therefore x=-7$ 또는 $x=18$

이때 $x>8$이므로 처음 직사각형 모양의 종이의 세로의 길이는 18 cm이다.

6-1 $\overline{AP}=x$ cm라고 하면 $\overline{BP}=(12-x)$ cm이므로

$x^2+(12-x)^2=74$, $2x^2-24x+70=0$

$x^2-12x+35=0$, $(x-5)(x-7)=0$

$\therefore x=5$ 또는 $x=7$

그런데 $\overline{AP}<\overline{BP}$이므로 $x=5$ $\quad\therefore \overline{AP}=5$ cm

6-2 가장 작은 반원의 반지름의 길이를 x cm라고 하면 두 번째로 큰 반원의 반지름의 길이는

$\frac{1}{2}\times(30-2x)=15-x$ (cm)이므로

$\frac{1}{2}\times\pi\times15^2-\left\{\frac{1}{2}\times\pi\times x^2+\frac{1}{2}\times\pi\times(15-x)^2\right\}=50\pi$

$x^2-15x+50=0$, $(x-5)(x-10)=0$

$\therefore x=5$ 또는 $x=10$

그런데 $0<2x<15$, 즉 $0<x<\frac{15}{2}$이므로 $x=5$

따라서 가장 작은 반원의 반지름의 길이는 5 cm이다.

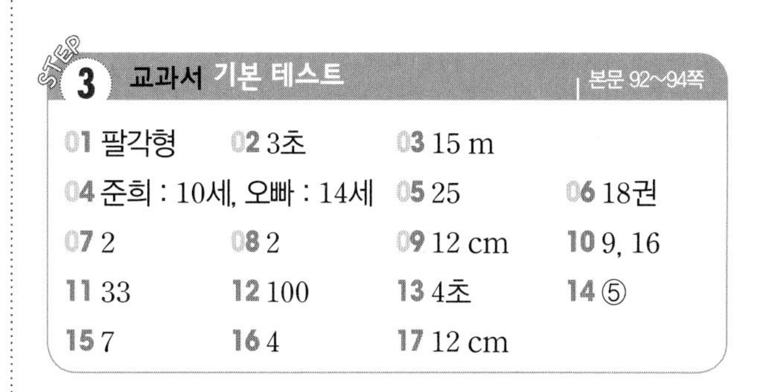

STEP **3** 교과서 기본 테스트 | 본문 92~94쪽

01 팔각형	02 3초	03 15 m	
04 준희 : 10세, 오빠 : 14세	05 25		06 18권
07 2	08 2	09 12 cm	10 9, 16
11 33	12 100	13 4초	14 ⑤
15 7	16 4	17 12 cm	

01 대각선의 개수가 20인 다각형을 n각형이라고 하면

$\frac{n(n-3)}{2}=20$, $n^2-3n-40=0$

$(n+5)(n-8)=0$ $\quad\therefore n=-5$ 또는 $n=8$

이때 n은 자연수이므로 $n=8$

따라서 구하는 다각형은 팔각형이다.

02 쏘아 올린 지 t초 후의 폭죽의 높이가 90 m라고 하면

$45t-5t^2=90$, $-5t^2+45t-90=0$

$t^2-9t+18=0$, $(t-3)(t-6)=0$

$\therefore t=3$ 또는 $t=6$

따라서 폭죽이 올라가면서 터진 것은 쏘아 올린 지 3초 후이다.

03 직사각형의 가로의 길이를 x m라고 하면 세로의 길이는 $(x-5)$ m이므로

$x(x-5)=150$, $x^2-5x-150=0$

$(x+10)(x-15)=0$ $\quad\therefore x=-10$ 또는 $x=15$

이때 x는 자연수이므로 $x=15$

따라서 직사각형의 가로의 길이는 15 m이다.

04 준희의 나이를 x세라고 하면 오빠의 나이는 $(x+4)$세이므로

$(x+4)^2=2x^2-4$, $x^2+8x+16=2x^2-4$

$x^2-8x-20=0$, $(x+2)(x-10)=0$

$\therefore x=-2$ 또는 $x=10$

이때 x는 자연수이므로 $x=10$

따라서 준희의 나이는 10세이고 오빠의 나이는 14세이다.

05 펼친 두 면 중 왼쪽 면의 쪽수를 x라고 하면 오른쪽 면의 쪽수는 $x+1$이므로

$x(x+1)=156$, $x^2+x-156=0$

$(x+13)(x-12)=0$ $\quad\therefore x=-13$ 또는 $x=12$

이때 x는 자연수이므로 $x=12$

따라서 두 면의 쪽수는 각각 12, 13이므로 그 합은

$12+13=25$

06 전체 사람의 수를 x명이라고 하면 한 사람이 갖게 되는 공책은 $(3x+6)$권이므로

$x(3x+6)=72$, $3x^2+6x-72=0$

$x^2+2x-24=0$, $(x+6)(x-4)=0$

$\therefore x=-6$ 또는 $x=4$

이때 x는 자연수이므로 $x=4$

따라서 한 사람이 갖게 되는 공책은

$3x+6=3\times4+6=18$(권)

07

길을 제외한 잔디밭의 넓이는 가로, 세로의 길이가 각각 $(18-x)$ m, $(10-x)$ m인 직사각형의 넓이와 같으므로

$(18-x)(10-x)=128$, $180-28x+x^2=128$

$x^2-28x+52=0$, $(x-2)(x-26)=0$

$\therefore x=2$ 또는 $x=26$

이때 $0<x<10$이므로 $x=2$

08 반지름의 길이가 2 cm인 원에서 반지름의 길이를 x cm만큼 늘인 원의 반지름의 길이는 $(x+2)$ cm이므로

$\pi\times(x+2)^2-\pi\times2^2=3\times\pi\times2^2$

$\pi x^2+4\pi x+4\pi-4\pi=12\pi$

$\pi x^2+4\pi x-12\pi=0$

$x^2+4x-12=0$, $(x+6)(x-2)=0$

$\therefore x=-6$ 또는 $x=2$

이때 $x>0$이므로 $x=2$

09

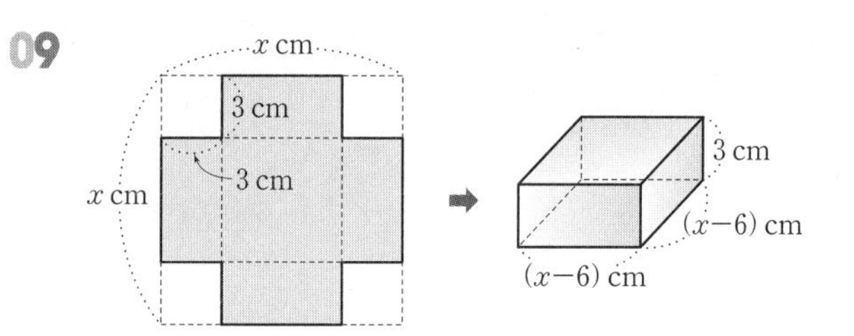

처음 정사각형 모양의 종이의 한 변의 길이를 x cm라고 하면

$3(x-6)(x-6)=108$, $3(x-6)^2=108$

$(x-6)^2=36$, $x-6=\pm6$

$\therefore x=0$ 또는 $x=12$

이때 $x>6$이므로 처음 정사각형 모양의 종이의 한 변의 길이는 12 cm이다.

10 두 수 중 위의 수를 x라고 하면 아래의 수는 $x+7$이므로

$x^2+(x+7)^2=337$, $x^2+x^2+14x+49=337$

$2x^2+14x-288=0$, $x^2+7x-144=0$

$(x+16)(x-9)=0$ $\quad\therefore x=-16$ 또는 $x=9$

이때 x는 자연수이므로 $x=9$

따라서 구하는 두 수는 9, 16이다.

11 십의 자리의 숫자를 x라고 하면 일의 자리의 숫자는 $6-x$이므로

$10x+(6-x)=x(6-x)+24$

$9x+6=6x-x^2+24$

$x^2+3x-18=0$, $(x+6)(x-3)=0$

이때 x는 자연수이므로 $x=3$

따라서 십의 자리의 숫자는 3, 일의 자리의 숫자는 3이므로 구하는 자연수는 33이다.

12 새롭게 포장할 때, 한 상자에 들어가는 귤의 양은 $(1000+x)$ g이고 줄어든 상자의 개수는 $3300-3x$이므로

$(1000+x)(3300-3x)=1000\times3300$

$3300000+300x-3x^2=3300000$

$-3x^2+300x=0$, $x^2-100x=0$

$x(x-100)=0$ $\quad\therefore x=0$ 또는 $x=100$

이때 x는 자연수이므로 $x=100$

13 $\triangle$PBQ의 넓이가 48 cm^{2}가 될 때까지 걸리는 시간을 x초라고 하면

$\overline{BP}=(16-2x)$ cm, $\overline{BQ}=3x$ cm이므로

$\frac{1}{2}\times(16-2x)\times3x=48$, $-3x^2+24x=48$

$3x^2-24x+48=0$, $x^2-8x+16=0$

$(x-4)^2=0$ $\quad\therefore x=4$

따라서 구하는 시간은 4초이다.

14 작은 정삼각형의 한 변의 길이를 x cm라고 하면 큰 정삼각형의 한 변의 길이는

$\frac{1}{3}\times(15-3x)=5-x$ (cm)

이때 작은 정삼각형과 큰 정삼각형의 닮음비는 $x:(5-x)$이고 넓이의 비는 $1:2$이므로

$x^2:(5-x)^2=1:2$, $2x^2=(5-x)^2$

$2x^2=25-10x+x^2$, $x^2+10x-25=0$

$\therefore x=\frac{-10\pm\sqrt{10^2-4\times1\times(-25)}}{2\times1}$

$=\frac{-10\pm10\sqrt{2}}{2}=-5\pm5\sqrt{2}$

이때 $x>0$, $x<5-x$에서 $0<x<\frac{5}{2}$이므로

$x=-5+5\sqrt{2}$

따라서 작은 정삼각형의 한 변의 길이는 $(5\sqrt{2}-5)$ cm이다.

15 연속하는 세 자연수를 $x-1$, x, $x+1$이라고 하면

$(x+1)^2=2(x-1)x-11$ …… ㉮

$x^2+2x+1=2x^2-2x-11$

$x^2-4x-12=0$, $(x+2)(x-6)=0$

$\therefore x=-2$ 또는 $x=6$ …… ㉯

이때 x는 자연수이므로 $x=6$

따라서 세 자연수는 5, 6, 7이므로 가장 큰 수는 7이다. …… ㉰

채점 기준	비율
㉮ 이차방정식을 바르게 세운 경우	30 %
㉯ 이차방정식을 바르게 푼 경우	40 %
㉰ 가장 큰 자연수를 바르게 구한 경우	30 %

16 처음 정사각형의 한 변의 길이를 x라고 하면

$(x+2)(x+4)=3x^2$ …… ㉮

$x^2+6x+8=3x^2$, $2x^2-6x-8=0$

$x^2-3x-4=0$, $(x+1)(x-4)=0$

$\therefore x=-1$ 또는 $x=4$ …… ㉯

이때 $x>0$이므로 $x=4$

따라서 처음 정사각형의 한 변의 길이는 4이다. …… ㉰

채점 기준	비율
㉮ 이차방정식을 바르게 세운 경우	30 %
㉯ 이차방정식을 바르게 푼 경우	40 %
㉰ 처음 정사각형의 한 변의 길이를 바르게 구한 경우	30 %

17 $\overline{AH}=x$ cm라고 하면 $\overline{AE}=\overline{DH}=(17-x)$ cm이므로 $\triangle AEH$에서 피타고라스 정리에 의하여

$x^2+(17-x)^2=13^2$ …… ㉮

$x^2+289-34x+x^2=169$, $2x^2-34x+120=0$

$x^2-17x+60=0$, $(x-5)(x-12)=0$

$\therefore x=5$ 또는 $x=12$ …… ㉯

이때 $\overline{AH}>\overline{DH}$이므로 $x=12$

$\therefore \overline{AH}=12$ cm …… ㉰

채점 기준	비율
㉮ 이차방정식을 바르게 세운 경우	30 %
㉯ 이차방정식을 바르게 푼 경우	40 %
㉰ $\overline{AH}$의 길이를 바르게 구한 경우	30 %

창의력 · 융합형 · 서술형 · 코딩

본문 95쪽

1 (1) $x(x-4)=165$, 15
(2) $x(x-10)=200$, 20
(3) $x(x+4)=192$, 12

2 $\overline{AB}$, $\overline{AB}$, x, x, x^2, x^2, $\frac{1+\sqrt{5}}{2}$

3 12자 **4** 16마리 또는 48마리

1 (1) $x(x-4)=165$에서 $x^2-4x-165=0$

$(x+11)(x-15)=0$ $\therefore x=-11$ 또는 $x=15$

이때 x는 자연수이므로 $x=15$

(2) $x(x-10)=200$에서 $x^2-10x-200=0$

$(x+10)(x-20)=0$ $\therefore x=-10$ 또는 $x=20$

이때 x는 자연수이므로 $x=20$

(3) $x(x+4)=192$에서 $x^2+4x-192=0$

$(x+16)(x-12)=0$ $\therefore x=-16$ 또는 $x=12$

이때 $x>0$이므로 $x=12$

3 작은 정사각형의 한 변의 길이를 x자라고 하면 큰 정사각형의 한 변의 길이는 $(x+6)$자이다.
두 정사각형의 넓이의 합이 468평방자이므로

$x^2+(x+6)^2=468$, $2x^2+12x-432=0$

$x^2+6x-216=0$, $(x+18)(x-12)=0$

$\therefore x=-18$ 또는 $x=12$

이때 $x>0$이므로 $x=12$

따라서 작은 정사각형의 한 변의 길이는 12자이다.

4 전체 원숭이의 수를 x라고 하면

$x-\left(\frac{1}{8}x\right)^2=12$, $x-\frac{1}{64}x^2=12$

$\frac{1}{64}x^2-x+12=0$, $x^2-64x+768=0$

$(x-16)(x-48)=0$ $\therefore x=16$ 또는 $x=48$

따라서 전체 원숭이는 16마리 또는 48마리이다.

IV. 이차함수

10 이차함수와 그래프

STEP 1 교과서 개념 확인 테스트

본문 100~101쪽

1-1 ㉢, ㉣　　1-2 ㉠, ㉡

2-1 (1) 11 (2) 1 (3) -1 (4) -10

2-2 (1) -11 (2) -3 (3) $-\frac{9}{4}$ (4) -8

3-1 ㉢, ㉣　　3-2 ㉡, ㉣

4-1 풀이 참조　　4-2 풀이 참조

5-1 (1) ㉡, ㉢, ㉣ (2) ㉢ (3) ㉠과 ㉣

5-2 (1) ㉡, ㉢ (2) ㉡ (3) ㉠과 ㉢

6-1 (1) ㉠ (2) ㉡ (3) ㉣ (4) ㉢

6-2 (1) ㉡ (2) ㉠ (3) ㉣ (4) ㉢

1-1 ㉠ $y=x^2-(x+x^2)=x^2-x-x^2=-x$
➡ 이차함수가 아니다. (일차함수)
㉡ 이차함수가 아니다.
㉢ $y=-x(1+2x)=-x-2x^2$ ➡ 이차함수이다.
㉣ 이차함수이다.
따라서 이차함수인 것은 ㉢, ㉣이다.

1-2 ㉠ $y=(x+2)^2=x^2+4x+4$ ➡ 이차함수이다.
㉡ $y=-2(x^2+1)=-2x^2-2$ ➡ 이차함수이다.
㉢ $y=2x$ ➡ 이차함수가 아니다. (일차함수)
㉣ $y=(x+1)^2-x^2=x^2+2x+1-x^2=2x+1$
➡ 이차함수가 아니다. (일차함수)
따라서 이차함수인 것은 ㉠, ㉡이다.

2-1 (1) $f(-1)=4\times(-1)^2-6\times(-1)+1=11$
(2) $f(0)=4\times0^2-6\times0+1=1$
(3) $f\left(\frac{1}{2}\right)=4\times\left(\frac{1}{2}\right)^2-6\times\frac{1}{2}+1=-1$
(4) $f(3)=4\times3^2-6\times3+1=19$
$f(-2)=4\times(-2)^2-6\times(-2)+1=29$
$\therefore f(3)-f(-2)=19-29=-10$

2-2 (1) $f(-2)=-(-2)^2+2\times(-2)-3=-11$
(2) $f(0)=-0^2+2\times0-3=-3$
(3) $f\left(\frac{3}{2}\right)=-\left(\frac{3}{2}\right)^2+2\times\frac{3}{2}-3=-\frac{9}{4}$
(4) $f(-1)=-(-1)^2+2\times(-1)-3=-6$
$f(1)=-1^2+2\times1-3=-2$
$\therefore f(-1)+f(1)=-6+(-2)=-8$

3-1 ㉠ $y=x^2$에 $x=2$, $y=2$를 대입하면 $2\neq2^2$
따라서 $y=x^2$의 그래프는 점 $(2, 2)$를 지나지 않는다.
㉡ $y=x^2$의 그래프는 원점을 꼭짓점으로 하고 아래로 볼록한 포물선이므로 제1, 2사분면을 지난다.
㉢ $y=x^2$의 그래프는 $x<0$일 때, x의 값이 증가하면 y의 값은 감소한다. 즉 x의 값이 -4에서 -1까지 증가할 때, y의 값은 감소한다.
㉣ $y=x^2$의 그래프는 $x>0$일 때, x의 값이 증가하면 y의 값도 증가한다. 즉 x의 값이 3에서 5까지 증가할 때, y의 값도 증가한다.
따라서 옳은 것은 ㉢, ㉣이다.

3-2 ㉠ $y=-x^2$에 $x=2$, $y=-2$를 대입하면 $-2\neq-2^2$
따라서 $y=-x^2$의 그래프는 점 $(2, -2)$를 지나지 않는다.
㉡ $y=-x^2$의 그래프는 원점을 꼭짓점으로 하고 위로 볼록한 포물선이므로 제3, 4사분면을 지난다.
㉢ $y=-x^2$의 그래프는 $x>0$일 때, x의 값이 증가하면 y의 값은 감소한다. 즉 x의 값이 1에서 3까지 증가할 때, y의 값은 감소한다.
㉣ $y=-x^2$의 그래프는 $x<0$일 때, x의 값이 증가하면 y의 값도 증가한다. 즉 x의 값이 -1에서 0까지 증가할 때, y의 값도 증가한다.
따라서 옳은 것은 ㉡, ㉣이다.

4-1 (1) $y=2x^2$의 그래프는 $y=x^2$의 그래프 위의 각 점에 대하여 y좌표를 2배로 하는 점을 잡아서 그릴 수 있다.
(2) $y=\frac{1}{2}x^2$의 그래프는 $y=x^2$의 그래프 위의 각 점에 대하여 y좌표를 $\frac{1}{2}$배로 하는 점을 잡아서 그릴 수 있다.

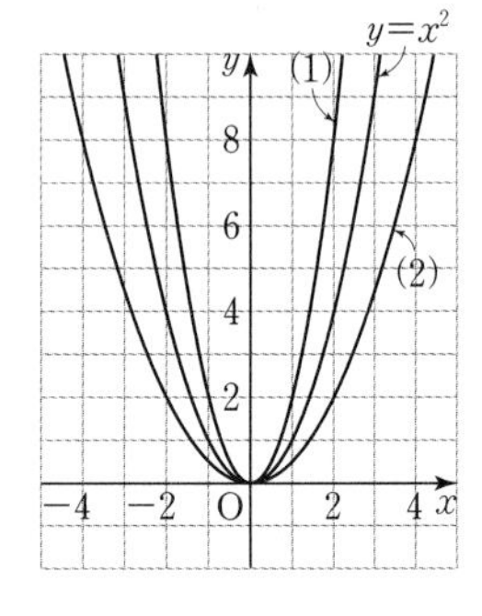

4-2 (1) $y=-2x^2$의 그래프는 $y=-x^2$의 그래프 위의 각 점에 대하여 y좌표를 2배로 하는 점을 잡아서 그릴 수 있다.
(2) $y=-\frac{1}{2}x^2$의 그래프는 $y=-x^2$의 그래프 위의 각 점에 대하여 y좌표를 $\frac{1}{2}$배로 하는 점을 잡아서 그릴 수 있다.

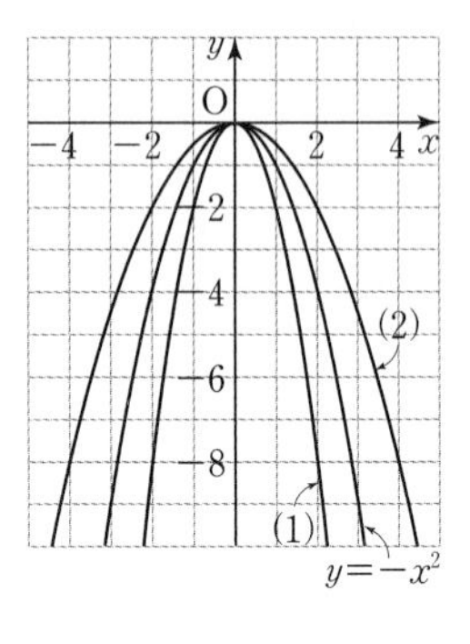

5-1 (1) $y=ax^2$의 그래프는 $a<0$일 때 위로 볼록하므로 그래프가 위로 볼록한 것은 ㉡, ㉢, ㉣이다.

(2) $y=ax^2$에서 a의 절댓값이 클수록 그래프의 폭이 좁다.
이때 a의 절댓값을 각각 구하면 다음과 같다.

㉠ $\frac{1}{2}$ ㉡ 2 ㉢ 3 ㉣ $\frac{1}{2}$

따라서 그래프의 폭이 가장 좁은 것은 ㉢이다.

(3) $y=ax^2$의 그래프가 x축에 서로 대칭이려면 a의 절댓값이 같고 부호가 서로 반대이어야 한다.
따라서 x축에 서로 대칭인 것은 ㉠과 ㉣이다.

5-2 (1) $y=ax^2$의 그래프는 $a>0$일 때 아래로 볼록하므로 그래프가 아래로 볼록한 것은 ㉡, ㉢이다.

(2) $y=ax^2$에서 a의 절댓값이 작을수록 그래프의 폭이 넓다.
이때 a의 절댓값을 각각 구하면 다음과 같다.

㉠ 2 ㉡ $\frac{2}{3}$ ㉢ 2 ㉣ $\frac{3}{2}$

따라서 그래프의 폭이 가장 넓은 것은 ㉡이다.

(3) $y=ax^2$의 그래프가 x축에 서로 대칭이려면 a의 절댓값이 같고 부호가 서로 반대이어야 한다.
따라서 x축에 서로 대칭인 것은 ㉠과 ㉢이다.

6-1 ㉠, ㉡ $y=4x^2$, $y=\frac{1}{3}x^2$에서 $4>0$, $\frac{1}{3}>0$이므로 각 그래프는 아래로 볼록하고, $|4|>\left|\frac{1}{3}\right|$이므로 $y=4x^2$의 그래프가 $y=\frac{1}{3}x^2$의 그래프보다 폭이 좁다.
따라서 그래프 (1)을 나타내는 이차함수의 식은 ㉠, 그래프 (2)를 나타내는 이차함수의 식은 ㉡이다.

㉢, ㉣ $y=-x^2$, $y=-4x^2$에서 $-1<0$, $-4<0$이므로 각 그래프는 위로 볼록하고, $|-1|<|-4|$이므로 $y=-4x^2$의 그래프가 $y=-x^2$의 그래프보다 폭이 좁다.
따라서 그래프 (3)을 나타내는 이차함수의 식은 ㉣, 그래프 (4)를 나타내는 이차함수의 식은 ㉢이다.

6-2 (1), (2) $y=\frac{3}{5}x^2$, $y=3x^2$에서 $\frac{3}{5}>0$, $3>0$이므로 각 그래프는 아래로 볼록하고, $\left|\frac{3}{5}\right|<|3|$이므로 $y=3x^2$의 그래프가 $y=\frac{3}{5}x^2$의 그래프보다 폭이 좁다.
따라서 이차함수 (1)의 그래프는 ㉡, 이차함수 (2)의 그래프는 ㉠이다.

(3), (4) $y=-\frac{1}{3}x^2$, $y=-5x^2$에서 $-\frac{1}{3}<0$, $-5<0$이므로 각 그래프는 위로 볼록하고, $\left|-\frac{1}{3}\right|<|-5|$이므로 $y=-5x^2$의 그래프가 $y=-\frac{1}{3}x^2$의 그래프보다 폭이 좁다.
따라서 이차함수 (3)의 그래프는 ㉣, 이차함수 (4)의 그래프는 ㉢이다.

STEP 2 기출 기초 테스트

본문 102~103쪽

1-1 (1) $y=60x$ (2) $y=x^2$ (3) $y=\frac{1}{x}$ (4) $y=\pi x^2$
이차함수 : (2), (4)

1-2 (1) $y=x^2+x$ (2) $y=\frac{1}{2}x^2-\frac{3}{2}x$ (3) $y=300x$
(4) $y=2x+2$
이차함수 : (1), (2)

2-1 ② **2-2** $a\neq 2$
3-1 -2 **3-2** -10
4-1 $-\frac{3}{4}$ **4-2** 8
5-1 ㉡, ㉢ **5-2** ㉠, ㉢
6-1 $0<a<2$ **6-2** $-3<a<-\frac{1}{2}$

1-1 (1) (거리)=(속력)×(시간)이므로
$y=60x$ ➡ 이차함수가 아니다. (일차함수)
(2) (정사각형의 넓이)=(한 변의 길이)^{2}이므로
$y=x^2$ ➡ 이차함수이다.
(3) (직사각형의 넓이)=(가로의 길이)×(세로의 길이)이므로
$1=xy$에서 $y=\frac{1}{x}$ ➡ 이차함수가 아니다.
(4) (원의 넓이)$=\pi\times$(반지름의 길이)^{2}이므로
$y=\pi x^2$ ➡ 이차함수이다.
따라서 이차함수인 것은 (2), (4)이다.

1-2 (1) $y=x(x+1)=x^2+x$ ➡ 이차함수이다.
(2) (n각형의 대각선의 개수)$=\frac{n(n-3)}{2}$이므로
$y=\frac{x(x-3)}{2}=\frac{1}{2}x^2-\frac{3}{2}x$ ➡ 이차함수이다.
(3) $y=300x$ ➡ 이차함수가 아니다. (일차함수)
(4) (삼각형의 넓이)$=\frac{1}{2}\times$(밑변의 길이)×(높이)이므로
$y=\frac{1}{2}\times(x+1)\times 4=2(x+1)=2x+2$
➡ 이차함수가 아니다. (일차함수)
따라서 이차함수인 것은 (1), (2)이다.

2-1 $y=ax(x-1)+(x+2)(x-1)$
$=ax^2-ax+x^2+x-2$
$=(a+1)x^2+(1-a)x-2$
위 식이 x에 대한 이차함수가 되려면
$a+1\neq 0$ $\therefore a\neq -1$

2-2 $y=2x^2-x(ax-2)-5=2x^2-ax^2+2x-5$
$=(2-a)x^2+2x-5$
위 식이 x에 대한 이차함수가 되려면
$2-a\neq 0$ $\therefore a\neq 2$

3-1 $f(x)=-x^2+5x+a$이므로
$f(1)=-1^2+5\times1+a$
$=4+a$
이때 $f(1)=2$에서 $4+a=2$ $\therefore a=-2$

3-2 $f(x)=-3x^2-ax+6$이므로
$f(-2)=-3\times(-2)^2-a\times(-2)+6$
$=2a-6$
이때 $f(-2)=-10$에서 $2a-6=-10$
$2a=-4$ $\therefore a=-2$
따라서 $f(x)=-3x^2+2x+6$이므로
$f(1)=-3\times1^2+2\times1+6=5$ $\therefore b=5$
$\therefore ab=-2\times5=-10$

4-1 $y=ax^2$의 그래프가 점 $(2, -3)$을 지나므로
$y=ax^2$에 $x=2$, $y=-3$을 대입하면
$-3=a\times2^2$, $4a=-3$
$\therefore a=-\frac{3}{4}$

4-2 $y=4x^2$의 그래프가 점 $(1, a)$를 지나므로
$y=4x^2$에 $x=1$, $y=a$를 대입하면
$a=4\times1^2=4$
또, $y=4x^2$의 그래프는 $y=bx^2$의 그래프와 x축에 서로 대칭이므로
$b=-4$
$\therefore a-b=4-(-4)=8$

5-1 ㉠ a의 절댓값이 클수록 그래프의 폭이 좁다.
㉣ $a>0$이면 $x>0$일 때, x의 값이 증가하면 y의 값도 증가한다.
$a<0$이면 $x>0$일 때, x의 값이 증가하면 y의 값은 감소한다.
따라서 옳은 것은 ㉡, ㉢이다.

5-2 ㉠ 이차함수 $y=2x^2$의 그래프와 x축에 서로 대칭이다.
㉢ $-2<0$이므로 $y=-2x^2$의 그래프는 위로 볼록한 포물선이다.
따라서 옳지 않은 것은 ㉠, ㉢이다.

6-1 $y=ax^2$의 그래프가 아래로 볼록하고, $y=2x^2$의 그래프보다 폭이 넓으므로
$0<a<2$

6-2 $y=ax^2$의 그래프가 위로 볼록하고, $y=-3x^2$의 그래프보다 폭이 넓고 $y=-\frac{1}{2}x^2$의 그래프보다 폭이 좁으므로
$-3<a<-\frac{1}{2}$

STEP 3 교과서 기본 테스트

본문 104~106쪽

01 ③, ⑤	02 ㉡, ㉢, ㉣	03 ⑤	04 26
05 5	06 45 m	07 ③	08 ③, ⑤
09 -20	10 -30	11 ④	12 ⑤
13 ①	14 ①	15 2	16 3
17 15	18 $c<d<b<a$		

01 ① $y=2\pi x$ ② $y=4\times3x=12x$
③ $y=6x^2$ ④ $y=5x$
⑤ $y=\frac{1}{3}\times(x+2)^2\times9=3(x+2)^2=3x^2+12x+12$
따라서 y가 x에 대한 이차함수인 것은 ③, ⑤이다.

02 ㉡ $y=3(x-1)+1=3x-3+1=3x-2$
㉢ $y=x(x+2)-x^2=x^2+2x-x^2=2x$
㉣ 이차방정식이다.
㉤ $y=x(3x+2)=3x^2+2x$
㉥ $y=4x^2-x(x-4)=4x^2-x^2+4x=3x^2+4x$
따라서 이차함수가 아닌 것은 ㉡, ㉢, ㉣이다.

03 $y=3x^2-kx(x-1)+2$
$=3x^2-kx^2+kx+2$
$=(3-k)x^2+kx+2$
위 식이 x에 대한 이차함수가 되려면
$3-k\neq0$ $\therefore k\neq3$

04 $f(x)=2x^2+5x-2$이므로
$f(2)=2\times2^2+5\times2-2=16$
$f(-1)=2\times(-1)^2+5\times(-1)-2=-5$
$\therefore f(2)-2f(-1)=16-2\times(-5)=26$

05 $f(x)=x^2+3x+a$이므로
$f(-1)=(-1)^2+3\times(-1)+a$
$=a-2$
이때 $f(-1)=3$에서 $a-2=3$ $\therefore a=5$

06 $h=-5x^2+20x+25$에 $x=2$를 대입하면
$h=-5\times2^2+20\times2+25=45$
따라서 공을 던진 지 2초 후의 높이는 45 m이다.

07 ③ $2>0$이므로 $y=2x^2$의 그래프는 아래로 볼록한 포물선이다.
⑤ $|2|<|6|$이므로 $y=2x^2$의 그래프가 $y=6x^2$의 그래프보다 폭이 더 넓다.
따라서 옳지 않은 것은 ③이다.

08 ③ $y=-\frac{7}{3}x^2$에 $x=3$, $y=21$을 대입하면

$21\neq-\frac{7}{3}\times3^2$

따라서 $y=-\frac{7}{3}x^2$의 그래프는 점 $(3,\ 21)$을 지나지 않는다.

⑤ $x<0$일 때, x의 값이 증가하면 y의 값도 증가한다.

따라서 옳지 않은 것은 ③, ⑤이다.

09 $y=5x^2$의 그래프와 x축에 서로 대칭인 그래프를 나타내는 이차함수의 식은 $y=-5x^2$이다.

$y=-5x^2$에 $x=-2$, $y=k$를 대입하면

$k=-5\times(-2)^2=-20$

10 $y=ax^2$의 그래프가 점 $(2,\ -12)$를 지나므로

$-12=a\times2^2$, $4a=-12$ $\quad\therefore a=-3$

즉 $y=-3x^2$의 그래프가 점 $(-3,\ k)$를 지나므로

$k=-3\times(-3)^2=-27$

$\therefore a+k=-3+(-27)=-30$

11 $y=ax^2$에서 a의 절댓값이 작을수록 그래프의 폭이 넓다.

이때 a의 절댓값을 각각 구하면 다음과 같다.

㉠ 3 ㉡ 1 ㉢ 2

따라서 그래프의 폭이 넓은 것부터 차례로 나열하면 ㉡, ㉢, ㉠이다.

12 $y=ax^2$의 그래프가 아래로 볼록하려면 $a>0$이어야 하고, a의 절댓값이 클수록 그래프의 폭이 좁다.

$a>0$인 것은 ③, ④, ⑤이고 이때 a의 절댓값을 각각 구하면 다음과 같다.

③ $\frac{1}{4}$ ④ 1 ⑤ 3

따라서 아래로 볼록하면서 폭이 가장 좁은 것은 ⑤이다.

13 ㉠ $y=ax^2$의 그래프는 y축을 축으로 하는 포물선이다.

㉡ $|a|<|2a|$이므로 $y=ax^2$의 그래프는 $y=2ax^2$의 그래프보다 폭이 넓다.

㉢ $a<0$일 때

$x<0$이면 x의 값이 증가할 때 y의 값도 증가하고,

$x>0$이면 x의 값이 증가할 때 y의 값은 감소한다.

따라서 $y=ax^2$의 그래프에 대한 설명으로 옳은 것은 ㉡이다.

14 이차함수 $y=ax^2$의 그래프가 주어진 그림의 색칠한 부분에 있으려면 $-1<a<0$ 또는 $0<a<4$이어야 한다.

따라서 그래프가 색칠한 부분에 있지 않은 것은 ①이다.

15 오른쪽 그림에서 점 A의 y좌표는 k이므로

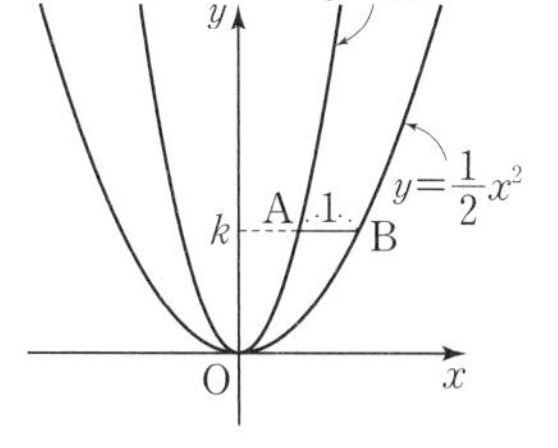

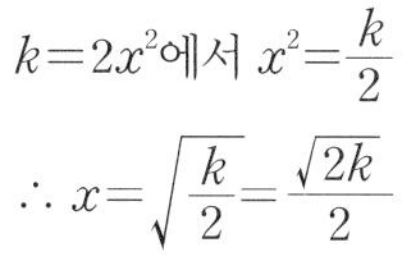

$k=2x^2$에서 $x^2=\frac{k}{2}$

$\therefore x=\sqrt{\frac{k}{2}}=\frac{\sqrt{2k}}{2}$

$(\because x>0)$

점 B의 y좌표도 k이므로

$k=\frac{1}{2}x^2$에서 $x^2=2k$ $\quad\therefore x=\sqrt{2k}\ (\because x>0)$

이때 $\overline{AB}=1$이므로

$\sqrt{2k}-\frac{\sqrt{2k}}{2}=1$에서 $\frac{\sqrt{2k}}{2}=1$

$\sqrt{2k}=2$, $2k=4$ $\quad\therefore k=2$

16 $f(x)=x^2-3x+2$이므로 $f(a)=a^2-3a+2$ ······ ㈎

이때 $f(a)=2$이므로 $a^2-3a+2=2$ ······ ㈏

$a^2-3a=0$, $a(a-3)=0$

$\therefore a=0$ 또는 $a=3$

따라서 양수 a의 값은 3이다. ······ ㈐

채점 기준	비율
㈎ $f(a)=a^2-3a+2$임을 제대로 나타낸 경우	30 %
㈏ $f(a)=2$임을 이용하여 a에 대한 이차방정식을 제대로 세운 경우	30 %
㈐ 양수 a의 값을 제대로 구한 경우	40 %

17 $y=ax^2$의 그래프는 $y=-3x^2$의 그래프와 x축에 서로 대칭이므로 $a=3$ ······ ㈎

즉 $y=3x^2$의 그래프가 점 $(2,\ b)$를 지나므로

$b=3\times2^2=12$ ······ ㈏

$\therefore a+b=3+12=15$ ······ ㈐

채점 기준	비율
㈎ a의 값을 제대로 구한 경우	40 %
㈏ b의 값을 제대로 구한 경우	40 %
㈐ $a+b$의 값을 제대로 구한 경우	20 %

18 $y=ax^2$, $y=bx^2$의 그래프는 아래로 볼록하고, $y=ax^2$의 그래프가 $y=bx^2$의 그래프보다 폭이 좁으므로

$a>b>0$ ······ ㈎

$y=cx^2$, $y=dx^2$의 그래프는 위로 볼록하고, $y=cx^2$의 그래프가 $y=dx^2$의 그래프보다 폭이 좁으므로

$c<d<0$ ······ ㈏

$\therefore c<d<b<a$ ······ ㈐

채점 기준	비율
㈎ a, b의 대소 관계를 제대로 구한 경우	40 %
㈏ c, d의 대소 관계를 제대로 구한 경우	40 %
㈐ a, b, c, d의 대소 관계를 부등호를 사용하여 바르게 나타낸 경우	20 %

창의력 · 융합형 · 서술형 · 코딩

본문 107쪽

1 (1) 4, 9, 16 (2) $y=x^2$ (3) 이차함수이다.

2 (1) 4, 1, 0, 1, 4 (2) 풀이 참조 (3) 위쪽, 없다

3 (1) $y=\frac{1}{128}x^2$ (2) 4배

4 36

1 (2) 1단계, 2단계, 3단계, 4단계, …에서 사용한 바둑돌의 개수는 각각 1, 4, 9, 16, …이므로 x단계에서 사용한 바둑돌의 개수는 x^2임을 알 수 있다.
따라서 x와 y 사이의 관계를 식으로 나타내면
$y=x^2$

2 (2) x의 값이 모든 실수가 되도록 하였을 때, $y=x^2$의 그래프는 오른쪽 그림과 같다.

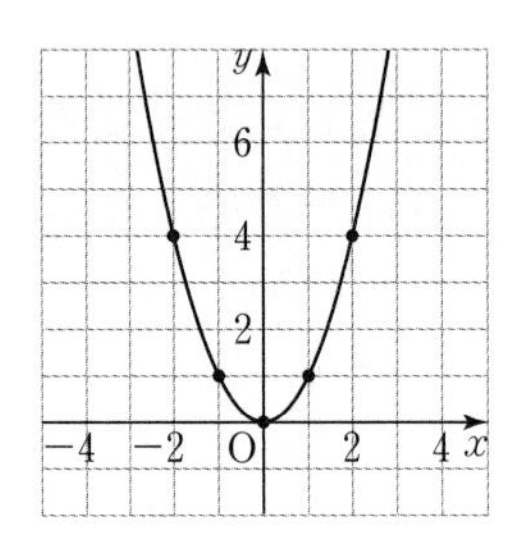

3 (1) 제동 거리는 속력의 제곱에 정비례하므로 $y=ax^2$(단, a는 상수)으로 놓고 $x=16$, $y=2$를 대입하면
$2=a\times16^2$, $256a=2$ $\therefore a=\frac{1}{128}$
따라서 x와 y 사이의 관계를 식으로 나타내면
$y=\frac{1}{128}x^2$
(2) 자동차의 속력이 x km/h일 때의 제동 거리는 $\frac{1}{128}x^2$ m이고, 속력이 $2x$ km/h일 때의 제동 거리는
$\frac{1}{128}\times(2x)^2=\frac{1}{128}\times4x^2=4\times\frac{1}{128}x^2$ (m)
따라서 자동차의 속력을 2배로 올리면 제동 거리는 4배로 늘어난다.

4 점 B(2, 2)가 $y=ax^2$의 그래프 위에 있으므로
$2=a\times2^2$, $4a=2$ $\therefore a=\frac{1}{2}$, 즉 $y=\frac{1}{2}x^2$
이때 $y=\frac{1}{2}x^2$의 그래프는 y축에 대칭이고 $\overline{CD}=8$이므로 제1사분면 위의 점인 점 C의 x좌표는 4이다.
$y=\frac{1}{2}x^2$에 $x=4$를 대입하면
$y=\frac{1}{2}\times4^2=8$
$\therefore$ C(4, 8)
따라서 $\overline{AB}=2-(-2)=4$, $\overline{CD}=8$이고 사다리꼴 ABCD의 높이는 $8-2=6$이므로 그 넓이는
$\frac{1}{2}\times(8+4)\times6=36$

11 이차함수 $y=ax^2+q$, $y=a(x-p)^2$의 그래프

STEP 1 교과서 개념 확인 테스트

본문 109~110쪽

1-1 (1) 2 (2) -4

1-2 (1) 4 (2) -3

2-1 (1) 이차함수의 식 : $y=6x^2+4$,
꼭짓점의 좌표 : (0, 4)
(2) 이차함수의 식 : $y=-\frac{2}{5}x^2-2$,
꼭짓점의 좌표 : (0, -2)

2-2 (1) 이차함수의 식 : $y=2x^2-3$,
꼭짓점의 좌표 : (0, -3)
(2) 이차함수의 식 : $y=-\frac{1}{3}x^2+1$,
꼭짓점의 좌표 : (0, 1)

3-1 (1) 그래프 : 풀이 참조, 축의 방정식 : $x=0$,
꼭짓점의 좌표 : (0, 2)
(2) 그래프 : 풀이 참조, 축의 방정식 : $x=0$,
꼭짓점의 좌표 : (0, -1)

3-2 (1) 그래프 : 풀이 참조, 축의 방정식 : $x=0$,
꼭짓점의 좌표 : (0, -1)
(2) 그래프 : 풀이 참조, 축의 방정식 : $x=0$,
꼭짓점의 좌표 : (0, 2)

4-1 (1) -5 (2) $\frac{4}{3}$

4-2 (1) 1 (2) -2

5-1 (1) 이차함수의 식 : $y=\frac{1}{3}(x+2)^2$,
꼭짓점의 좌표 : (-2, 0)
(2) 이차함수의 식 : $y=-(x-3)^2$,
꼭짓점의 좌표 : (3, 0)

5-2 (1) 이차함수의 식 : $y=-2(x-4)^2$,
꼭짓점의 좌표 : (4, 0)
(2) 이차함수의 식 : $y=\frac{3}{2}(x+1)^2$,
꼭짓점의 좌표 : (-1, 0)

6-1 (1) 그래프 : 풀이 참조, 축의 방정식 : $x=1$,
꼭짓점의 좌표 : (1, 0)
(2) 그래프 : 풀이 참조, 축의 방정식 : $x=-2$,
꼭짓점의 좌표 : (-2, 0)

6-2 (1) 그래프 : 풀이 참조, 축의 방정식 : $x=2$,
꼭짓점의 좌표 : (2, 0)
(2) 그래프 : 풀이 참조, 축의 방정식 : $x=-1$,
꼭짓점의 좌표 : (-1, 0)

3-1 (1) $y=2x^2+2$의 그래프는 $y=2x^2$의 그래프를 y축의 방향으로 2만큼 평행이동한 것이다.

(2) $y=2x^2-1$의 그래프는 $y=2x^2$의 그래프를 y축의 방향으로 -1만큼 평행이동한 것이다.

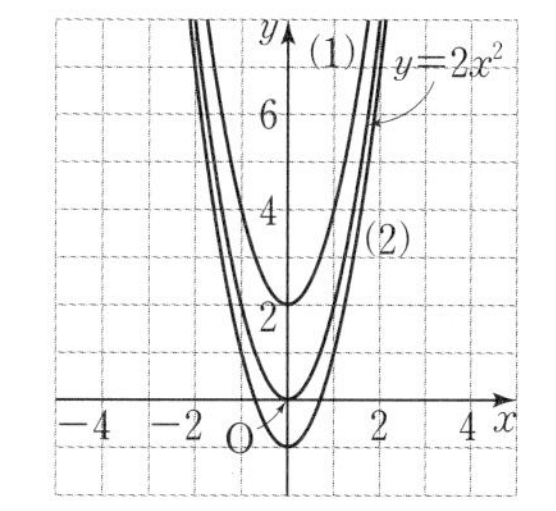

3-2 (1) $y=-2x^2-1$의 그래프는 $y=-2x^2$의 그래프를 y축의 방향으로 -1만큼 평행이동한 것이다.

(2) $y=-2x^2+2$의 그래프는 $y=-2x^2$의 그래프를 y축의 방향으로 2만큼 평행이동한 것이다.

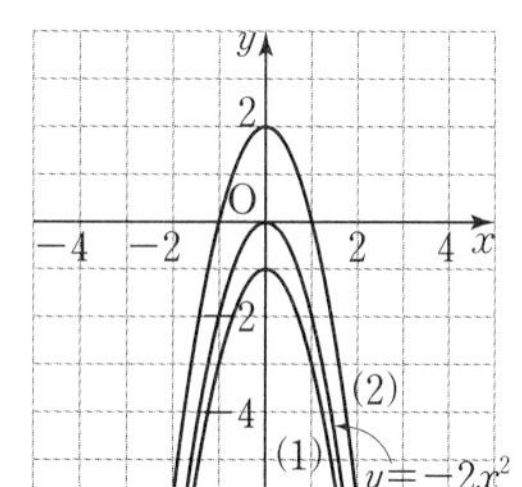

6-1 (1) $y=\frac{1}{2}(x-1)^2$의 그래프는 $y=\frac{1}{2}x^2$의 그래프를 x축의 방향으로 1만큼 평행이동한 것이다.

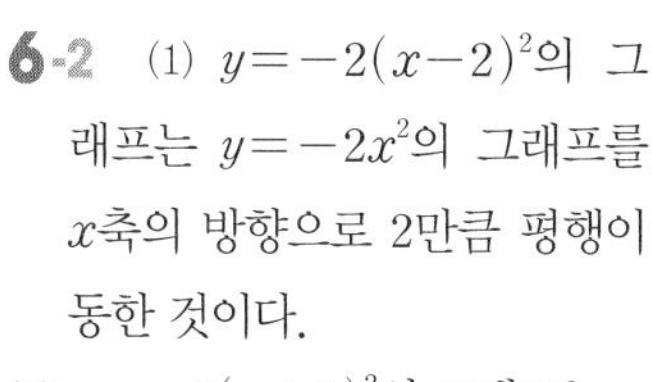

(2) $y=\frac{1}{2}(x+2)^2$의 그래프는 $y=\frac{1}{2}x^2$의 그래프를 x축의 방향으로 -2만큼 평행이동한 것이다.

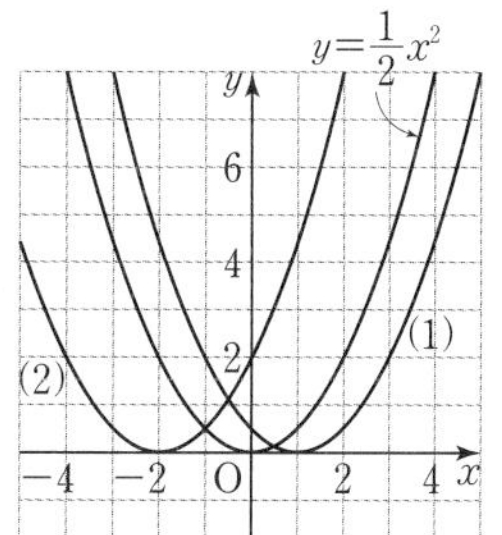

6-2 (1) $y=-2(x-2)^2$의 그래프는 $y=-2x^2$의 그래프를 x축의 방향으로 2만큼 평행이동한 것이다.

(2) $y=-2(x+1)^2$의 그래프는 $y=-2x^2$의 그래프를 x축의 방향으로 -1만큼 평행이동한 것이다.

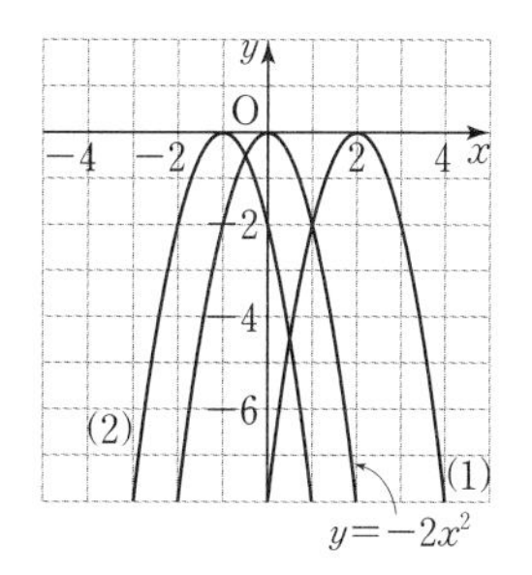

STEP 2 기출 기초 테스트

본문 111~112쪽

1-1 -1	**1-2** 11
2-1 -3	**2-2** -4
3-1 ⑤	**3-2** ①, ③
4-1 $\frac{4}{3}$	**4-2** -2
5-1 3	**5-2** 2
6-1 ①, ④	**6-2** ⑤

1-1 $y=-4x^2$의 그래프를 y축의 방향으로 3만큼 평행이동한 그래프를 나타내는 이차함수의 식은 $y=-4x^2+3$
이 그래프가 점 $(1, k)$를 지나므로 $k=-4\times1^2+3=-1$

1-2 $y=3x^2$의 그래프를 y축의 방향으로 -1만큼 평행이동한 그래프를 나타내는 이차함수의 식은 $y=3x^2-1$
이 그래프가 점 $(-2, k)$를 지나므로 $k=3\times(-2)^2-1=11$

2-1 $y=ax^2+2$의 그래프를 y축의 방향으로 q만큼 평행이동한 그래프를 나타내는 이차함수의 식은 $y=ax^2+2+q$
이 그래프가 $y=2x^2-3$의 그래프와 일치하므로
$a=2$, $2+q=-3$에서 $q=-5$
$\therefore a+q=2+(-5)=-3$

2-2 $y=-2x^2+q$의 그래프를 y축의 방향으로 3만큼 평행이동한 그래프를 나타내는 이차함수의 식은
$y=-2x^2+q+3$
이 그래프의 꼭짓점의 좌표가 $(0, -1)$이므로
$q+3=-1$ $\quad\therefore q=-4$

3-1 ⑤ $y=-3x^2$의 그래프를 y축의 방향으로 4만큼 평행이동한 것이다.

3-2 $y=2x^2+1$의 그래프는 오른쪽 그림과 같다.

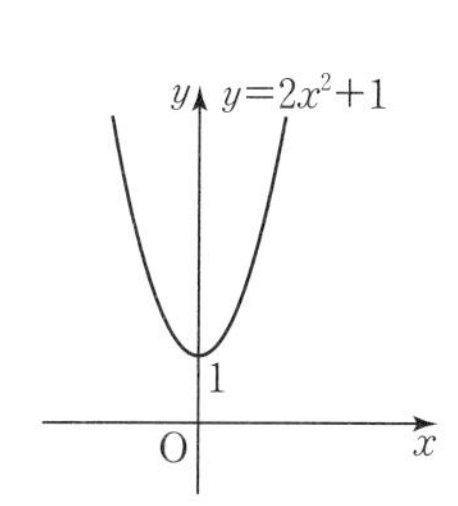

② 제1, 2사분면을 지난다.
④ 아래로 볼록한 포물선이다.
⑤ $y=-2x^2-1$의 그래프와 x축에 서로 대칭이다.
따라서 옳은 것은 ①, ③이다.

4-1 $y=\frac{1}{3}x^2$의 그래프를 x축의 방향으로 3만큼 평행이동한 그래프를 나타내는 이차함수의 식은 $y=\frac{1}{3}(x-3)^2$
이 그래프가 점 $(1, k)$를 지나므로
$k=\frac{1}{3}\times(1-3)^2=\frac{4}{3}$

4-2 $y=-2x^2$의 그래프를 x축의 방향으로 -5만큼 평행이동한 그래프를 나타내는 이차함수의 식은 $y=-2(x+5)^2$
이 그래프가 점 $(-4, a)$를 지나므로
$a=-2\times(-4+5)^2=-2$

5-1 $y=-4(x+3)^2$의 그래프를 x축의 방향으로 p만큼 평행이동한 그래프를 나타내는 이차함수의 식은
$y=-4(x-p+3)^2$
이 그래프가 $y=-4x^2$의 그래프와 일치하므로
$-p+3=0$ $\quad\therefore p=3$

5-2 $y=2(x-1)^2$의 그래프를 x축의 방향으로 p만큼 평행이동한 그래프를 나타내는 이차함수의 식은

$y=2(x-p-1)^2=2\{x-(p+1)\}^2$

이 그래프의 꼭짓점의 좌표가 $(3, 0)$이므로

$p+1=3 \quad \therefore p=2$

6-1 ② 꼭짓점의 좌표는 $(1, 0)$이다.

③ 축의 방정식은 $x=1$이다.

④ 이차함수의 그래프가 y축과 만나는 점은 x좌표가 0이므로 $y=-(x-1)^2$에 $x=0$을 대입하면

$y=-(0-1)^2=-1$

따라서 y축과 만나는 점의 좌표는 $(0, -1)$이다.

⑤ $y=-x^2$의 그래프를 x축의 방향으로 1만큼 평행이동한 그래프이다.

따라서 옳은 것은 ①, ④이다.

6-2 $y=2(x+3)^2$의 그래프는 오른쪽 그림과 같다.

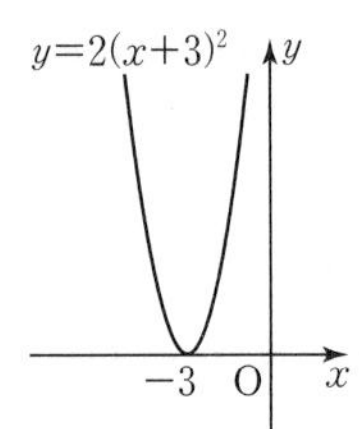

① $y=2(x+3)^2$에 $x=0$, $y=0$을 대입하면 $0\neq2\times(0+3)^2$

따라서 점 $(0, 0)$을 지나지 않는다.

② 축의 방정식은 $x=-3$이다.

③ 꼭짓점의 좌표는 $(-3, 0)$이다.

④ $y=2x^2$의 그래프를 x축의 방향으로 -3만큼 평행이동한 것이다.

따라서 옳은 것은 ⑤이다.

STEP 3 교과서 기본 테스트

본문 113~115쪽

01 ①	02 -3	03 14	04 ⑤
05 12	06 ③	07 ①	08 3
09 3	10 -1	11 ①	12 -36
13 ⑤	14 $y=\frac{1}{2}(x+3)^2$		15 ①, ③

16 (1) 축의 방정식 : $x=0$, 꼭짓점의 좌표 : $(0, -3)$
(2) 축의 방정식 : $x=-4$, 꼭짓점의 좌표 : $(-4, 0)$

17 2　　18 24

02 $y=\frac{1}{5}x^2$의 그래프를 y축의 방향으로 a만큼 평행이동한 그래프를 나타내는 이차함수의 식은 $y=\frac{1}{5}x^2+a$

이 그래프가 점 $(5, 2)$를 지나므로

$2=\frac{1}{5}\times5^2+a$, $2=5+a \quad \therefore a=-3$

03 $y=ax^2$의 그래프를 y축의 방향으로 2만큼 평행이동한 그래프를 나타내는 이차함수의 식은

$y=ax^2+2$

이 그래프가 점 $(-1, 6)$을 지나므로

$6=a\times(-1)^2+2$, $6=a+2 \quad \therefore a=4$

즉 $y=4x^2+2$의 그래프가 점 $(2, b)$를 지나므로

$b=4\times2^2+2=18$

$\therefore b-a=18-4=14$

04 $y=x^2+q$의 그래프가 점 $(-1, 5)$를 지나므로

$5=(-1)^2+q$, $5=1+q \quad \therefore q=4$

이때 $y=4x^2$에 각 점의 좌표를 대입하면

① $1\neq4\times(-1)^2$　　② $-1\neq4\times\left(-\frac{1}{2}\right)^2$

③ $4\neq4\times0^2$　　④ $2\neq4\times\left(\frac{1}{2}\right)^2$

⑤ $4=4\times1^2$

따라서 $y=4x^2$의 그래프 위에 있는 점은 ⑤이다.

05 $y=5x^2-3$의 그래프를 y축의 방향으로 k만큼 평행이동한 그래프를 나타내는 이차함수의 식은

$y=5x^2-3+k$

이 그래프가 $y=ax^2+4$의 그래프와 일치하므로

$a=5$, $-3+k=4$에서 $k=7$

$\therefore a+k=5+7=12$

06 ③ 축의 방정식은 $x=0$이다.

④ $y=-x^2-\frac{1}{2}$에 $x=-1$, $y=-\frac{3}{2}$을 대입하면

$-\frac{3}{2}=-(-1)^2-\frac{1}{2}$

따라서 점 $\left(-1, -\frac{3}{2}\right)$을 지난다.

따라서 옳지 않은 것은 ③이다.

07 $y=2(x+1)^2$의 그래프는 아래로 볼록한 포물선이고, 꼭짓점의 좌표가 $(-1, 0)$이므로 ①이다.

08 $y=ax^2$의 그래프를 x축의 방향으로 -3만큼 평행이동한 그래프를 나타내는 이차함수의 식은

$y=a(x+3)^2$

이 그래프가 점 $(-2, 3)$을 지나므로

$3=a\times(-2+3)^2 \quad \therefore a=3$

09 $y=a(x-p)^2$의 그래프의 꼭짓점의 좌표가 $(-1, 0)$이므로 $p=-1$

즉 $y=a(x+1)^2$의 그래프가 y축과 만나는 점의 좌표가 $(0, 2)$이므로

$2=a\times(0+1)^2 \quad \therefore a=2$

$\therefore a-p=2-(-1)=3$

10 $y=a(x+p)^2$의 그래프는 $y=ax^2$의 그래프를 x축의 방향으로 $-p$만큼 평행이동한 것이고, 꼭짓점의 좌표는 $(-p, 0)$이므로 $a=-3$, $-p=2$에서 $p=-2$, $r=0$

$\therefore a-p+r=-3-(-2)+0=-1$

11 $y=-(x+1)^2$의 그래프는 $y=-x^2$의 그래프를 x축의 방향으로 -1만큼 평행이동한 것이므로 오른쪽 그림과 같다.

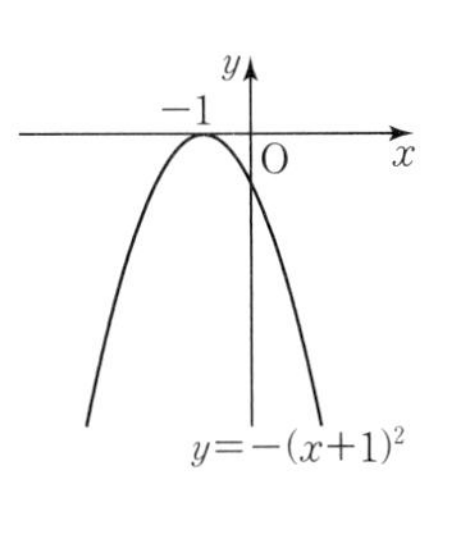

따라서 x의 값이 증가할 때 y의 값도 증가하는 x의 값의 범위는 $x<-1$이다.

12 $y=-4x^2$의 그래프를 x축의 방향으로 3만큼 평행이동한 그래프를 나타내는 이차함수의 식은

$y=-4(x-3)^2$

이 그래프가 y축과 만나는 점의 x좌표는 0이므로

$x=0$을 $y=-4(x-3)^2$에 대입하면

$y=-4\times(0-3)^2=-36$

즉 y축과 만나는 점의 좌표는 $(0, -36)$이므로

$a=0$, $b=-36$

$\therefore a+b=0+(-36)=-36$

13 ⑤ $x>-2$일 때, x의 값이 증가하면 y의 값은 감소한다.

14 $y=\frac{1}{2}x^2$의 그래프는 꼭짓점의 좌표가 $(0, 0)$이고, 주어진 그래프는 꼭짓점의 좌표가 $(-3, 0)$이므로 이차함수 $y=\frac{1}{2}x^2$의 그래프를 x축의 방향으로 -3만큼 평행이동한 것이다.

따라서 구하는 그래프의 식은

$y=\frac{1}{2}(x+3)^2$

15 ① $y=3x^2-2$의 그래프의 축은 직선 $x=0$이고, $y=3(x+1)^2$의 그래프의 축은 직선 $x=-1$이므로 두 그래프의 축은 같지 않다.

②, ⑤ $y=3x^2-2$의 그래프는 $y=3x^2$의 그래프를 y축의 방향으로 -2만큼 평행이동한 것이고, $y=3(x+1)^2$의 그래프는 $y=3x^2$의 그래프를 x축의 방향으로 -1만큼 평행이동한 것이다.

따라서 두 그래프의 폭은 같다.

③ $y=3x^2-2$의 그래프의 꼭짓점의 좌표는 $(0, -2)$이고, $y=3(x+1)^2$의 그래프의 꼭짓점의 좌표는 $(-1, 0)$이므로 두 그래프의 꼭짓점의 좌표는 같지 않다.

④ $|3|>|2|$이므로 두 그래프는 모두 $y=2x^2$의 그래프보다 폭이 좁다.

따라서 옳지 않은 것은 ①, ③이다.

16 (1) $y=\frac{1}{4}x^2-3$의 그래프는 $y=\frac{1}{4}x^2$의 그래프를 y축의 방향으로 -3만큼 평행이동한 것이므로 축의 방정식은 $x=0$, 꼭짓점의 좌표는 $(0, -3)$이다. …… ㉮

(2) $y=5(x+4)^2$의 그래프는 $y=5x^2$의 그래프를 x축의 방향으로 -4만큼 평행이동한 것이므로 축의 방정식은 $x=-4$, 꼭짓점의 좌표는 $(-4, 0)$이다. …… ㉯

채점 기준	비율
㉮ $y=\frac{1}{4}x^2-3$의 그래프의 축의 방정식과 꼭짓점의 좌표를 바르게 구한 경우	50 %
㉯ $y=5(x+4)^2$의 그래프의 축의 방정식과 꼭짓점의 좌표를 바르게 구한 경우	50 %

17 $y=ax^2+q$의 그래프가 점 $(-2, -7)$을 지나므로

$-7=a\times(-2)^2+q \quad \therefore 4a+q=-7$ … ㉠

$y=ax^2+q$의 그래프가 점 $(1, -4)$를 지나므로

$-4=a\times1^2+q \quad \therefore a+q=-4$ … ㉡ …… ㉮

㉠－㉡을 하면

$3a=-3 \quad \therefore a=-1$

$a=-1$을 ㉡에 대입하면

$-1+q=-4 \quad \therefore q=-3$ …… ㉯

$\therefore a-q=-1-(-3)=2$ …… ㉰

채점 기준	비율
㉮ 이차함수의 그래프가 지나는 두 점의 좌표를 이용하여 두 개의 방정식을 만든 경우	40 %
㉯ ㉮에서 만든 두 개의 방정식을 연립하여 풀어 a, q의 값을 제대로 구한 경우	40 %
㉰ $a-q$의 값을 제대로 구한 경우	20 %

18 $y=ax^2$의 그래프는 꼭짓점의 좌표가 $(0, 0)$이고, 주어진 그래프는 꼭짓점의 좌표가 $(3, 0)$이므로 이차함수 $y=ax^2$의 그래프를 x축의 방향으로 3만큼 평행이동한 것이다.

$\therefore y=a(x-3)^2$

이 그래프가 점 $(0, 6)$을 지나므로

$6=a\times(0-3)^2$, $9a=6 \quad \therefore a=\frac{2}{3}$ …… ㉮

즉 $y=\frac{2}{3}(x-3)^2$의 그래프가 점 $(9, k)$를 지나므로

$k=\frac{2}{3}\times(9-3)^2=24$ …… ㉯

채점 기준	비율
㉮ a의 값을 제대로 구한 경우	60 %
㉯ k의 값을 제대로 구한 경우	40 %

12 이차함수 $y=a(x-p)^2+q$의 그래프

STEP 1 교과서 개념 확인 테스트 본문 118쪽

1-1 (1) x축 : -1, y축 : 3 (2) x축 : 5, y축 : 2

1-2 (1) x축 : -4, y축 : -5 (2) x축 : 2, y축 : -1

2-1 (1) $y=2(x+1)^2+4$ (2) $y=-\frac{2}{3}(x-2)^2-5$

2-2 (1) $y=\frac{3}{2}(x-1)^2+2$ (2) $y=5(x-3)^2-1$

3-1 (1) 그래프 : 풀이 참조, 축의 방정식 : $x=1$, 꼭짓점의 좌표 : $(1, 2)$
(2) 그래프 : 풀이 참조, 축의 방정식 : $x=-1$, 꼭짓점의 좌표 : $(-1, -3)$

3-2 (1) 그래프 : 풀이 참조, 축의 방정식 : $x=2$, 꼭짓점의 좌표 : $(2, 1)$
(2) 그래프 : 풀이 참조, 축의 방정식 : $x=-3$, 꼭짓점의 좌표 : $(-3, -1)$

3-1 (1) $y=-\frac{1}{3}(x-1)^2+2$의 그래프는 $y=-\frac{1}{3}x^2$의 그래프를 x축의 방향으로 1만큼, y축의 방향으로 2만큼 평행이동한 것이다.

(2) $y=-\frac{1}{3}(x+1)^2-3$의 그래프는 $y=-\frac{1}{3}x^2$의 그래프를 x축의 방향으로 -1만큼, y축의 방향으로 -3만큼 평행이동한 것이다.

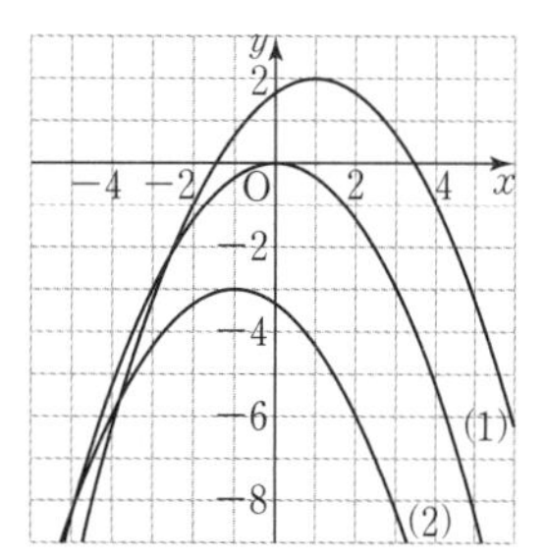

3-2 (1) $y=\frac{1}{2}(x-2)^2+1$의 그래프는 $y=\frac{1}{2}x^2$의 그래프를 x축의 방향으로 2만큼, y축의 방향으로 1만큼 평행이동한 것이다.

(2) $y=\frac{1}{2}(x+3)^2-1$의 그래프는 $y=\frac{1}{2}x^2$의 그래프를 x축의 방향으로 -3만큼, y축의 방향으로 -1만큼 평행이동한 것이다.

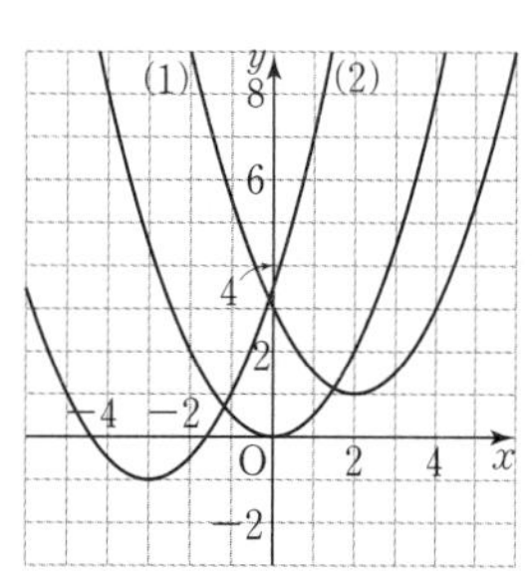

교과서 계산 문제 본문 119쪽

1 (1) ① $x=-1$ ② $(-1, -3)$ ③ $(0, -2)$
그래프 : 풀이 참조
(2) ① $x=1$ ② $(1, 2)$ ③ $(0, 5)$
그래프 : 풀이 참조
(3) ① $x=2$ ② $(2, -1)$ ③ $(0, -3)$
그래프 : 풀이 참조

2 (1) $a>0$, $p>0$, $q>0$ (2) $a<0$, $p>0$, $q<0$
(3) $a>0$, $p<0$, $q=0$ (4) $a<0$, $p=0$, $q>0$

1 (1) $y=(x+1)^2-3$에서
① $x=-1$
② $(-1, -3)$
③ $y=(x+1)^2-3$에 $x=0$을 대입하면
$y=(0+1)^2-3=-2$
즉 y축과의 교점의 좌표는 $(0, -2)$이다.
이때 그래프는 위의 그림과 같다.

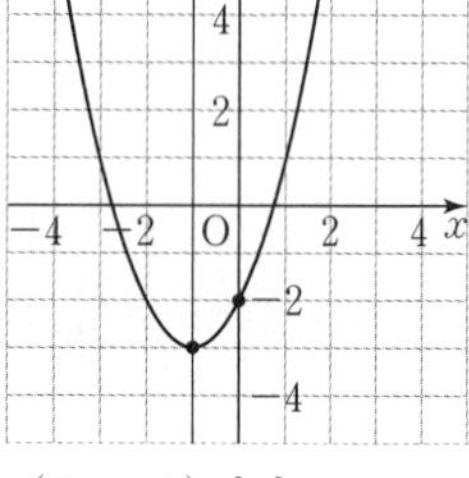

(2) $y=3(x-1)^2+2$에서
① $x=1$
② $(1, 2)$
③ $y=3(x-1)^2+2$에 $x=0$을 대입하면
$y=3\times(0-1)^2+2$
$=5$
즉 y축과의 교점의 좌표는 $(0, 5)$이다.
이때 그래프는 위의 그림과 같다.

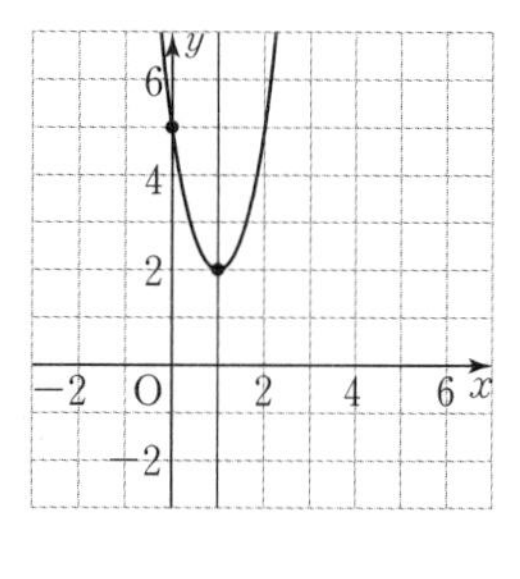

(3) $y=-\frac{1}{2}(x-2)^2-1$에서
① $x=2$
② $(2, -1)$
③ $y=-\frac{1}{2}(x-2)^2-1$에 $x=0$을 대입하면
$y=-\frac{1}{2}\times(0-2)^2-1$
$=-3$
즉 y축과의 교점의 좌표는 $(0, -3)$이다.
이때 그래프는 위의 그림과 같다.

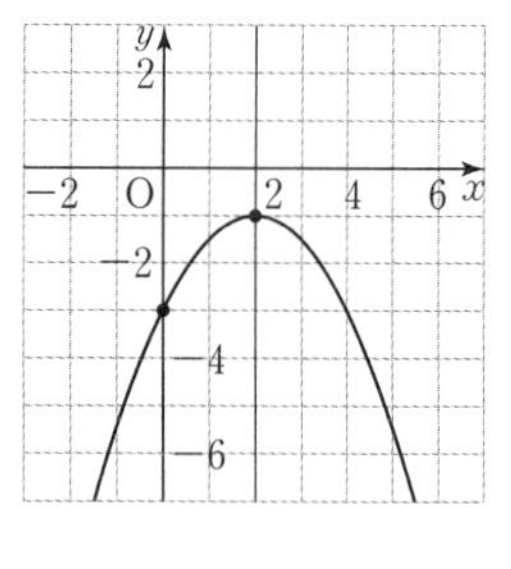

2 (1) 그래프가 아래로 볼록하므로 $a>0$
꼭짓점이 제1사분면에 있으므로 $p>0$, $q>0$
(2) 그래프가 위로 볼록하므로 $a<0$
꼭짓점이 제4사분면에 있으므로 $p>0$, $q<0$
(3) 그래프가 아래로 볼록하므로 $a>0$
꼭짓점이 x축 위에 있으면서 y축보다 왼쪽에 있으므로 $p<0$, $q=0$

(4) 그래프가 위로 볼록하므로 $a<0$
꼭짓점이 y축 위에 있으면서 x축보다 위쪽에 있으므로 $p=0$, $q>0$

STEP 2 기출 기초 테스트

본문 120~121쪽

1-1 8	**1-2** -6
2-1 ①	**2-2** ④
3-1 ⑤	**3-2** ④
4-1 $a=-\frac{2}{3}$, $p=3$, $q=0$	
4-2 $a=1$, $p=-2$, $q=-1$	
5-1 (1) $>$ (2) $>$ (3) $<$	**5-2** (1) $<$ (2) $<$ (3) $>$
6-1 3	**6-2** $a=-4$, $b=1$, $c=3$

1-1 $y=3x^2$의 그래프를 x축의 방향으로 2만큼, y축의 방향으로 5만큼 평행이동한 그래프를 나타내는 이차함수의 식은
$y=3(x-2)^2+5$
이 그래프가 점 $(3, k)$를 지나므로
$k=3\times(3-2)^2+5=8$

1-2 $y=-x^2$의 그래프를 x축의 방향으로 1만큼, y축의 방향으로 -2만큼 평행이동한 그래프를 나타내는 이차함수의 식은
$y=-(x-1)^2-2$
이 그래프가 점 $(2, a)$를 지나므로
$a=-(2-1)^2-2=-3$
또, 이 그래프가 점 $(b, -3)$을 지나므로
$-3=-(b-1)^2-2$, $(b-1)^2=1$
$b-1=\pm1$ $\quad\therefore b=0$ 또는 $b=2$
이때 $b>0$이므로 $b=2$
$\therefore ab=-3\times2=-6$

2-1 $y=-2(x+2)^2+6$의 그래프는 $y=-2x^2$의 그래프를 x축의 방향으로 -2만큼, y축의 방향으로 6만큼 평행이동한 것이므로 오른쪽 그림과 같다.
따라서 제1사분면을 지나지 않는다.

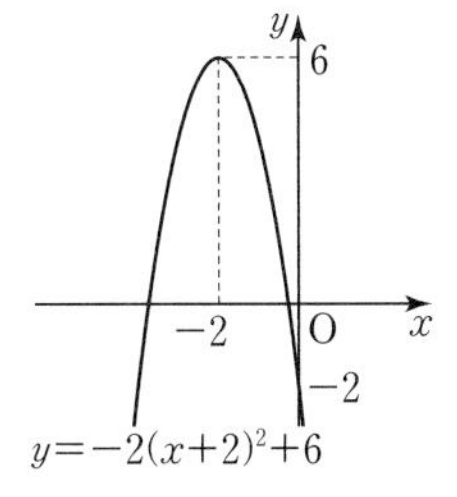

2-2 각 이차함수의 그래프를 그리면 다음과 같다.

①
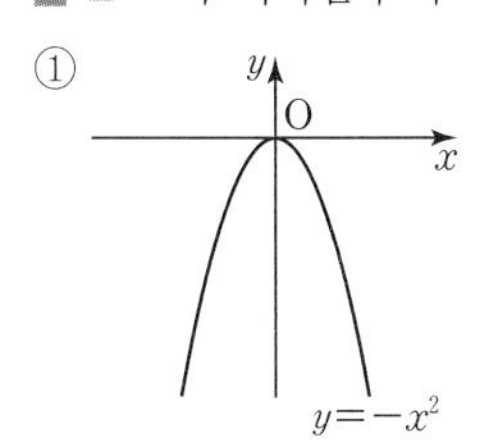

②
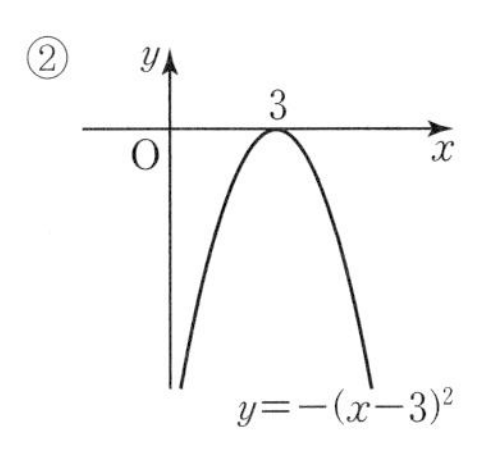

③ $y=x^2-2$

④
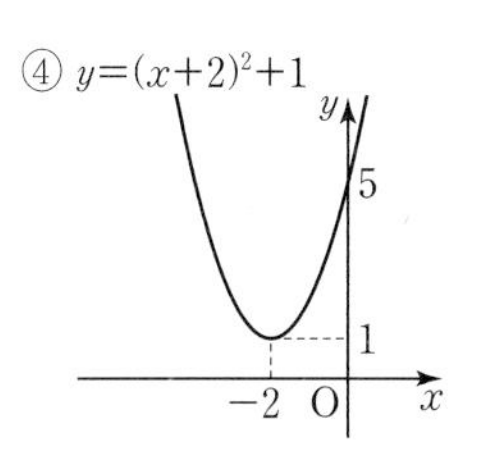

⑤
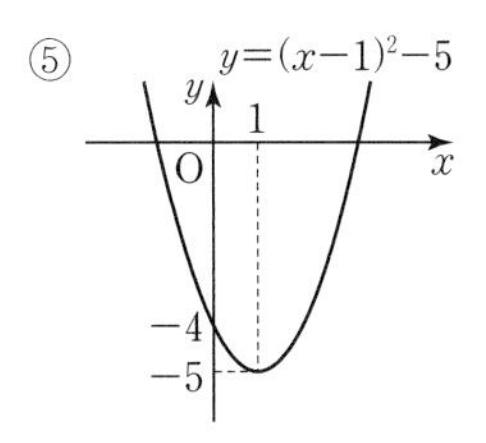

따라서 제1, 2사분면만을 지나는 것은 ④이다.

3-1 ⑤ $y=-x^2$의 그래프를 x축의 방향으로 3만큼, y축의 방향으로 5만큼 평행이동한 것이다.

3-2 ④ $y=\frac{2}{5}(x-4)^2+3$에 $x=0$을 대입하면
$y=\frac{2}{5}\times(0-4)^2+3=\frac{47}{5}$
따라서 y축과 만나는 점의 좌표는 $\left(0, \frac{47}{5}\right)$이다.

4-1 그래프의 꼭짓점의 좌표가 $(3, 0)$이므로 $p=3$, $q=0$
즉 $y=a(x-3)^2$의 그래프가 점 $(0, -6)$을 지나므로
$-6=a\times(0-3)^2$, $9a=-6$ $\quad\therefore a=-\frac{2}{3}$

4-2 그래프의 꼭짓점의 좌표가 $(-2, -1)$이므로
$p=-2$, $q=-1$
즉 $y=a(x+2)^2-1$의 그래프가 점 $(0, 3)$을 지나므로
$3=a\times(0+2)^2-1$, $4a=4$ $\quad\therefore a=1$

5-1 (1) 그래프가 아래로 볼록하므로 $a>0$
(2), (3) 그래프의 꼭짓점이 제4사분면에 있으므로 $p>0$, $q<0$

5-2 (1) 그래프가 위로 볼록하므로 $a<0$
(2), (3) 그래프의 꼭짓점이 제2사분면에 있으므로 $p<0$, $q>0$

6-1 $y=(x+2)^2+4$의 그래프를 x축의 방향으로 3만큼, y축의 방향으로 -2만큼 평행이동한 그래프를 나타내는 이차함수의 식은 $y=(x-3+2)^2+4-2$, 즉 $y=(x-1)^2+2$
이 그래프가 $y=(x+p)^2+q$의 그래프와 일치하므로
$p=-1$, $q=2$
$\therefore q-p=2-(-1)=3$

6-2 $y=a(x-2)^2+1$의 그래프를 x축의 방향으로 -3만큼, y축의 방향으로 2만큼 평행이동한 그래프를 나타내는 이차함수의 식은 $y=a(x+3-2)^2+1+2$, 즉 $y=a(x+1)^2+3$
이 그래프가 $y=-4(x+b)^2+c$의 그래프와 일치하므로
$a=-4$, $b=1$, $c=3$

STEP 3 교과서 기본 테스트

본문 122~124쪽

01 ② **02** ③ **03** 10 **04** -12
05 ④ **06** ㉣, ㉢, ㉡, ㉠ **07** ②
08 ③, ④ **09** 3 **10** $a=2$, $p=-2$, $q=-1$
11 ③ **12** ② **13** -6
14 $a=1$, $b=-2$ **15** $(3, -3)$
16 (1) ㉡, ㉢, ㉥ (2) ㉥, ㉢ (3) ㉠과 ㉤ **17** 4
18 8

01 각 이차함수의 꼭짓점의 좌표를 구하면 다음과 같다.
① $(5, 0)$ ② $(-1, -6)$ ③ $(2, -4)$
④ $(-7, 1)$ ⑤ $(5, 3)$
따라서 꼭짓점이 제3사분면에 있는 것은 ②이다.

02 $y=4(x+2)^2+3$의 그래프는 $y=4x^2$의 그래프를 x축의 방향으로 -2만큼, y축의 방향으로 3만큼 평행이동한 것이므로 $p=-2$, $q=3$
$\therefore p+q=-2+3=1$

03 $y=2x^2$의 그래프를 x축의 방향으로 3만큼, y축의 방향으로 5만큼 평행이동한 그래프를 나타내는 이차함수의 식은 $y=2(x-3)^2+5$
이 그래프가 $y=a(x-p)^2+q$의 그래프와 일치하므로
$a=2$, $p=3$, $q=5$
$\therefore a+p+q=2+3+5=10$

04 $y=-x^2$의 그래프를 x축의 방향으로 -2만큼, y축의 방향으로 -3만큼 평행이동한 그래프를 나타내는 이차함수의 식은 $y=-(x+2)^2-3$
이 이차함수의 그래프가 점 $(1, k)$를 지나므로
$k=-(1+2)^2-3=-12$

05 각 이차함수의 그래프를 그리면 다음과 같다.

①
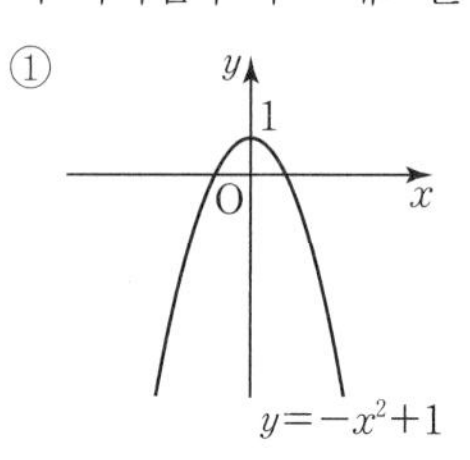

②
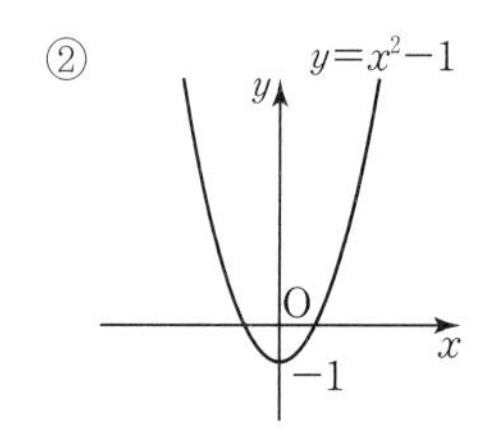

③
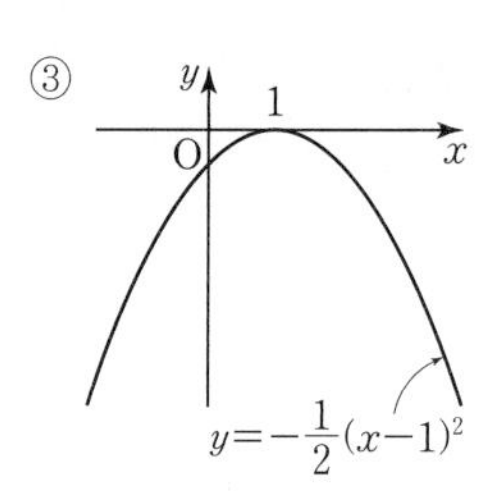

④
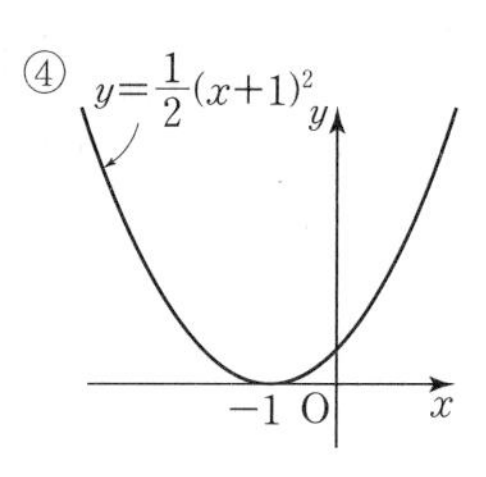

⑤
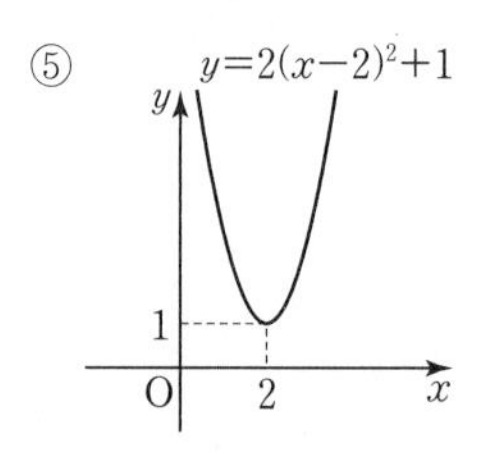

따라서 $x>-1$일 때, x의 값이 증가하면 y의 값도 증가하는 것은 ④이다.

06 각 이차함수의 x^2의 계수의 절댓값을 구하면 다음과 같다.
㉠ 5 ㉡ 3 ㉢ 2 ㉣ $\frac{1}{4}$
이때 $\frac{1}{4}<2<3<5$이므로 그래프의 폭이 넓은 것부터 차례로 나열하면 ㉣, ㉢, ㉡, ㉠이다.

07 ② 축의 방정식은 $x=-1$이다.

08 이차함수 $y=\frac{1}{3}(x-4)^2-2$의 그래프는 오른쪽 그림과 같다.

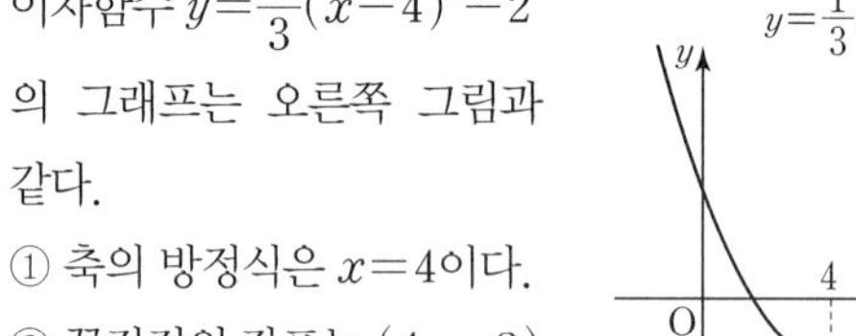

① 축의 방정식은 $x=4$이다.
② 꼭짓점의 좌표는 $(4, -2)$이다.

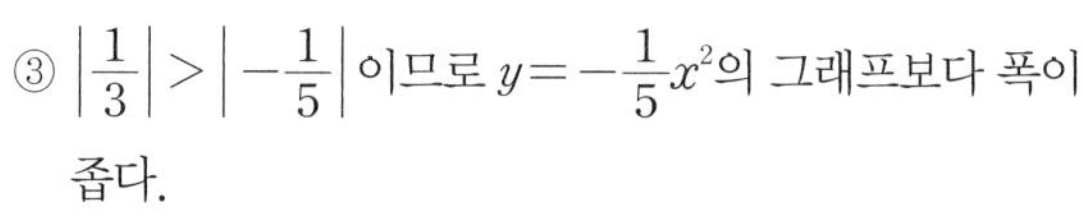

③ $\left|\frac{1}{3}\right|>\left|-\frac{1}{5}\right|$이므로 $y=-\frac{1}{5}x^2$의 그래프보다 폭이 좁다.
⑤ $x<4$일 때, x의 값이 증가하면 y의 값은 감소한다.
따라서 옳은 것은 ③, ④이다.

09 $y=a(x+p)^2+q$의 그래프가 $y=\frac{1}{4}x^2$의 그래프와 모양과 폭이 같으므로 $a=\frac{1}{4}$
이때 꼭짓점의 좌표는 $(-p, q)=(-2, 6)$이므로
$p=2$, $q=6$
$\therefore apq=\frac{1}{4}\times2\times6=3$

10 주어진 그래프의 꼭짓점의 좌표가 $(-2, -1)$이므로
$p=-2$, $q=-1$
즉 $y=a(x+2)^2-1$의 그래프가 점 $(-1, 1)$을 지나므로 $1=a\times(-1+2)^2-1$ $\therefore a=2$

11 그래프가 아래로 볼록하므로 $a>0$
꼭짓점이 제3사분면에 있으므로 $p<0$, $q<0$

12 $y=-3(x+2)^2-6$의 그래프를 x축의 방향으로 3만큼, y축의 방향으로 -3만큼 평행이동한 그래프를 나타내는 이차함수의 식은
$y=-3(x-3+2)^2-6-3$, 즉 $y=-3(x-1)^2-9$

13 $y=4(x+1)^2-2$의 그래프를 x축의 방향으로 2만큼, y축의 방향으로 n만큼 평행이동한 그래프를 나타내는 이차함수의 식은 $y=4(x-2+1)^2-2+n$
즉 $y=4(x-1)^2-2+n$
이 그래프가 점 $(-1, 8)$을 지나므로
$8=4\times(-1-1)^2-2+n$, $8=14+n$ $\quad\therefore n=-6$

14 $y=-x^2+2$의 그래프의 꼭짓점의 좌표는 $(0, 2)$,
$y=a(x+2)^2+b$의 그래프의 꼭짓점의 좌표는 $(-2, b)$이다.
이때 두 그래프가 서로의 꼭짓점을 지나므로
$y=-x^2+2$에 $x=-2$, $y=b$를 대입하면
$b=-(-2)^2+2=-2$
$y=a(x+2)^2-2$에 $x=0$, $y=2$를 대입하면
$2=a\times(0+2)^2-2$, $4a=4$ $\quad\therefore a=1$

15 $y=2(x-p)^2+q$의 그래프의 꼭짓점의 좌표는 (p, q)이고, 직선 $y=-x$ 위에 있으므로 $q=-p$
$y=2(x-p)^2-p$의 그래프가 점 $(1, 5)$를 지나므로
$5=2(1-p)^2-p$, $2p^2-5p-3=0$
$(2p+1)(p-3)=0$ $\quad\therefore p=-\frac{1}{2}$ 또는 $p=3$
그런데 $p>0$이므로 $p=3$, $q=-p=-3$
따라서 꼭짓점의 좌표는 $(3, -3)$이다.

16 (1) x^2의 계수가 양수이면 그래프가 아래로 볼록하고, 음수이면 그래프가 위로 볼록하다.
따라서 그래프가 위로 볼록한 것은 ㉡, ㉢, ㉥이다. …… ㉮

(2) 각 이차함수의 x^2의 계수의 절댓값을 구하면 다음과 같다.
㉠ $\frac{1}{3}$ ㉡ 2 ㉢ 3 ㉣ 1 ㉤ $\frac{1}{3}$ ㉥ $\frac{1}{5}$
이때 $\frac{1}{5}<\frac{1}{3}<1<2<3$이므로 그래프의 폭이 가장 넓은 것은 ㉥, 그래프의 폭이 가장 좁은 것은 ㉢이다. …… ㉯

(3) 이차함수의 x^2의 계수가 같으면 그래프의 모양과 폭이 같으므로 평행이동하여 겹쳐지게 할 수 있다.
따라서 그래프를 평행이동하여 겹쳐지게 할 수 있는 것은 ㉠과 ㉤이다. …… ㉰

채점 기준	비율
㉮ 그래프가 위로 볼록한 것을 제대로 고른 경우	30 %
㉯ 그래프의 폭이 가장 넓은 것과 가장 좁은 것을 각각 제대로 고른 경우	40 %
㉰ 그래프를 평행이동하여 겹쳐지게 할 수 있는 것끼리 바르게 짝 지은 경우	30 %

17 $y=a(x-p)^2+q$의 그래프의 꼭짓점의 좌표가 $(-1, 2)$이므로 $p=-1$, $q=2$ …… ㉮
즉 $y=a(x+1)^2+2$의 그래프가 점 $(-2, 5)$를 지나므로
$5=a\times(-2+1)^2+2$ $\quad\therefore a=3$ …… ㉯
$\therefore a+p+q=3+(-1)+2=4$ …… ㉰

채점 기준	비율
㉮ p, q의 값을 제대로 구한 경우	40 %
㉯ a의 값을 제대로 구한 경우	40 %
㉰ $a+p+q$의 값을 제대로 구한 경우	20 %

18 두 점 A, B의 y좌표는 0이므로
$y=-(x+1)^2+4$에 $y=0$을 대입하면
$0=-(x+1)^2+4$, $(x+1)^2=4$
$x+1=\pm2$ $\quad\therefore x=-3$ 또는 $x=1$
이때 점 A가 점 B보다 왼쪽에 있으므로 두 점 A, B의 좌표는 $A(-3, 0)$, $B(1, 0)$ …… ㉮
또, $y=-(x+1)^2+4$의 그래프의 꼭짓점의 좌표는 $(-1, 4)$이므로 점 C의 좌표는 $C(-1, 4)$ …… ㉯
$\therefore \triangle ABC=\frac{1}{2}\times\{1-(-3)\}\times4=8$ …… ㉰

채점 기준	비율
㉮ 두 점 A, B의 좌표를 제대로 구한 경우	50 %
㉯ 점 C의 좌표를 제대로 구한 경우	30 %
㉰ △ABC의 넓이를 바르게 구한 경우	20 %

창의력·융합형·서술형·코딩 본문 125쪽

1 (1) $y=2x^2-4$ (2) $y=2(x-1)^2-2$
(3) $y=2(x-1)^2-2$ (4) $y=2(x-2)^2$
2 풀이 참조
3 (1) $A(0, 3)$, $B(4, 3)$ (2) 풀이 참조 (3) 12
4 (1) $a>0$, $p>0$, $q<0$ (2) 제1, 2사분면

1 (1) 2와 6은 모두 짝수이므로 y축의 방향으로 -4만큼 평행이동한다. $\therefore y=2x^2-4$

(2) 5는 홀수, 4는 짝수이므로 x축의 방향으로 1만큼, y축의 방향으로 -2만큼 평행이동한다.
$\therefore y=2(x-1)^2-2$

(3) 6은 짝수, 1은 홀수이므로 y축의 방향으로 -2만큼, x축의 방향으로 1만큼 평행이동한다.
$\therefore y=2(x-1)^2-2$

(4) 1과 3은 모두 홀수이므로 x축의 방향으로 2만큼 평행이동한다. $\therefore y=2(x-2)^2$

2 조건 (가), (라)에서 $a=-1$
조건 (나), (다) $p=-2$, $q=5$
따라서 조건을 만족하는 이차함수의 그래프의 식은
$y=-(x+2)^2+5$이고, 이 그래프는 오른쪽 그림과 같다.

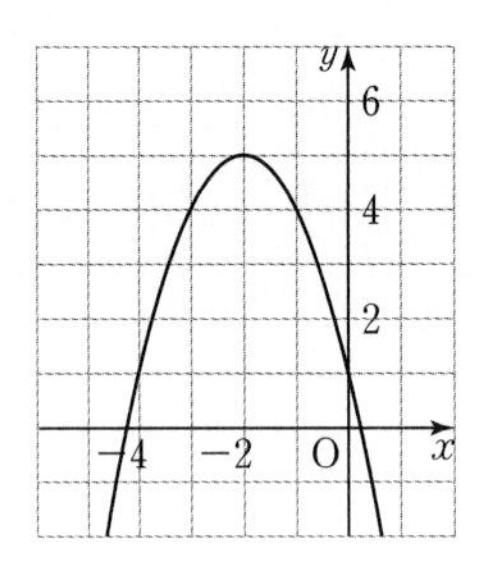

3 (2) $y=-x^2+3$과 $y=-(x-4)^2+3$의 그래프는 모양과 폭이 같으므로 빗금친 부분과 넓이가 같은 부분을 빗금으로 나타내면 아래 그림과 같다.

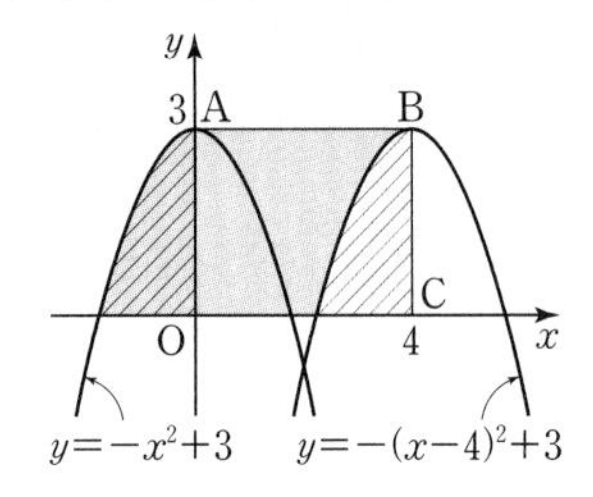

(3) (2)에서 빗금친 부분끼리 서로 넓이가 같으므로 색칠한 부분의 넓이는 직사각형 AOCB의 넓이와 같다.
따라서 구하는 넓이는
$4\times3=12$

4 (1) 그래프가 아래로 볼록하므로 $a>0$
꼭짓점이 제1사분면에 있으므로
$p>0$, $-q>0$ $\quad\therefore p>0$, $q<0$

(2) $y=p(x-q)^2+a$의 그래프는 $p>0$이므로 아래로 볼록한 포물선이고 $q<0$, $a>0$이므로 꼭짓점 (q, a)는 제2사분면에 있다.
따라서 $y=p(x-q)^2+a$의 그래프는 오른쪽 그림과 같으므로 그래프가 지나는 사분면은 제1, 2사분면이다.

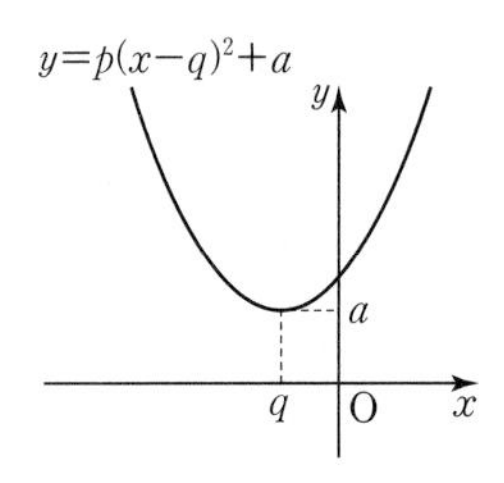

13 이차함수 $y=ax^2+bx+c$의 그래프

STEP 1 교과서 개념 확인 테스트 | 본문 128~129쪽

1-1 (1) $y=(x+1)^2+6$, 축의 방정식 : $x=-1$,
꼭짓점의 좌표 : $(-1, 6)$
(2) $y=-\left(x-\frac{1}{2}\right)^2+\frac{13}{4}$, 축의 방정식 : $x=\frac{1}{2}$,
꼭짓점의 좌표 : $\left(\frac{1}{2}, \frac{13}{4}\right)$
(3) $y=-2(x+4)^2+1$, 축의 방정식 : $x=-4$,
꼭짓점의 좌표 : $(-4, 1)$

1-2 (1) $y=2(x+2)^2-11$, 축의 방정식 : $x=-2$,
꼭짓점의 좌표 : $(-2, -11)$
(2) $y=3(x-1)^2+4$, 축의 방정식 : $x=1$,
꼭짓점의 좌표 : $(1, 4)$
(3) $y=-3(x-3)^2+28$, 축의 방정식 : $x=3$,
꼭짓점의 좌표 : $(3, 28)$

2-1 (1) $(-1, 1)$ (2) $(0, 3)$ (3) 풀이 참조
2-2 (1) $(2, 2)$ (2) $(0, -2)$ (3) 풀이 참조
3-1 $a=2$, $b=3$ **3-2** $a=-1$, $b=1$
4-1 (1) $>$ (2) $<$ (3) $>$
4-2 (1) $a>0$, $b>0$, $c>0$ (2) $a<0$, $b>0$, $c<0$
5-1 $y=-2x^2+4x-1$ **5-2** $y=-\frac{1}{2}x^2+2x+1$
6-1 $y=x^2-6x+8$ **6-2** $y=-x^2-4x-1$

1-1 (1) $y=x^2+2x+7=(x^2+2x+1-1)+7$
$=(x^2+2x+1)-1+7=(x+1)^2+6$
이때 축의 방정식은 $x=-1$이고, 꼭짓점의 좌표는 $(-1, 6)$이다.

(2) $y=-x^2+x+3=-\left(x^2-x+\frac{1}{4}-\frac{1}{4}\right)+3$
$=-\left(x^2-x+\frac{1}{4}\right)+\frac{1}{4}+3=-\left(x-\frac{1}{2}\right)^2+\frac{13}{4}$
이때 축의 방정식은 $x=\frac{1}{2}$이고, 꼭짓점의 좌표는 $\left(\frac{1}{2}, \frac{13}{4}\right)$이다.

(3) $y=-2x^2-16x-31=-2(x^2+8x+16-16)-31$
$=-2(x^2+8x+16)+32-31=-2(x+4)^2+1$
이때 축의 방정식은 $x=-4$이고, 꼭짓점의 좌표는 $(-4, 1)$이다.

1-2 (1) $y=2x^2+8x-3=2(x^2+4x+4-4)-3$
$=2(x^2+4x+4)-8-3=2(x+2)^2-11$
이때 축의 방정식은 $x=-2$이고, 꼭짓점의 좌표는 $(-2, -11)$이다.

(2) $y=3x^2-6x+7=3(x^2-2x+1-1)+7$

$=3(x^2-2x+1)-3+7=3(x-1)^2+4$

이때 축의 방정식은 $x=1$이고, 꼭짓점의 좌표는 $(1, 4)$이다.

(3) $y=-3x^2+18x+1=-3(x^2-6x+9-9)+1$

$=-3(x^2-6x+9)+27+1=-3(x-3)^2+28$

이때 축의 방정식은 $x=3$이고, 꼭짓점의 좌표는 $(3, 28)$이다.

2-1 (1) $y=2x^2+4x+3=2(x^2+2x+1-1)+3$

$=2(x^2+2x+1)-2+3=2(x+1)^2+1$

따라서 꼭짓점의 좌표는 $(-1, 1)$이다.

(2) $y=2x^2+4x+3$에 $x=0$을 대입하면

$y=2\times0^2+4\times0+3=3$

따라서 y축과의 교점의 좌표는 $(0, 3)$이다.

(3)

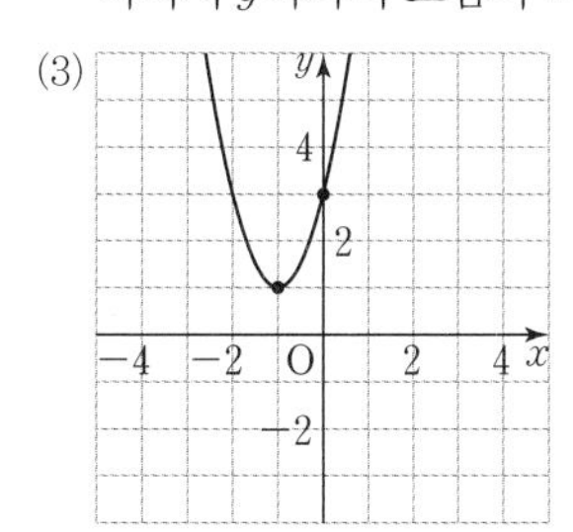

2-2 (1) $y=-x^2+4x-2=-(x^2-4x+4-4)-2$

$=-(x^2-4x+4)+4-2=-(x-2)^2+2$

따라서 꼭짓점의 좌표는 $(2, 2)$이다.

(2) $y=-x^2+4x-2$에 $x=0$을 대입하면

$y=-0^2+4\times0-2=-2$

따라서 y축과의 교점의 좌표는 $(0, -2)$이다.

(3)

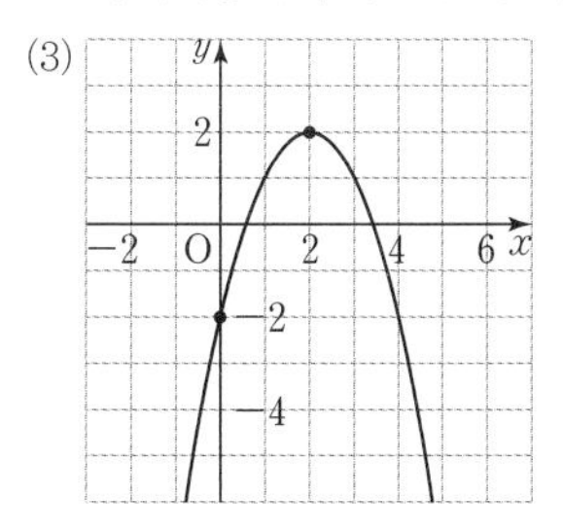

3-1 $y=ax^2+bx+2$의 그래프가 두 점 $(-2, 4)$, $(-1, 1)$을 지나므로 $4=a\times(-2)^2+b\times(-2)+2$에서

$4a-2b+2=4$ $\quad\therefore 2a-b=1$ …… ㉠

$1=a\times(-1)^2+b\times(-1)+2$에서

$a-b+2=1$ $\quad\therefore a-b=-1$ …… ㉡

㉠, ㉡을 연립하여 풀면 $a=2$, $b=3$

3-2 $y=ax^2+bx+6$의 그래프가 두 점 $(3, 0)$, $(-2, 0)$을 지나므로 $0=a\times3^2+b\times3+6$에서

$9a+3b+6=0$ $\quad\therefore 3a+b=-2$ …… ㉠

$0=a\times(-2)^2+b\times(-2)+6$에서

$4a-2b+6=0$ $\quad\therefore 2a-b=-3$ …… ㉡

㉠, ㉡을 연립하여 풀면 $a=-1$, $b=1$

4-2 (1) 그래프가 아래로 볼록하므로 $a>0$

축이 y축의 왼쪽에 있으므로 a와 b는 서로 같은 부호이다.

$\therefore b>0$

y축과의 교점이 x축보다 위쪽에 있으므로 $c>0$

(2) 그래프가 위로 볼록하므로 $a<0$

축이 y축의 오른쪽에 있으므로 a와 b는 서로 다른 부호이다. $\quad\therefore b>0$

y축과의 교점이 x축보다 아래쪽에 있으므로 $c<0$

5-1 꼭짓점의 좌표가 $(1, 1)$이므로 구하는 이차함수의 식을 $y=a(x-1)^2+1$로 놓는다.

이 이차함수의 그래프가 점 $(2, -1)$을 지나므로

$-1=a\times(2-1)^2+1$, $a+1=-1$ $\quad\therefore a=-2$

따라서 구하는 이차함수의 식은

$y=-2(x-1)^2+1=-2x^2+4x-1$

5-2 꼭짓점의 좌표가 $(2, 3)$이므로 구하는 이차함수의 식을 $y=a(x-2)^2+3$으로 놓는다.

이 이차함수의 그래프가 점 $(0, 1)$을 지나므로

$1=a\times(0-2)^2+3$, $4a+3=1$

$4a=-2$ $\quad\therefore a=-\frac{1}{2}$

따라서 구하는 이차함수의 식은

$y=-\frac{1}{2}(x-2)^2+3=-\frac{1}{2}x^2+2x+1$

6-1 축의 방정식이 $x=3$이므로 구하는 이차함수의 식을 $y=a(x-3)^2+q$로 놓는다.

이 이차함수의 그래프가 두 점 $(1, 3)$, $(2, 0)$을 지나므로

$3=a\times(1-3)^2+q$에서 $4a+q=3$ …… ㉠

$0=a\times(2-3)^2+q$에서 $a+q=0$ …… ㉡

㉠, ㉡을 연립하여 풀면 $a=1$, $q=-1$

따라서 구하는 이차함수의 식은

$y=(x-3)^2-1=x^2-6x+8$

6-2 축의 방정식이 $x=-2$이므로 구하는 이차함수의 식을 $y=a(x+2)^2+q$로 놓는다.

이 이차함수의 그래프가 두 점 $(-1, 2)$, $(0, -1)$을 지나므로

$2=a\times(-1+2)^2+q$에서 $a+q=2$ …… ㉠

$-1=a\times(0+2)^2+q$에서 $4a+q=-1$ …… ㉡

㉠, ㉡을 연립하여 풀면 $a=-1$, $q=3$

따라서 구하는 이차함수의 식은

$y=-(x+2)^2+3=-x^2-4x-1$

STEP **2 기출 기초 테스트** 본문 130~132쪽

1-1 ①	**1-2** ③
2-1 -2	**2-2** 29
3-1 $a=-1,\ b=4,\ c=-5$	
3-2 $a=2, b=4, c=1$	
4-1 -3	**4-2** -6
5-1 ⑤	**5-2** ④
6-1 $(2, -6)$	**6-2** $y=x^2-4x+5$
7-1 (1) $>$ (2) $<$ (3) $<$ (4) $<$	
7-2 ③	
8-1 6	**8-2** 6

1-1 $y=x^2+2x=x^2+2x+1-1$
$=(x+1)^2-1$
따라서 $y=x^2+2x$의 그래프는 꼭짓점의 좌표가 $(-1, -1)$이고, 아래로 볼록한 포물선이므로 그 그래프는 ①이다.

1-2 $y=-\frac{1}{2}x^2+2x+1=-\frac{1}{2}(x^2-4x+4-4)+1$
$=-\frac{1}{2}(x^2-4x+4)+2+1=-\frac{1}{2}(x-2)^2+3$
따라서 $y=-\frac{1}{2}x^2+2x+1$의 그래프는 꼭짓점의 좌표가 $(2, 3)$이고, 위로 볼록한 포물선이므로 그 그래프는 ③이다.

2-1 $y=-\frac{1}{2}x^2+ax+b$
$=-\frac{1}{2}(x^2-2ax+a^2-a^2)+b$
$=-\frac{1}{2}(x^2-2ax+a^2)+\frac{1}{2}a^2+b$
$=-\frac{1}{2}(x-a)^2+\frac{1}{2}a^2+b$
이때 꼭짓점의 좌표는 $\left(a, \frac{1}{2}a^2+b\right)=(3, 2)$이므로
$a=3$
$\frac{1}{2}a^2+b=2$에서 $b=2-\frac{1}{2}a^2=2-\frac{1}{2}\times3^2=-\frac{5}{2}$
$\therefore a+2b=3+2\times\left(-\frac{5}{2}\right)=-2$

2-2 $y=x^2+2ax+1=x^2+2ax+a^2-a^2+1$
$=(x+a)^2-a^2+1$
이때 꼭짓점의 좌표는 $(-a, -a^2+1)=(6, b)$이므로
$-a=6$에서 $a=-6$
$-a^2+1=b$에서 $b=-(-6)^2+1=-35$
$\therefore a-b=-6-(-35)=29$

3-1 $y=-x^2$의 그래프를 x축의 방향으로 2만큼, y축의 방향으로 -1만큼 평행이동한 그래프를 나타내는 이차함수의 식은 $y=-(x-2)^2-1=-x^2+4x-5$
$\therefore a=-1, b=4, c=-5$

3-2 $y=2x^2$의 그래프를 x축의 방향으로 -1만큼, y축의 방향으로 -1만큼 평행이동한 그래프를 나타내는 이차함수의 식은 $y=2(x+1)^2-1=2x^2+4x+1$
$\therefore a=2, b=4, c=1$

4-1 $y=3x^2-12x+7=3(x^2-4x+4-4)+7$
$=3(x^2-4x+4)-12+7=3(x-2)^2-5$
즉 $y=3x^2-12x+7$의 그래프는 $y=3x^2$의 그래프를 x축의 방향으로 2만큼, y축의 방향으로 -5만큼 평행이동한 것이므로 $p=2, q=-5$
$\therefore p+q=2+(-5)=-3$

다른 풀이
$y=3x^2$의 그래프를 x축의 방향으로 p만큼, y축의 방향으로 q만큼 평행이동한 그래프를 나타내는 이차함수의 식은
$y=3(x-p)^2+q=3x^2-6px+3p^2+q$
이 이차함수의 그래프가 $y=3x^2-12x+7$의 그래프와 일치하므로
$6p=12$에서 $p=2$
$3p^2+q=7$에서 $q=7-3p^2=7-3\times2^2=-5$
$\therefore p+q=2+(-5)=-3$

4-2 $y=-2x^2-4x+3=-2(x^2+2x+1-1)+3$
$=-2(x^2+2x+1)+2+3=-2(x+1)^2+5$
즉 $y=-2x^2-4x+3$의 그래프는 $y=-2x^2$의 그래프를 x축의 방향으로 -1만큼, y축의 방향으로 5만큼 평행이동한 것이므로 $m=-1, n=5$
$\therefore m-n=-1-5=-6$

다른 풀이
$y=-2x^2$의 그래프를 x축의 방향으로 m만큼, y축의 방향으로 n만큼 평행이동한 그래프를 나타내는 이차함수의 식은
$y=-2(x-m)^2+n=-2x^2+4mx-2m^2+n$
이 이차함수의 그래프가 $y=-2x^2-4x+3$의 그래프와 일치하므로
$4m=-4$에서 $m=-1$
$-2m^2+n=3$에서 $n=3+2m^2=3+2\times(-1)^2=5$
$\therefore m-n=-1-5=-6$

5-1 $y=-3x^2+12x-8$

$=-3(x^2-4x+4-4)-8$

$=-3(x^2-4x+4)+12-8$

$=-3(x-2)^2+4$

따라서 $y=-3x^2+12x-8$의 그래프는 오른쪽 그림과 같다.

④ $y=-3x^2+12x-8$에 $x=0$을 대입하면 $y=-3\times0^2+12\times0-8=-8$

따라서 y축과의 교점의 좌표는 $(0,\ -8)$이다.

⑤ $x<2$일 때, x의 값이 증가하면 y의 값도 증가한다.

따라서 옳지 않은 것은 ⑤이다.

5-2 $y=\frac{1}{4}x^2+x-2=\frac{1}{4}(x^2+4x+4-4)-2$

$=\frac{1}{4}(x^2+4x+4)-1-2=\frac{1}{4}(x+2)^2-3$

따라서 $y=\frac{1}{4}x^2+x-2$의 그래프는 오른쪽 그림과 같다.

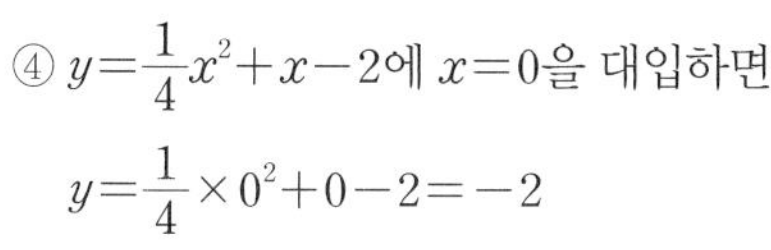

① 꼭짓점의 좌표는 $(-2,\ -3)$이다.

② 축은 직선 $x=-2$이다.

③ 제4사분면을 지난다.

④ $y=\frac{1}{4}x^2+x-2$에 $x=0$을 대입하면

$y=\frac{1}{4}\times0^2+0-2=-2$

따라서 y축과의 교점의 좌표는 $(0,\ -2)$이다.

⑤ $x<-2$일 때, x의 값이 증가하면 y의 값은 감소한다.

따라서 옳은 것은 ④이다.

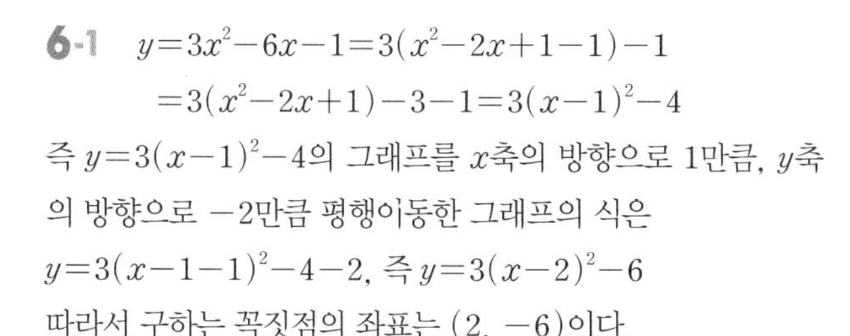

6-1 $y=3x^2-6x-1=3(x^2-2x+1-1)-1$

$=3(x^2-2x+1)-3-1=3(x-1)^2-4$

즉 $y=3(x-1)^2-4$의 그래프를 x축의 방향으로 1만큼, y축의 방향으로 -2만큼 평행이동한 그래프의 식은

$y=3(x-1-1)^2-4-2$, 즉 $y=3(x-2)^2-6$

따라서 구하는 꼭짓점의 좌표는 $(2,\ -6)$이다.

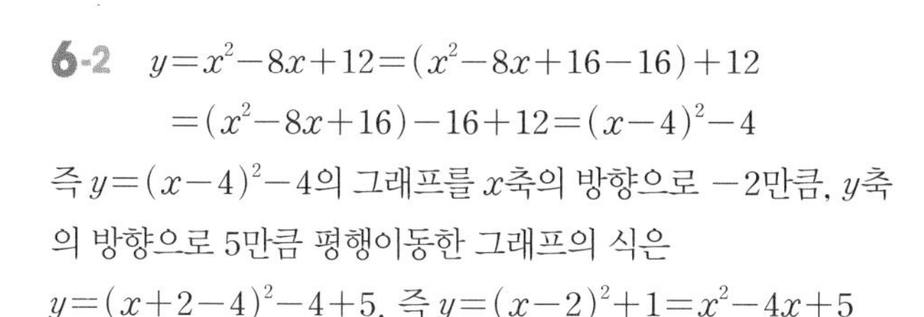

6-2 $y=x^2-8x+12=(x^2-8x+16-16)+12$

$=(x^2-8x+16)-16+12=(x-4)^2-4$

즉 $y=(x-4)^2-4$의 그래프를 x축의 방향으로 -2만큼, y축의 방향으로 5만큼 평행이동한 그래프의 식은

$y=(x+2-4)^2-4+5$, 즉 $y=(x-2)^2+1=x^2-4x+5$

7-1 (1) 그래프가 아래로 볼록하므로 $a>0$

(2) 축이 y축의 오른쪽에 있으므로 a와 b는 서로 다른 부호이다.

$\therefore b<0$

(3) y축과의 교점이 x축보다 아래쪽에 있으므로 $c<0$

(4) $y=ax^2+bx+c$에 $x=1$을 대입하면

$y=a\times1^2+b\times1+c=a+b+c$

$x=1$일 때, 함숫값은 음수이므로 $a+b+c<0$

7-2 ① 그래프가 아래로 볼록하므로 $a>0$

② y축과의 교점이 x축보다 위쪽에 있으므로 $c>0$

③ 축이 y축의 왼쪽에 있으므로 a와 b는 서로 같은 부호이다.

$\therefore b>0 \quad \therefore abc>0$

④ $x=1$일 때, 함숫값은 양수이므로 $a+b+c>0$

⑤ $x=-1$일 때, 함숫값은 음수이므로 $a-b+c<0$

따라서 옳은 것은 ③이다.

8-1 $y=-x^2-6x+4=-(x^2+6x+9-9)+4$

$=-(x^2+6x+9)+9+4=-(x+3)^2+13$

이므로 꼭짓점의 좌표는 $(-3,\ 13)$이다. $\therefore A(-3,\ 13)$

또, $y=-x^2-6x+4$에 $x=0$을 대입하면

$y=-0^2-6\times0+4=4 \quad \therefore B(0,\ 4)$

$\therefore \triangle AOB=\frac{1}{2}\times4\times3=6$

8-2 $y=\frac{1}{2}x^2-2x-2=\frac{1}{2}(x^2-4x+4-4)-2$

$=\frac{1}{2}(x^2-4x+4)-2-2=\frac{1}{2}(x-2)^2-4$

이므로 꼭짓점의 좌표는 $(2,\ -4)$이다.

$\therefore B(2,\ -4),\ C(2,\ 0)$

또, $y=\frac{1}{2}x^2-2x-2$에 $x=0$을 대입하면

$y=\frac{1}{2}\times0^2-2\times0-2=-2 \quad \therefore A(0,\ -2)$

$\therefore \square OABC=\frac{1}{2}\times(2+4)\times2=6$

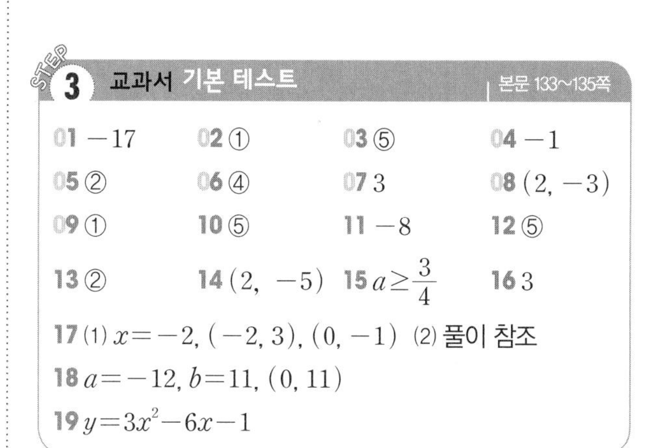

STEP **3** 교과서 기본 테스트 | 본문 133~135쪽

01 -17	02 ①	03 ⑤	04 -1
05 ②	06 ④	07 3	08 $(2,\ -3)$
09 ①	10 ⑤	11 -8	12 ⑤
13 ②	14 $(2,\ -5)$	15 $a\geq\frac{3}{4}$	16 3

17 (1) $x=-2$, $(-2,\ 3)$, $(0,\ -1)$ (2) 풀이 참조

18 $a=-12$, $b=11$, $(0,\ 11)$

19 $y=3x^2-6x-1$

01 $y=2x^2+16x+17=2(x^2+8x+16-16)+17$

$=2(x^2+8x+16)-32+17=2(x+4)^2-15$

따라서 $a=2$, $p=-4$, $q=-15$이므로

$a+p+q=2+(-4)+(-15)=-17$

02 $y=2x^2$의 그래프를 x축의 방향으로 2만큼, y축의 방향으로 1만큼 평행이동한 그래프를 나타내는 이차함수의 식은

$y=2(x-2)^2+1=2x^2-8x+9$

03 이차함수의 그래프를 평행이동하면 그래프의 모양과 폭은 변하지 않는다. 즉 x^2의 계수가 같다.

따라서 $y=-3x^2$의 그래프를 평행이동하여 완전히 포갤 수 있는 것은 ⑤이다.

04 $y=-2x^2-12x-16=-2(x^2+6x+9-9)-16$

$=-2(x^2+6x+9)+18-16=-2(x+3)^2+2$

즉 $y=-2x^2-12x-16$의 그래프는 $y=-2x^2$의 그래프를 x축의 방향으로 -3만큼, y축의 방향으로 2만큼 평행이동한 것이므로

$p=-3$, $q=2$

$\therefore p+q=-3+2=-1$

다른 풀이

$y=-2x^2$의 그래프를 x축의 방향으로 p만큼, y축의 방향으로 q만큼 평행이동한 그래프를 나타내는 이차함수의 식은

$y=-2(x-p)^2+q=-2x^2+4px-2p^2+q$

이 이차함수의 그래프가 $y=-2x^2-12x-16$의 그래프와 일치하므로

$4p=-12$에서 $p=-3$

$-2p^2+q=-16$에서

$q=-16+2p^2=-16+2\times(-3)^2=2$

$\therefore p+q=-3+2=-1$

05 $y=-x^2+6x-2=-(x^2-6x+9-9)-2$

$=-(x^2-6x+9)+9-2=-(x-3)^2+7$

또, $y=-x^2+6x-2$에 $x=0$을 대입하면

$y=-0^2+6\times0-2=-2$

즉 $y=-x^2+6x-2$의 그래프는 꼭짓점의 좌표가 $(3, 7)$이고, y축과의 교점의 좌표가 $(0, -2)$인 위로 볼록한 포물선이므로 오른쪽 그림과 같다.

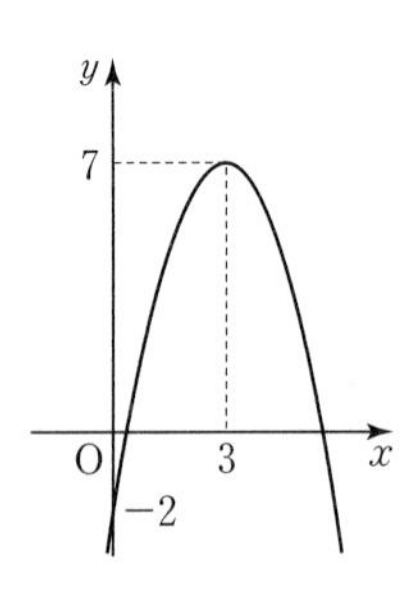

따라서 $y=-x^2+6x-2$의 그래프는 제2사분면을 지나지 않는다.

06 ① x^2의 계수가 음수이므로 위로 볼록한 포물선이다.

② $y=-2x^2+4x-4$

$=-2(x^2-2x+1-1)-4$

$=-2(x^2-2x+1)+2-4$

$=-2(x-1)^2-2$

즉 꼭짓점의 좌표는 $(1, -2)$이다.

③ $y=-2x^2+4x-4$에 $x=0$을 대입하면

$y=-2\times0^2+4\times0-4=-4$

즉 y축과 점 $(0, -4)$에서 만난다.

④ $y=-2x^2+4x-4$의 그래프는 오른쪽 그림과 같으므로 제3, 4사분면을 지난다.

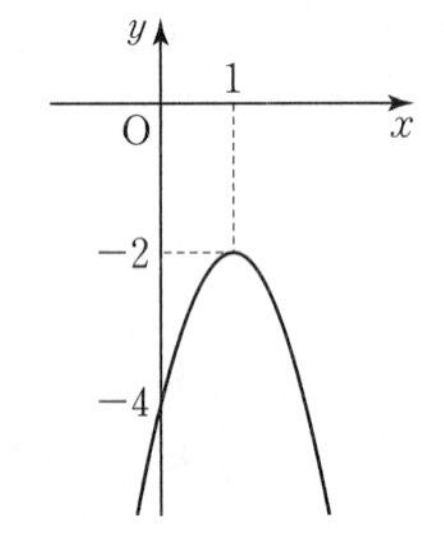

⑤ $y=-2x^2$의 그래프를 x축의 방향으로 1만큼, y축의 방향으로 -2만큼 평행이동한 것이다.

따라서 옳지 않은 것은 ④이다.

07 $y=ax^2+x+1$의 그래프가 점 $(-1, -2)$를 지나므로

$-2=a\times(-1)^2+(-1)+1 \quad \therefore a=-2$

또, $y=-2x^2+x+1$의 그래프가 점 $(2, b)$를 지나므로

$b=-2\times2^2+2+1=-5$

$\therefore a-b=-2-(-5)=3$

08 $y=x^2+ax+1$의 그래프가 점 $(1, -2)$를 지나므로

$-2=1^2+a\times1+1 \quad \therefore a=-4$

$y=x^2-4x+1$

$=(x^2-4x+4-4)+1$

$=(x^2-4x+4)-4+1$

$=(x-2)^2-3$

따라서 구하는 꼭짓점의 좌표는 $(2, -3)$이다.

09 $y=-x^2+10x+a$

$=-(x^2-10x+25-25)+a$

$=-(x^2-10x+25)+25+a$

$=-(x-5)^2+25+a$

이때 꼭짓점의 좌표는 $(5, 25+a)$이고, 꼭짓점이 x축 위에 있으므로

$25+a=0 \quad \therefore a=-25$

10 $y=x^2-2ax+b$

$=(x^2-2ax+a^2-a^2)+b$

$=(x^2-2ax+a^2)-a^2+b$

$=(x-a)^2-a^2+b$

이므로 꼭짓점의 좌표는 $(a, -a^2+b)$이다.

$y=\frac{1}{2}x^2+4x+1$

$=\frac{1}{2}(x^2+8x+16-16)+1$

$=\frac{1}{2}(x^2+8x+16)-8+1$

$=\frac{1}{2}(x+4)^2-7$

이므로 꼭짓점의 좌표는 $(-4, -7)$이다.

이때 두 꼭짓점이 서로 일치하므로

$a=-4$

$-a^2+b=-7$에서

$b=-7+a^2=-7+(-4)^2=9$

$\therefore a+b=-4+9=5$

11 $y=2x^2-4x+1$

$=2(x^2-2x+1-1)+1$

$=2(x^2-2x+1)-2+1$

$=2(x-1)^2-1$

즉 $y=2(x-1)^2-1$의 그래프를 x축의 방향으로 m만큼, y축의 방향으로 n만큼 평행이동한 그래프의 식은

$y=2(x-m-1)^2-1+n$

한편, $y=ax^2-12x+5$의 그래프는 $y=2x^2-4x+1$의 그래프를 평행이동한 것이므로

$a=2$

$\therefore y=2x^2-12x+5$

$=2(x^2-6x+9-9)+5$

$=2(x^2-6x+9)-18+5$

$=2(x-3)^2-13$

이 그래프와 $y=2(x-m-1)^2-1+n$의 그래프가 일치하므로

$-m-1=-3,\ -1+n=-13$

$\therefore m=2,\ n=-12$

$\therefore a+m+n=2+2+(-12)=-8$

12 그래프가 아래로 볼록하므로 $a>0$ (①)

축이 y축의 왼쪽에 있으므로 a와 b는 서로 같은 부호이다. $\therefore b>0$

y축과의 교점이 x축보다 아래쪽에 있으므로 $c<0$

② $a>0,\ b>0$이므로 $ab>0$

③ $b>0,\ c<0$이므로 $bc<0$

④ $x=-1$일 때, 함숫값이 음수이므로

$a-b+c<0$

⑤ $x=1$일 때, 함숫값이 0이므로

$a+b+c=0$

따라서 옳지 않은 것은 ⑤이다.

13 직선 $x=-1$을 축으로 하므로 구하는 이차함수의 식을 $y=a(x+1)^2+q$로 놓는다.

이 이차함수의 그래프가 두 점 $(1, -8)$, $(-2, 1)$을 지나므로

$-8=a\times(1+1)^2+q$에서 $4a+q=-8$ …… ㉠

$1=a\times(-2+1)^2+q$에서 $a+q=1$ …… ㉡

㉠, ㉡을 연립하여 풀면 $a=-3,\ q=4$

따라서 구하는 이차함수의 식은

$y=-3(x+1)^2+4=-3x^2-6x+1$

14 $y=x^2-2ax-a+1$

$=(x^2-2ax+a^2-a^2)-a+1$

$=(x^2-2ax+a^2)-a^2-a+1$

$=(x-a)^2-a^2-a+1$

이 그래프의 꼭짓점의 좌표는 $(a,\ -a^2-a+1)$이고, 축의 방정식은 $x=a$이다.

이때 그래프가 아래로 볼록한 포물선이므로 $x<a$일 때 x의 값이 증가하면 y의 값은 감소하고, $x>a$일 때 x의 값이 증가하면 y의 값도 증가한다.

즉 $a=2$이므로

$-a^2-a+1=-2^2-2+1=-5$

따라서 구하는 꼭짓점의 좌표는 $(2, -5)$이다.

15 꼭짓점의 좌표가 $(2, -3)$이므로 이차함수의 식을 $y=a(x-2)^2-3$으로 놓는다.

이 이차함수의 그래프가 제3사분면을 지나지 않으려면 $a>0$이고 $x=0$에서의 함숫값이 0보다 크거나 같아야 한다.

$y=a(x-2)^2-3$에 $x=0$을 대입하면

$y=a\times(0-2)^2-3=4a-3$

즉 $4a-3\geq0$이어야 하므로

$4a\geq3 \quad \therefore a\geq\frac{3}{4}$

16 $y=-\frac{1}{2}x^2-2x+k$

$=-\frac{1}{2}(x^2+4x+4-4)+k$

$=-\frac{1}{2}(x^2+4x+4)+2+k$

$=-\frac{1}{2}(x+2)^2+2+k$

이므로 꼭짓점의 좌표는 $(-2,\ 2+k)$이다.

또, $y=-\frac{1}{2}x^2-2x+k$에 $x=0$을 대입하면

$y=-\frac{1}{2}\times0^2-2\times0+k=k$

따라서 $\mathrm{A}(-2,\ 2+k)$, $\mathrm{B}(0,\ k)$이므로

$\triangle\mathrm{AOB}=\frac{1}{2}\times k\times2=3 \quad \therefore k=3$

17 (1) $y=-x^2-4x-1$

$=-(x^2+4x+4-4)-1$

$=-(x^2+4x+4)+4-1$

$=-(x+2)^2+3$

따라서 축의 방정식은 $x=-2$, 꼭짓점의 좌표는 $(-2, 3)$이다.

또, $y=-x^2-4x-1$에 $x=0$을 대입하면

$y=-0^2-4\times0-1=-1$

따라서 y축과의 교점의 좌표는 $(0, -1)$이다.

…… ㉮

(2) (1)에서 구한 것을 이용하여 그래프를 그리면 다음 그림과 같다.

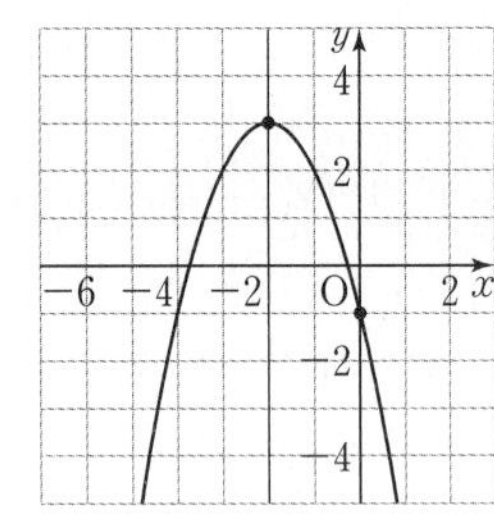

…… ㉯

채점 기준	비율
㉮ 축의 방정식, 꼭짓점의 좌표, y축과의 교점의 좌표를 차례로 바르게 구한 경우	60 %
㉯ (1)에서 구한 것을 이용하여 그래프를 바르게 그린 경우	40 %

18 $y=3x^2+ax+b$의 그래프의 꼭짓점의 좌표가 $(2, -1)$이므로 이차함수의 식을 $y=3(x-2)^2-1$로 놓는다.

…… ㉮

$y=3(x-2)^2-1$

$=3x^2-12x+11$

$\therefore a=-12, b=11$ …… ㉯

즉 $y=3x^2-12x+11$에 $x=0$을 대입하면

$y=3\times0^2-12\times0+11=11$

따라서 그래프가 y축과 만나는 점의 좌표는 $(0, 11)$이다. …… ㉰

채점 기준	비율
㉮ 이차함수의 식을 $y=3(x-2)^2-1$로 제대로 놓은 경우	30 %
㉯ a, b의 값을 제대로 구한 경우	40 %
㉰ 그래프가 y축과 만나는 점의 좌표를 바르게 구한 경우	30 %

19 꼭짓점의 좌표가 $(1, -4)$이므로 구하는 이차함수의 식을 $y=a(x-1)^2-4$로 놓는다. …… ㉮

이 이차함수의 그래프가 점 $(0, -1)$을 지나므로

$-1=a\times(0-1)^2-4$

$a-4=-1 \quad \therefore a=3$ …… ㉯

따라서 구하는 이차함수의 식은

$y=3(x-1)^2-4=3x^2-6x-1$ …… ㉰

채점 기준	비율
㉮ 구하는 이차함수의 식을 $y=a(x-1)^2-4$로 제대로 놓은 경우	35 %
㉯ 그래프가 점 $(0, -1)$을 지남을 이용하여 a의 값을 제대로 구한 경우	35 %
㉰ 구하는 이차함수의 식을 $y=ax^2+bx+c$의 꼴로 바르게 나타낸 경우	30 %

창의력 · 융합형 · 서술형 · 코딩

본문 136쪽

1 (1) $(1, -4)$ (2) $(4, -4)$ (3) 풀이 참조 (4) 12

2 (1) ① $>$ ② $>$

(2) ① 양수, 아래 ② $>$, 왼쪽 ③ $>$, 아래쪽

(3) ④

1 (1) $y=x^2-2x-3=(x^2-2x+1-1)-3$

$=(x^2-2x+1)-1-3=(x-1)^2-4$

따라서 점 P의 좌표는 $(1, -4)$이다.

(2) $y=x^2-8x+12=(x^2-8x+16-16)+12$

$=(x^2-8x+16)-16+12=(x-4)^2-4$

따라서 점 Q의 좌표는 $(4, -4)$이다.

(3) 두 이차함수 $y=x^2-2x-3$, $y=x^2-8x+12$의 그래프는 모두 $y=x^2$의 그래프를 평행이동한 것이므로 그래프의 모양과 폭이 같다.

따라서 서로 넓이가 같은 부분을 빗금으로 나타내면 다음 그림과 같다.

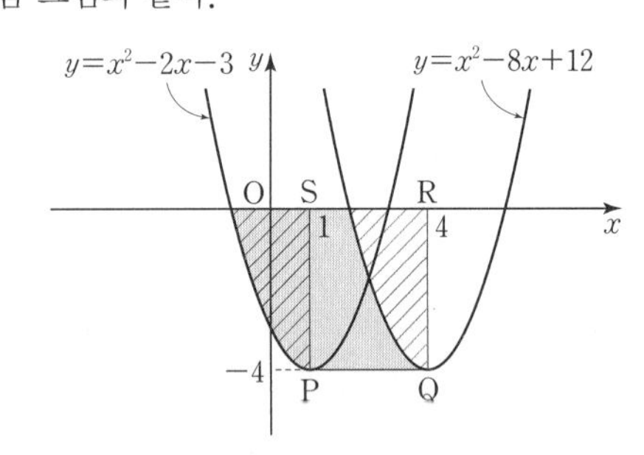

(4) (3)에서 빗금친 부분끼리 서로 넓이가 같으므로 색칠한 부분의 넓이는 직사각형 PQRS의 넓이와 같다.

따라서 구하는 넓이는

$(4-1)\times4=12$

2 (2) ③ $b>0$이고, $y=x^2+ax-b$의 그래프가 y축과 만나는 점의 y좌표는 $-b$이므로 $-b<0$

따라서 $y=x^2+ax-b$의 그래프가 y축과 만나는 점은 x축보다 아래쪽에 있다.

(3) $y=x^2+ax-b$의 그래프는 아래로 볼록하고, 축이 y축의 왼쪽에 있으며 y축과 만나는 점은 x축보다 아래쪽에 있으므로 그래프로 알맞은 것은 ④이다.

교과서 다품

정답과 해설

중학 수학 3-1

넌 ♥
잘할거야

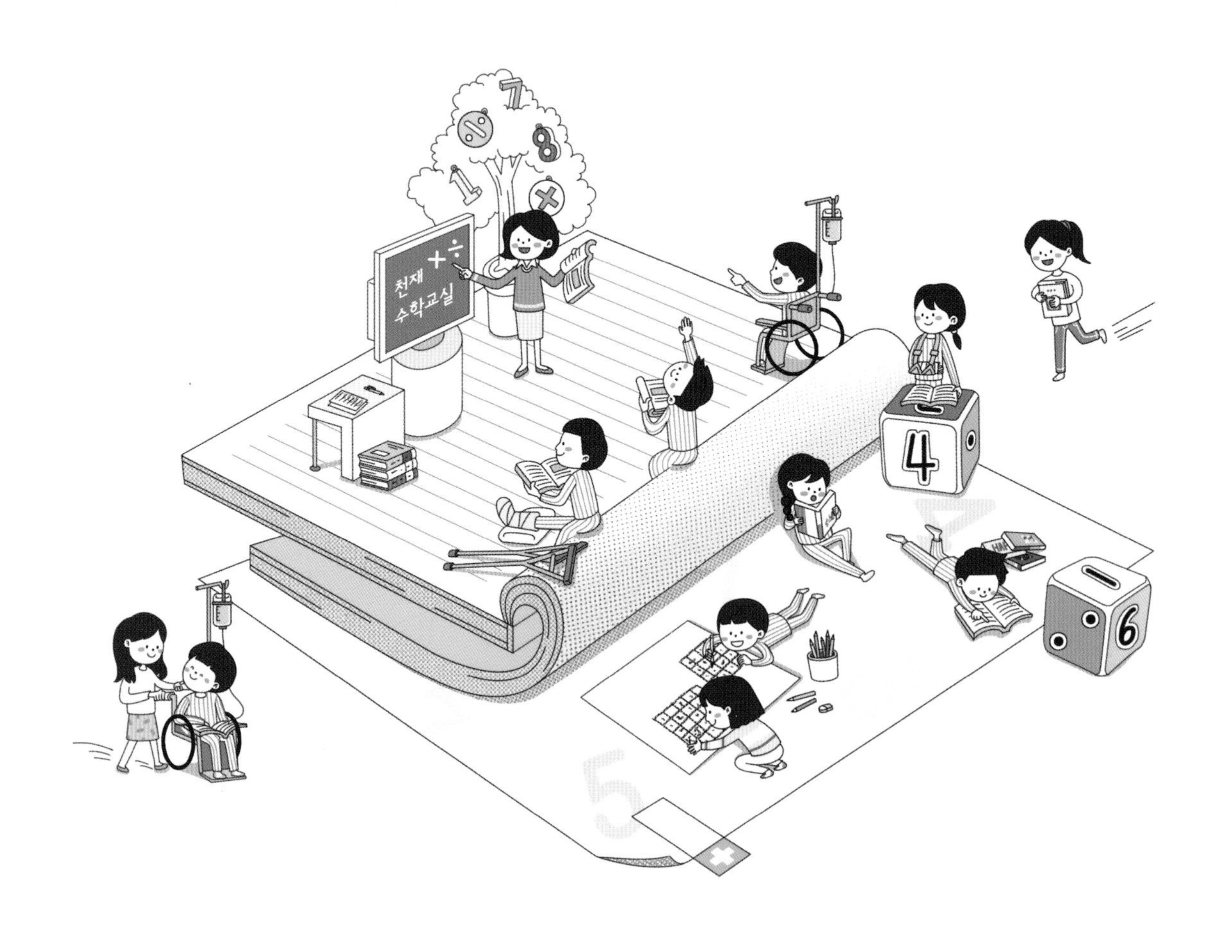

“공부를 넘어 희망을 나눕니다”

몸이 아파서 학교에 갈 수 없는 아이들도
공평하게 배움의 기회를 누려야 합니다.
공부를 하고 싶고
책을 읽고 싶어도
맘껏 할 수 없는 아이들을 위해
병원으로 직접 찾아가는 천재교육의 학습봉사단.

혼자가 아니라는 작은 위안이
미래의 꿈을 꿀 수 있는
큰 용기로 이어지길 바라며
천재교육은 앞으로도 꾸준히 나눔의 뜻을 실천하며
세상과 소통해 나가겠습니다.

<꿈이 자라는 천재 수학교실>이 환아들의 꿈을 응원합니다.

가톨릭중앙의료원 산하 서울성모병원 어린이학교에서
주 1회 <꿈이 자라는 천재 수학교실> 수업 진행

착한 기업으로 가기 위한 동행, 천재교육이 함께하겠습니다.

저소득층 자녀를 위한 학습교재 지원 / 장학금 후원 / 시각장애인을 위한
점자책 데이터 지원 / 고도 약시를 위한 교과서 및 학습교재 개발